OŚCI

OŚCI

IGNACY KARPOWICZ

Kochana,

uściski, podziękowania
i – mocno w to wierzę – do
bardzo szybkiego działania
nonajonsko- projektowego.

**WYDAWNICTWO
LITERACKIE**

Działaj –

Magda

Warszawa, 15 lipca 2014

OSOBNE WZORY

1.

Maja: wiek 36 lat; waga 52 kg; wzrost 160 cm; oczy piwne; orientacja seksualna: hetero ze skłonnościami do dramatu i eksperymentu; orientacja światopoglądowa: depresja; narodowość: w zaniku; stosunek do ofiar Holocaustu: empatyczny.

Autobus wolno stał w korku i niepoprawnym związku frazeologicznym. Klimatyzacja się popsuła i tłoczyła gorące powietrze przez nawiewy umieszczone nad głowami pasażerów. Maja nawiewów nigdzie nie zaobserwowała; ich obecność była obecnością natury dedukcyjnej, wynikała z lektury nalepek na drzwiach i szybach. (Pojazd z klimatyzacją. Nie otwierać okien).

Czerwcowe słońce nagrzewało niemiłosiernie szklane, plastikowe i metalowe elementy autobusu. Ludzie zamienili się w wymienniki ciepła. Maja siedziała między suchą szybą a zawilgoconym człowiekiem; siedziała z dużym czarnym workiem wepchniętym między nogi. Odnosiła coraz bardziej natarczywe i coraz bardziej niekomfortowe wrażenie jakiejś pomyłki. Przez pomyłkę wsiadła w nieodpowiednią przestrzeń, do magazynu używanych części zamiennych. Patrzyła przez szybę na młodą kobietę w drogim aucie. Tam klimatyzacja na pewno nie szwankowała.

Nie cierpiała komunikacji publicznej, ludzie bowiem korzystali z autobusów aż do przesady i nigdy w pojedynkę. Wzięłaby taksówkę, gdyby nie fakt wczorajszy (popsuła się pralka) i fakt dzisiejszy (siedem złotych na koncie), a właściwie złożenie ich obu w jedno – w naciąganą, ale jednak prawdę.

Usłyszała kichnięcie. Kichał człowiek obok. Zauważyła, że po kichnięciu kropelki śliny i śluzu rozchodzą się wachlarzowo z ust i nosa. Lub stożkowo, acz sąsiad nie kichał dokładnymi bryłami geometrycznymi. W ogóle to wyglądał na przykład na Czeczena. Maja zarumieniła się, jak zawsze gdy okazywała się rasowo nieuprzejma lub wizualnie uprzedzona.

Kichający Czeczen: wiek 17 lat; waga 77 kg; wzrost 178 cm; oczy ciemne; orientacja seksualna: zajebać Rosjan; orientacja światopoglądowa: kocham matkę; narodowość: czeczeńska; stosunek do ofiar Holocaustu: nieokreślony.

Zredukowana. Zracjonalizowana. Zoptymalizowana. Zastanawiała się, jak o tym powie Szymonowi.

Kochanie, uległam... Zracjonalizowaniu? Zoptymalizowaniu? Cieszysz się? Bo ja też. Ciachnęli mnie.

Do godziny dwunastej zatrudniona na etacie, po tej godzinie dołączyła do bezrobotnych; oczywiście zawiadomiono ją trzy miesiące temu, doręczono pisemne wymówienie, nikt jej jednak nie uprzedził, że poczuje się tak dziwacznie. Nikt nie wspominał o upale, popsutej pralce i środkach finansowych wykluczających dostęp do taksówki.

Przepracowała dwa lata w instytucie i z pewnością za nikim nie zatęskni, aczkolwiek nie mogła wykluczyć, że niektórzy współpracownicy jej się przyśnią. Nawet za dnia Maja nie zachowywała stuprocentowej szczelności, co dopiero nocą – do jej głowy zdołałby się zakraść dosłownie każdy.

Podium sennych koszmarów obsadziła już w pierwszych miesiącach. Brąz dla dyrektora instytutu, przezwanego przez nią panem Apaszką alias panem Nie Teraz. Srebro dla bezpośredniej przełożonej, pani Agaty, złoto natomiast dla Mateusza, kolegi z zespołu.

Łany żyta, pola kukurydzy, bele jednolitego materiału, pojazdy zalegające na mięknącym asfalcie – obrazy te wydawały się dynamiczne, intrygujące i pełne tajemnic w porównaniu z pracą Mai. Rozmnażała, modyfikowała, zabijała bakterie, piła kawę i herbatę, sprzątała, zapisywała wyniki, prosiła o rękawiczki, których zawsze brakowało, śniła pipety i laboratoryjne szkło. Rozmnażała, modyfikowała, zabijała, zapisywała, piła. W stołówce obiad kosztował piętnaście złotych. Schabowy, drobiowa wątróbka, w piątek ryba o zapachu zamkniętej przez sanepid plaży.

Od początku kiełkowało w niej podejrzenie, delikatne i ozime jak zboże, że to na niby, nie prawdę, że to bardziej nie jest niż jest. Zabytkowe PCV, odpadające kafelki, cieknące krany, brązowe smugi we wnętrzu sedesu, marna pensja, laboratorium przypominające poglądowe zdjęcie laboratorium sprzed piętnastu-dwudziestu lat, również ludzie jacyś bardziej z fotografii do reportażu niż z rzeczywistości do życia.

W pierwszych miesiącach w pewien sposób ją to bawiło, cała ta sytuacja i odpadające kafelki, także bakterie. Wyobrażała sobie, że zdobyła angaż do tasiemca pod tytułem *Chirurdzy*. Albo pod dowolnym innym tytułem. Przy takim nastawieniu bała się czarnych charakterów, przede wszystkim Apaszki i Agaty, tak jakby z emfazą, tak raczej na niby, na odwrót – przez obiektyw hiperrealizmu.

Przykładała się z całych sił, uważała, że nikt w tym serialu nie odgrywał przerażenia na widok Agaty z tak porządnym warsztatem, nikt też nie dorastał Mai do pięt w odrzucaniu zalotów Mateusza, przy Apaszce zaś nauczyła się niknąć pod ścianą niczym myszka, z czego bardzo była dumna, koniec końców to zadanie aktorsko niełatwe – przyjąć na skórę kolor niebieskawej ściany z rudawymi odpryskami bez pomocy charakteryzatorki.

Grała, że pracuje, z wielkim oddaniem, uważając się za najwybitniejszą aktorkę w całym tym wieloodcinkowym instytucie; mimo to nie zdobyła sławy ani pieniędzy. Po roku dopadło Maję przygnębienie lub wypalenie zawodowe. Rozmnażała, modyfikowała, zabijała bakterie, piła kawę i herbatę, sprzątała, zapisywała wyniki, prosiła o rękawiczki, których zawsze brakowało, sporo czasu spędzała, wpatrując się w drzwiczki mikrofalówki.

Praca w instytucie była poniżej jej kwalifikacji, zgodziła się, bo potrzebowała zatrudnienia, teraz jednak nuda i rutyna okazywały się nie do pokonania. Z rozgoryczenia pielęgnowała w sobie astmę dopóty, dopóki nie potrafiła już obejść się bez inhalatora. I e-papierosa. Zaciągała się na zmianę raz jednym, raz drugim. W domu mąż, syn i tchórzofretka.

Po trzytygodniowym urlopie wróciła na drugi sezon serialu. Dręczyła bakterie, ochoczej je zabijając, niż rozmnażając. (Doprowadził fakt powyższy do nieprzyjemnej wymiany zdań z Apaszką). Wreszcie wpadła na to, że poprowadzi bloga. Pożyczywszy bohaterów z instytutu, przeniosła ich do baśniowej krainy, dokładniej do Mordoru na bis. Apaszka został Sauronem, Agata kierowniczką Nazguli, Mateusz zaś Gimlim, synem Gloina. Najpierw pisała w domu; tak się dobrze bawiła, że zaczęła pisać również w pracy.

Gimli, syn Gloina, zaczaił się na kierowniczkę Nazguli, córkę nie wiadomo czyją, tuż po Comiesięcznej Naradzie, w bocznym korytarzyku, kończącym się ślepo drzwiami z napisem: Brudownik. Spotykali się tam, aby knuć toksyczne spiski i swary, które podawali sobie z ust do ust językami jak na tacy. Nikt w fortecy Barad Dûr o tym nie wiedział poza Kają-Mają, świetlistą istotą z odmiennego porządku, księżniczką Białych Orków, uwięzioną w Sauronowej twierdzy potężnymi i nieprzełamywalnymi klątwami: ciągiem przyczynowo-skutkowym oraz koniecznością ekonomiczną. Kaja-Maja byłaby o sekretnych randkach nie wiedziała, gdyby pewnego razu nie zabłąkała się w tunelach Barad Dûru. Usłyszawszy kroki i śmiechy, uciekła za pierwsze i jedyne drzwi, za nimi wcisnęła się w kąt ze starymi mopami i szczotkami. W ten oto dramaturgicznie ograny sposób posiadła wiedzę, jak następuje, a następuje, że Gimli smalił cholewki do kierowniczki Nazguli, ona ze swej strony osmalonych cholewek nie wylewała za kołnierz.

Po Comiesięcznej Naradzie Kaja-Maja podjęła obowiązek i trud śledzenia Gimlego i kier. Nazguli, aż dotarli oni do miejsca schadzki z udziałem nieujawnionych osób trzecich w postaci Kai-Mai. Kaja-Maja podsłuchała, iż podczas narady Sauron kolejny już raz przebąkiwał o reorganizacji i racjonalizacji twierdzy oraz zniewolonych w niej orków. Nadchodziła – podobno – Czwarta Era, a z nią – Plany. Planowano wykuć nowoczesne katownie, wyposażone w sprzęt nowej generacji wprost z UE i jak spod igły, a równocześnie planowano zlikwidować Pokój Socjalny, założony jeszcze na początku Drugiej Ery. Mówiono również o rzezi na Stołówce. Zatrudnione tam orki zamierzano wysłać na pola okalające fortecę elfów, jasną Urząd Pracy, tak się ona zwała i postrach wśród orków wywoływała z powodu głębokiego ich zakredytowania na telewizory i wakacje.

Pisało się Mai świetnie, śmiała się często, nierzadko wzruszała, zaciągając inha- i e-, dwa obłoczki dobroczynnych substancji. Pewnego ponurego dnia, namordowawszy tysiące bakterii i się z sobą także, postanowiła rozświetlić mroczną atmosferę w instytucie. Jak słońce jasne, tak jasny był jej pomysł – rozesłać link do bloga swoim współpracownikom. Bez dwóch zdań odnajdą siebie i się rozpogodzą.

Jeśli do rozpogodzeń doszło, to głęboko introwertycznych. W stołówce nie spotkała się z mową nienawiści, lecz z wściekłymi spojrzeniami, wściekłymi i jednocześnie doszczętnie wyzutymi z wyrazu.

Wiosny nie dawało się już zignorować, gdy rzeczywistość z Mordoru nałożyła się na rzeczywistość instytutu. Wprowadzono te groźne racjo- i reo-, a ich ofiarą, przynajmniej na pierwszym etapie, padł jeden jedyny ork – Maja. Zawiesiła aktywność w blogosferze, omijała mikrofalówkę łukiem, spróbowała zaprzyjaźnić się z wszystkimi żywymi istotami, zwalczywszy w sobie uprzedzenia do istot wielokomórkowych, wszelako wymówienia nie cofnięto.

Ostatniego dnia do czarnego worka na śmieci zgarnęła rzeczy mniej lub bardziej osobiste. W tym również nowiutką paczkę rękawiczek laboratoryjnych, dwa fartuchy, kilka masek, pipetę oraz kapcie, za duże o kilka numerów, za to prawie nieużywane.

Wsiadła do autobusu i utknęła. Po pierwsze, w korku. Po drugie, w upale. Po trzecie, w sobie. Dotknęła opuszką czubka nosa. Babcia kiedyś wnuczce naopowiadała, że od wysokich temperatur wydłużają się ludziom nosy. Prawdopodobnie babci chodziło o kłamstwa i Pinokia, demencja zrobiła jednak swoje, podobnie jak łatwowierność. (Maja uwierzyła babci).

Przyłożyła kciuk do podstawy nosa, w zagłębienie między wargami a chrząstką. Zazwyczaj nos kończył się za paznokciem, ale przed pierwszym więzadłem. Dziś nos skończył się w połowie paliczka środkowego!

Najchętniej ukryłaby nos, strzelisty jak wieża Isengardu, w cieniu kapelusza. Już teraz, oszacowała, potrzebowałabym gigantycznego meksykańskiego sombrera, a jeśli temperatura wzrośnie, to nic mnie nie zasłoni, ewentualnie cień rzucany przez ludobójstwo, najlepiej bliskie i świeże.

Srebrenica, data urodzenia: lipiec 1995; rodzice: holenderski batalion ONZ oraz oddziały serbskie; liczba potomstwa: około 8000 zamordowanych bośniackich muzułmanów; znaki szczególne: ślad po kuli; orientacja seksualna: nieaktualna; orientacja światopoglądowa: nieaktualna; narodowość: nieaktualna; stosunek do ofiar Holocaustu: nieaktualny; rzucany cień: nieusuwalny.

Gdy wysiadła z autobusu, była już wrakiem człowieka, gorzej – makietą wraku. Nieszczęśliwą, przepoconą istotą z nieokreślonymi perspektywami na przeszłość i nieciekawymi na przyszłość oraz ze sporym czarnym workiem na śmieci, niezbyt ciężkim; dźwigała go przed sobą niby zewnętrzną ciążę, plug&play.

Doczłapała do mieszkania, czuła, że zbliża się atak, w prawdziwym świecie, zzuła sandały, połknęła xanax, popijając tabletkę resztką ciepłej wody mineralnej, żeby kupić trochę czasu. Wyciągnęła się na podłodze, na chłodnych kafelkach w kuchni. Włączyła e-papierosa i zaciągnęła się nikotyną. Potem psiknęła w usta inhalatorem.

2.

Przez ostatnich szesnaście lat mieszkam w tym samym małym mieszkaniu, piorę w zlewie, nie mam centralnego ogrzewania ani podwójnie szklonych okien, ani wykładziny, ani innych skarbów, które mają inni, no i oczywiście nie mam żadnej z tych biblijnych rzeczy, takich jak żona, dzieci, dom, ziemia, bydło, owce itd. [...] Śmieszne, prawda?

Philip Larkin*

Pracował od ósmej trzydzieści do szesnastej trzydzieści, od poniedziałku do piątku, z wyłączeniem świąt państwowych

---

* Informacje o tłumaczach znajdują się na stronie 470.

i kościelnych, urlopów oraz – teoretycznie – zwolnień chorobowych. Andrzej nie chorował. Całą pulę chorób wykorzystywali ci, których: kochał, czuł, że kocha, domniemywał, że kocha, obawiał się, że kocha, a nawet – z przerażeniem stwierdzał – ci, których na pewno nie kocha. Pozostawały mu jakieś ochłapy: dzień L4, gdy zwichnął kostkę, wieszając ogromną reprodukcję *Błękitu II* Miró, dwa dni L4, gdy umarła babka. (Wolał w pracy powiedzieć, że boli go gardło, niż że stracił babkę). W tym ostatnim przypadku można by jego stan zakwalifikować jako niezdolny do pracy wyłącznie przez kontrast z babką, perfekcyjnie zdrową, bo w trumnie i z twarzą woskową, poza grami i sądami śmiertelników, w ulubionej garsonce; długość konduktu na pewno przypadłaby babce do gustu. Za życia bywała nieco pompatyczna i chlubiła się – między innymi – długością swego ślubnego welonu. Ładna koda życia, pomyślał szczerze zasmucony wnuk, ta długość.

Pracował od do, do od, w eleganckim biurowcu z portierem i strzeżonym parkingiem. Nie potrzebował ani portiera (unikał romansów w miejscu pracy, w życiu także), ani parkingu (dojeżdżał rowerem; zbyt drogi składany model). Starał się nie zabierać pracy do domu. Z pracoholizmu, do którego nigdy nie wykazywał szczególnej predylekcji, zrezygnował w dzień czterdziestych urodzin. Uznał, że nazbyt dojrzał, ażeby bawić się w wyścig niedorozwojów, zwany, gdy Andrzej był młody, a poprawność polityczna słabsza, wyścigiem szczurów. Poza tym zajął w wyścigu o karierę miejsce piąte lub szóste, które go całkowicie satysfakcjonowało, przez lata wyrobił sobie na tyle mocną pozycję w firmie, aby – jako jeden z wybrańców, niczym Neo w Matriksie – pracować przez osiem godzin i ani minuty dłużej.

Pracował zatem od do, do od, a potem wracał na rowerze, zbyt drogim i składanym, do przestronnego mieszkania na Bielanach, niedaleko stacji metra oraz – niestety – przedszkola. Wolne godziny spędzał w ten sam sposób od lat. Po pierwsze, sprzątał. Uwielbiał sprzątać. Szorowanie kafelków, woskowanie podłogi, ścieranie kurzu z kolekcji nigeryjskich masek, ręczne czyszczenie prawdziwego perskiego dywanu, szczególnie na mokro (miarka szamponu, pięć szklanek letniej wody i łyżka białego octu; ocet utrwala kolory) – nazwy tych czynności brzmiały, wibrowały w Andrzejowym uchu jak pozycje Kamasutry, acz doskonalsze, ponieważ jakość zadowolenia zależała wyłącznie od Andrzeja, bez oglądania się na partnera.

Po drugie, gotował. Unikał kuchni orientalnych, bogactwo i wymieszane miriady smaków na jednym talerzu wydawały mu się nieco barokowe, ba!, bałaganiarskie i pozbawione subtelności. Kochał potrawy składające się z minimalnej liczby składników. Siła i urok takich dań brały się z powściągliwości, a powściągliwość zapowiadała lub skrywała prawdziwą namiętność.

– Naprawdę myślisz, że ludzie namiętni są ludźmi powściągliwymi? – zapytał Andrzeja Krzyś.
– Tak. James Jones. Henry James. Jane Austen. Emily Jane Brontë. Virginia Woolf. Adam Zagajewski.
Krzyś roześmiał się, powiedział:
– Myślę, że się mylisz. Ale z rozmachem.

Zeszłej soboty debiutował nowym deserem: pokrojone w połówki truskawki, posypane świeżo zmielonym pieprzem, a na to bita śmietana z serkiem mascarpone.

Andrzej wpatrywał się z napięciem w twarz Krzysia, konsumu-
jącego deser i równocześnie czytającego jakiś artykuł w jakimś
tygodniku.
– I jak? – Andrzej nie umiał się powstrzymać.
– Strasznie pedalski deser. Masz jakąś wędlinę?

Po trzecie, czytał, dużo i uważnie. Czytał książki traktujące o organizowaniu i projektowaniu przestrzeni
miejskiej, kontrapunktowane nie tak częstymi lekturami
z dziedziny filozofii śmierci. (Przedkładał Anaksymandra
nad Adorna, przynajmniej w kontekście nieuniknionego).
Czytał również literaturę piękną, zarówno polską, jak i światową, zarówno bieżącą, jak i klasyczną. Unikał literatury
faktu. Fakt w ostatnich latach straszliwie się spauperyzował.
Bywał nawet nagradzany ważnymi nagrodami literackimi
oraz – głównie w polityce – określany mianem „prawdziwego". Prawdziwy fakt. Brak słów.

Po czwarte, słuchał muzyki. Jego pierwsza stabilna
miłość to Lombard, zaraz potem Maanam. Za młodu należał
do oficjalnego fanklubu Lombardu, później Maanamu. Reda-
gował fanzina (pod tytułem „Cafe Maur"). Wielbił Korę i jej
towarzyszy, z naciskiem, mniejszym, na partnera życiowego
i – większym – na suczkę Ramonę, bolończyka. (Gdy ktoś mówił o Ramonie per pudel, Andrzej ucinał znajomość). Teraz
rzadko miał okazję wracać do Maanamu, czasem leciał jakiś kawałek w radio, czasem Kora przebiegała telewizyjnym
ekranem lub plotkarskim portalem.

Czy mógłbyś żyć beze mnie powiedz
Czy mógłbyś odejść powiedz odejść
Tak często śni się nam to samo

To niemożliwe niemożliwe
Powiedz

Kora Jackowska

Po piąte, oglądał filmy i seriale. Lubił seriale zaanga-
żowane. Na przykład *Sześć stóp pod ziemią* albo *Słowo na L*, albo
Dziewczyny. Z filmów kochał – kochał miłością zawiedzioną
i sekretną, nikomu się do tego nie przyznał, nawet partne-
rowi – *Parasolki z Cherbourga*. Kulminacyjna scena, spotkanie
kochanków na stacji benzynowej po latach oraz Algierii, kochanków, którzy ułożyli sobie osobne życia, założyli osobne
rodziny, urodzili osobne dzieci, zawsze wzruszała Andrzeja:
czasem do łez, których unikał, łzy są bowiem szkodliwe na
cerę oraz światopogląd, czasem zaś coś w nim pękało. Pęka-
ła w nim, za przeproszeniem, intertekstualność, chroniąca
przed upokorzeniami głównymi życia towarzyskiego w środowisku IQ > 125. Pękał kontekst i dystans, a z pęknięcia prze-
bijała naiwność. Naiwność rozumiana jako zaufanie między
zwierzęciem a zwierzęciem, dokładniej – między matką i jej
dzieckiem. Naiwność niebędąca skazą intelektu, lecz zwyczajnym przyłożeniem skóry do skóry, zapachu do nosa, nosa do
piersi. *Parasolki z Cherbourga* od lat czyniły wielkie spustosze-
nia w Andrzeju. Im bardziej szkody te rozumiał, tym mniej
miał ochotę je likwidować. Trudno, powiedział sobie kiedyś,
widać muszę poddawać, teraz wyliczanka: zamek po zamku,
twierdzę po bitwie, bitwę po zasadzce, zasadzkę po ekspiacji,
cały ten psychologiczno-kulturowy szaniec, chroniący mnie
przed światem, świat – przede mną.

Po szóste, tańczył. Tańczył do muzyki, zarówno tej
z głośników, jak i puszczonej w głowie, bez wykonawcy i tytułu, suita na żołądek i jelita w tempie marzenia o księciu na

białym koniu. Tańczył w pojedynkę, choć niekiedy z kimś ektoplazmowej natury, kto wpadł w jego otwarte ramiona, kto trzymał brodę na jego barku, obejmował w pasie, przydeptywał stopy. Ów współtancerz nie posiadał szczegółów ani twarzy, a na niej – ni rysów, ni grymasów. Gdyby zapragnął zatańczyć z kimś konkretnym, z kimś o określonej urodzie, muskulaturze, wzroście, barwie głosu, PESEL-u – poszedłby do klubu.

Po siódme, uczył się na pamięć i deklamował przed samym sobą żurawiejki oraz inne drobiazgi. Mógł uczyć się fragmentów Szekspira lub Fredry, nie chciał jednak opanowywać zwartych historii. Kuplety wydawały się prawdziwsze, także dlatego że wyszły z mody. (Z adiutantów i lekarzy/ Ma Warszawa pułk gówniarzy).

Wziął piątkowy prysznic. Piątkowy prysznic wyróżniał się na tle każdodziennych pryszniców jednym: w piątki przychodził Krzyś. (Wychodził w poniedziałki lub niedziele). Wspólne prysznice zostawili hen, byli ze sobą od pięciu lat i zgodnie twierdzili, że wzajemne dotykanie się – w ciasnej kabinie nie sposób się ominąć – pod strumieniem ciepłej wody nie należy do rytuałów szczególnie romantycznych. Nie jest też szczególnie przyjemne.

> – *Nie bierz tego do siebie – powiedział Andrzej. – Po wspólnym prysznicu czuję się mniej dokładnie wymyty, niż gdybym brał prysznic samodzielnie.*
> – *Zabieram ci wodę?*
> – *Raczej mnie rozpraszasz. Albo mam jakiś nierozwiązany problem z matką.*
> *Krzyś się śmieje. Dowcipy z brodą, z Freudem w tle, zawsze go bawią.*

Nie wytarł się jeszcze do sucha, gdy zadzwoniła komórka.

– Czyli że będziesz później, tak? – Głos po drugiej stronie coś klarował, aż Andrzej przerwał zawiły wywód: –To przyjdźcie razem. Tylko nie wcześniej niż za godzinę. Muszę się przygotować.

Zastanawiał się chwilę nad strojem; domowa niedbałość czy jednak coś bardziej oficjalnego? Zdecydował się na nowe szorty w szkocką kratkę, okropnie modne i drogie. Stał boso, w modnych szortach i z niepokojem, z dyndającą metką przy lewym udzie, opiewającą na nieprzyzwoitą liczbę funtów, przed lustrem, próbując dobrać część górną garderoby. Wybrał najbardziej zniszczony i poplamiony T-shirt. Uzyskany efekt niezbyt Andrzeja satysfakcjonował, lecz przecież nie będzie żałować róż, gdy płoną lasy, i to już za pół godziny, jeśli okażą się punktualni.

Przygotował kilka przystawek, nieskomplikowane szybkie potrawy: pomidory z bazylią, mozzarellą i jabłkiem, oliwki posypane migdałowymi płatkami, suszone mięso z kawałkami melona. Ustawił wszystko na niskim stoliku na tarasie. Spojrzał krytycznie na przygotowane przez siebie dania. Moja babcia, pomyślał, zwyczajnie by się popłakała; same fikuśne rzeczy, nie ma czym się najeść, nie ma jak przeżyć wojny. W pierwszym odruchu chciał wszystko wyrzucić do kosza i zamówić pizzę przez telefon, spojrzał jednak na zegarek. Trudno, stwierdził w półrozpaczy i ćwierćwstydzie, wypadnę jak szablonowy gej, gej z „Burdy", burda z szafy.

Przyszli, o dziwo, punktualnie, ding-dong, Krzyś i Maja, ding-dong, już otwieram!

Maja: wiek 36 lat; waga: zależna od samopoczucia; wzrost: zależny od przygnębienia; oczy piwne; orientacja seksualna: xanax ze skłonnościami do astmy; orientacja światopoglądowa: gdzie jest mój mąż, gdy go potrzebuję?; narodowość: język polski; stosunek do ofiar Holocaustu: empatyczny, niezmiennie.

Otworzył drzwi. Znał Maję od kilku lat, mimo to poczuł się niepewnie, nigdy nie spotkali się w jego mieszkaniu, nigdy w tak wąskim gronie, trzy osoby, brzmi niczym wizyta trojga aniołów u Abrahama, zakończona groźbą Bożą (Sara urodzi ci syna), błyskotliwie spuentowaną przez Andrieja Rublowa w ikonie Świętej Trójcy, koniec zdania.

Przepuścił Maję i Krzysia. Zapytał:

– Czegoś się napijecie?

– Ja poproszę piwo. – Krzyś spojrzał wymownie na Maję. – Ona weźmie – zabawnie potrząsnął ogoloną na krótko głową z kitką w kolorze blond – czerwone wino. Lub wódkę.

– Masz ładowarkę do e-papierosa? – zapytała Maja.

– Nie – odpowiedział Andrzej.

– Tego właśnie się po tobie spodziewałam. Brak. Dobrze zorganizowany brak.

Andrzej się roześmiał, poczuł się swobodniej, początkowe napięcie nieco osłabło. Zaproponował:

– Chodźmy na taras.

Na tarasie Maja wdała się w długie streszczenie ostatnich dni, przerywane suszonym mięsem z kawałkami melona. (Jest wegetarianką, tak ma wpisane w paszporcie, poniżej pozycji: organ wydający dokument; albo coś jej się znowu pomieszało):

– No, już kończę, zaraz dam wam dojść do słowa, pod warunkiem że nie będziecie mówić o sobie, tylko o mnie.

Żartuję. Więc to była katastrofa, ten blog, cud, że nikt nie zginął; nikt, czyli ja, w sensie że – westchnęła, rozglądając się za e-papierosem lub inhalatorem. – Nie dla mnie już Barad Dûr.

– Co? – zapytał Krzyś.

– Tak się nazywała twierdza głównego złego we *Władcy pierścieni*. Myślałam, że wiesz. Gejowie powinni lubić i znać się na opowieściach o biżuterii.

– Bardzo superśmieszne – wyrwało się Andrzejowi.

– Skoro nalegasz... – Zapadło niedługie milczenie, przerwane Majowym pytaniem: – Czy ja już rozpaczałam?

– Bez umiaru i krztyny taktu – odparł Krzyś.

– Dziwne, a czuję się, jakbym nie rozpaczała ani tyci.

– I co teraz zrobisz? – zainteresował się Krzyś albo Andrzej.

– Jestem bezrobotna. Chyba się stoczę po drabinie społecznej. Uważasz, że nie potrafię?

– Szymon wie? – dopytywał Krzyś albo Andrzej.

Maja pomyślała sobie, bocznym torem: Andrzej jest tak nieabsorbujący, że z praktycznego punktu widzenia mogłabym go traktować jako cechę charakteru Krzysia.

– Nic mu nie mówcie! Poza tym powinien się domyślić! Dałam mu na to trzy miesiące. Byłam bardzo przygnębiona. Bar-dzo! Zaniedbałam prasowanie koszul.

– To twój normalny stan – przypomniał Krzyś. – Wygniecione koszule Szymona też.

– Jesteście paskudni! Tyle złośliwości i tyle pogardy w tak niewielkiej liczbie dwóch osób o pospolitych twarzach! Proszę wskazać mi otwór wyjściowy, abym mogła opuścić tę nieżyczliwą norę ze skutkiem natychmiastowym!

Rozmowa toczy się wartko, z wybuchami śmiechu, podlewana szczodrze alkoholem. Troje rozmówców z wirtuozerią wymienia się większymi i mniejszymi klęskami swoich żyć, żartobliwie punktuje te wszystkie słabości i porażki, które ułożyłyby się w prawdziwe CV. Obserwator mógłby dojść do wniosku, że w tym kręgu kulturowym sukcesy w życiu zawodowym bądź osobistym należą do kategorii: towarzyska gafa, że są one czymś wstydliwym, krępującym, niewartym wzmianki. Obserwator mógłby wyciągnąć wniosek dalej idący – człowiek obyty, dobrze wykształcony, o eleganckich manierach musi, jeśli chce być społecznie atrakcyjny i ludzko prawdziwy, doświadczać klęski po klęsce, porażki po upokorzeniu, upokorzenia po urodzinach, urodzin co roku, acz do czasu pogrzebu. Rozmówcy nie tylko upadają raz po raz, oni również zdołali dojść dokądś (Dotoczyłam się do tego doktoratu, powiedziałaby Maja, po równi pochyłej) i do czegoś (Raczej się stoczyłaś, niż dotoczyłaś, powiedziałby Krzyś, do tego doktoratu).

Dobija się czwarta rano przez nieskazitelnie przejrzyste okna. Dnieje buro, z powściągliwymi eksplozjami światła, przykrytymi watą chmur, i z kląskaniem ptaków, coraz intensywniejszym.

– To w mojej głowie ptactwo ma ruję? – pyta Maja, przykładając pełny kieliszek z winem do czoła.

– Ruja jest chyba w marcu – odpowiada Andrzej. – Mamy czerwiec.

– O, Boże! – wykrzykuje Maja. – To już tak późno?! Strasznie się zasiedziałam!

Andrzej gestem szerokim i nieostrożnym strąca pusty kieliszek. Kieliszek rozbija się w mak. Krzyś bije brawo. Podchodzi do Andrzeja, całuje go i mówi:

– Zawsze wiedziałem, że jesteś bałaganiarzem gdzieś w głębi. Tylko bałeś się to z siebie wypuścić...

– Muszę sprzątnąć. – Andrzej usiłuje wyswobodzić się z objęć kochanka. – Miałem tylko trzy takie kieliszki – stwierdza ponuro. – Sprzed wojny.

– Ups! Będziesz musiał ograniczyć liczbę znajomych – radzi Maja.

– Do dwóch?! – z oburzeniem pyta Andrzej.

Krzyś potyka się i rozbija kolejny kieliszek. Mówi z żalem:

– Przepraszam, nie planowałem. Chyba do jednego.

– Na mnie nie licz! – Maja jednym haustem dopija wino i rzuca kieliszkiem o podłogę. – Uff! Zdążyłam.

Patrzą na nią zdumieni.

– No co?! Bycie jedyną przyjaciółką to straszne obciążenie! Jestem za młoda, żeby dźwigać taki garb!

Dzwonek u drzwi.

– Kto to?

– Zamawiałeś sprzątanie?

Wszyscy biegną na korytarz. Drzwi się otwierają.

– Szymon! – wykrzykuje Maja i rzuca się na szyję mężczyzny. – Mężu mój kochany, któryś wyjechał na konferencję! Ucałuj swą tajemniczą i nadziabaną żonę!

Mężczyzna zostaje wciągnięty do środka, a troje imprezowiczów jak na komendę zaczyna jęczeć i zawodzić.

– Rany, coście brali – nowo przybyły wypowiada tę kwestię z lekkim obrzydzeniem oraz odrobiną zazdrości.

– Nie zdejmuj butów! – każde z nich wyrzuca coś w tym stylu, zwiększając całkiem spore skonfundowanie Szymona.

Dochodziła szósta, gdy Szymon skończył wyciągać szkło ze stóp.

3.

*Szymon: wiek 36 lat; waga 77 kg; wzrost 181 cm; oczy głębokie;
orientacja seksualna: Lew Tołstoj przełamany Susan Sontag;
orientacja światopoglądowa: wyłącznie po godzinach pracy;
narodowość: stanu wolnego; stosunek do ofiar Holocaustu:
empatyczny.*

Na kuchennym stole piętrzą się stosy. Brudnych naczyń do
zmycia, fachowych artykułów do przeczytania, płyt DVD do
obejrzenia, książek do wyrzucenia lub podarowania, rachunków do zapłacenia, gazetek reklamowych do niczego. Pośród
krzywych i chwiejnych wież przedmiotów Szymon wykrawa
sobie niewielki kawałek przestrzeni, w sam raz na laptopa.

Przegląda pocztę ze skrzynki uczelnianej i prywatnej. Nie ma ochoty nikomu odpowiadać, w końcu sobota, wolno mu być nieczynnym. Wstaje od biurka, nalewa wody do czajnika, szykuje herbatę, zagląda do sypialni (Maja śpi), wraca do komputera.

Loguje się na Facebooku. Liczy, że Ninel coś napisała, jakiś drobiazg, że siedzi w domu, jakiś sprawozdawczy okruch, że kot tęsknił tak, jak ona do kota; cokolwiek, po prostu ślad, odcisk na monitorze, że jest, że o n a jest.

Poznali się w poniedziałek, sześć dni temu, na otwarciu – notabene utrzymanym na bardzo wysokim diapazonie – interdyscyplinarnego festiwalu, miasto Kraków, Smok Wawelski i obwarzanki. Przemawiał minister kultury, po nim trzej notable. Szymon wymknął się z głównej sali do długiego pomieszczenia, zastawionego stołami z jedzeniem. Wbrew oczekiwaniom nie świeciło ono pustkami. Stało się azylem dla matek i ojców oraz ich pociech. Ot, nowy trend, przyjazne państwo, przyjazne konferencje naukowe, przyjaźni ludzie, przymus z Unii Europejskiej. Obecnie wypadało posiadać dziecko do lat trzech i pół i zabierać je wszędzie ze sobą. Wykład o programowaniu neurolingwistycznym uważano za nieudany, jeśli co najmniej jedno maleństwo się nie rozbeczało. Od uczonych slajdów wyżej punktowano naturalne, nieskrępowane kulturową normą karmienie piersią. Trudno już było referować najnowsze ustalenia w prozodii bez kontekstu pediatrii. Cena postępu, akcyza za mądrzejsze społeczeństwo, pomyślał i westchnął.

Przebił się do win. Chwycił dwa kieliszki i wybrał ścianę, o którą zamierzał się opierać przez najbliższy kwadrans. Jeśli mu się poszczęści i nikogo nie spotka, zaparkuje tu na całe przyjęcie, z szybkimi wypadami po kolejne lampki wina.

Podeszła do niego:

– Kopę lat!

Nie wiedział, jak zareagować. On ją oczywiście znał, Ninel Czeczot, żywa historia i – bezdyskusyjnie – z równą mocą teraźniejszość. Ona jego znać nie mogła, nie przynależał do porządku historii, prędzej teraźniejszości, a i to z ociąganiem.

Wyjęła z jego ręki kieliszek, jak gdyby czekał on właśnie na nią. Szymon wydusił wreszcie pierwsze słowo:

– Chyba.

Przyjrzała mu się.

– Przepraszam! Pomyliłam pana ze starym znajomym. To przez nowe okulary, które bardzo niedokładnie współpracują z moją pamięcią.

– Nic nie szkodzi. Ludzie często mnie mylą z kimś, kim nie jestem. O, kurczę! Teraz ja przepraszam! Nie zamierzałem mówić takich pierdół. No, wie pani. Takich, jak z rozmowy kulturalnych, nonszalanckich ludzi. Nienawidzę tego!

Milczał skonsternowany. Nachmurzony.

Ona tymczasem oparła się plecami o ścianę, obok niego: w ten sposób nie patrzyli na siebie, patrzyli przed, na przyjazną atmosferę, na matki, ojców i dzieci do lat trzech i pół. Szymon uświadomił sobie, że konsternacja błyskawicznie znikła, nie czuł nawet skrępowania, tak uparcie milcząc i stojąc.

Uwagę obojga przyciągnął malec, trzyletni albo młodszy. Poruszał się, jak pozostałe dzieci, na dwóch nogach, niekiedy na czworakach. Różniło go coś innego: trzymał buzię otwartą, jak gdyby znalazł się w stanie chronicznego ziewnięcia.

– Nie jestem pruderyjna – stwierdziła Ninel – ale wydaje mi się, że to dziecko ma wszystkie zęby.

Bardzo go rozbawiło domniemanie o ilości zębów.

– Tak – zgodził się.

– Nie wiem – kontynuowała – czy to normalne w tym wieku.

– Myśli pani, że jest upośledzone?

– Nie zdziwiłabym się. W końcu to dziecko.

Przegadali prawie całe przyjęcie.

Nie było jej na Facebooku, była na Skypie.

Szym777: Widzę, że jesteś.

Sepulka: Jestem słabo.

Szym777: Podróż cię dobiła?

Sepulka: Nie.

Szym777: Zjedz coś.

Sepulka: Nie.

Zjedz coś, tak mówiła jego matka, jedzenie jako panaceum na wszystkie „nie". Szymon odchylił się w fotelu, splótł dłonie na karku, raz jeszcze przeczytał od początku krótki czat, raz jeszcze zastanowił się, dlaczego wybrała sobie nick Sepulka. To z Lema, pamiętał. Sepulki służyły do sepulenia. Odgrywały ogromną rolę w kosmicznej cywilizacji, równocześnie pozostając tematem tabu. Przypominały, sprawdził w sieci, murkwie, a kolorystycznie pćmy łagodne.

Szym777: Murkwia?

Sepulka: Nie.

Kot mi się kończy.

Jest mi przykro.

Bardzo.

Szym777: ☹

Szymon dostał chomika, za pacholęcia, i płakał, gdy chomik zmarł. Pochował go w pudełku po ptasim mleczku, zbyt obszernym na pojedyncze ciało; w kartoniku pozostało tyle miejsca, że zmieściłaby się i chomicza małżonka (albo małżonki, gdyby chomik wyznawał wyznanie mahometańskie), i ich potomstwo. Szymon patrzył – a teraz przed ekranem laptopa pamiętał, że patrzył – na skurczoną kulkę futra w jednym z kątów. Pamiętał również, co powiedział, zamykając prawie puste pudełko po ptasim mleczku. Powiedział: stary kawaler. Nie bardzo wiedział, co to znaczy, w końcu liczył sobie z osiem lat, wiedział jednak, podsłuchał bowiem kiedyś rodziców, że stary kawaler to coś przerażająco smutnego. Z intonacji matczynego głosu Szymek wyciągnął taki wniosek. Stary kawaler znaczył mniej więcej: nie ma nadziei.

Szym777: Stary kawaler?

Sepulka: Obawiam się, że tak. Niedługo.

Szym777: Idę na spacer. Spotkamy się na Polach?

Sepulka: Nie.

Szym777: To na razie.

Sepulka: Na.

Źle znosił nie. Nie chciała z nim pójść na spacer. Zbyła go. W istocie rozumiał, że to nieprawda. Ninel nie chciała spacerować, dlatego powiedziała „nie”. Nie istnieje rzeczywistość, w której niechęć do spacerowania kończy się „tak” dla spaceru. Albo inaczej: taka właśnie jest rzeczywistość, natomiast osoby niegodzące się z porządkiem rzeczy, z „nie” pod rękę z „tak”, osoby takie budziły w Szymonie niepokój. Nie wiedział, czy imponuje mu ich odwaga, czy złości egoizm.

Zdołał stłumić niespodziewaną przykrość, stała się ona pospolitym rozczarowaniem. Z rozczarowaniami radził sobie dość dobrze. Sprawnie.

Obszedł mieszkanie. Maja spała, Bruno jeszcze nie wrócił z dwudniowego wypadu z przyjaciółmi, tchórzofretka imieniem Sławoj czekała, aż ktoś ją wypuści z klatki.

Szymon wypuścił Sławoja. Szymon włożył sandały.

Nie lubił lata. Lato go dołowało. Nieznośnie długie dni, godziny i godziny światła z krótką przerwą na nieprecyzyjną ciemność. Zdecydowanie za krótką. Nie należał do gatunków nocnych, nie należał też do dziennych. Jego naturalne środowisko to średnie lub całkowite zachmurzenie i niekorzystny biomet. Wtedy czuł się najlepiej, pracował najwydajniej, wtedy świat rysował się klarownie szarą kreską.

Nie ufał latu. Nie ufał samemu sobie latem. Nie zachowywał należytej staranności, lekceważył procedury, dzięki którym jego relacje z ludźmi były poprawne i bezpieczne, czasem nawet na swój sposób serdeczne. Ostrożność – jej właśnie mu zabrakło z Ninel. Niepełny, zdradziecki letni tydzień, przegadane kwadranse, a on już dał się oczarować, już prawie się zakochał. Mało brakowało.

Zadzwonił telefon. To była ona:

– Głupia sprawa, muszę nagle wyjechać na dwa dni. Wszyscy moi przyjaciele powyjeżdżali, epidemia wyjazdów, pieprzony czerwiec. Kto w ogóle wymyślił czerwiec?! No i pomyślałam sobie, że cię zapytam, czy dałbyś radę zająć się kotem. Raz dziennie nalać wody i rzucić mięsa z masłem. Raz dziennie przez dwa dni. Kuwetę sprzątnę sama, jeśli się brzydzisz. To jak? Mogę cię o to prosić?

– Tak – powiedział, aby zaraz dodać ostrożniejszym tonem: – Chyba tak.

Wpadł do niej po klucze. Zaproponowała herbatę. Nie chciało mu się pić, powiedział jednak: owszem, z przyjemnością i łyżeczką cukru, jeśli to nie kłopot.

Musiała wyczuć jego niepewność, ten stan lekkiego oszołomienia, wyraźną, choć cząstkową nieobecność, jakieś zamknięcie się na coś lub przed kimś. Musiała to wyczuć, ponieważ ciężar prowadzenia rozmowy wzięła na własne barki. (Kot bez pytania usadowił mu się na kolanach. Cuchnął).

Mówiła niskim głosem, tak niskim, że Szymon wątpił, aby potrafiła pisnąć. Na widok myszy czy z bólu. (Nie znał jej preferencji). Zapracowała na swój głos; niepoliczone papierosy, rozmowy do rana – wyobrażał sobie, jak przez lata dochodzi do obecnego tembru, paląc i gadając, całując się i przełykając, z roku na rok ułamek tonu niżej, niżej, aż pewnego dnia – być może – przestanie być słyszalna bez specjalistycznej, fonograficzno-feministycznej aparatury.

Ocknął się, gdy go zapytała, czy słyszy, co ona do niego mówi.

– Słyszę, tylko że bez większego zrozumienia – odpowiedział wprost, ze szczerością, której nadal się wstydził, dowodziła ona bowiem, że socjalizacja w jego przypadku nie do końca się powiodła.

Uśmiechnęła się.

– To bardzo mądre nastawienie do ludzi.

Nie wiedział, czy z niego pokpiwa, czy też mówi serio; na tyle serio, na ile słowa zatrzymują powagę.

– Przepraszam. Nie chciałem zachować się niegrzecznie lub bezpośrednio. Odłączyłem się na trochę.

– Mimo to słyszałeś wszystko?

Skinął głową.

Odchrząknął.

– Prawdopodobnie muszę już iść.

Nie zaoponowała, za co podziękował jej w duchu. Oszczędzili sobie rozmówki rodzajowej pod tytułem „Ależ zostań!".

– Wyślę ci SMS-a, żeby przypomnieć o kocie.

– Wyślij. Dzięki za herbatę.

– Dzięki za kota.

Podali sobie ręce; jak na talerzu. Dziwny zwyczaj, pomyślał, pełen pułapek – można przytrzymać czyjąś dłoń za długo, uścisnąć za mocno, za słabo; można poślizgnąć się na własnym lub obcym pocie, wtedy dłoń wymyka się obyczajowi i potrafi ścisnąć same palce albo nadgarstek. Dziwny zwyczaj, powtórzył w myślach, pełen pułapek. Nie zdziwiłbym się, gdyby za sto lat ludzie przestali podawać sobie ręce, dla bezpieczeństwa.

– Czemu matka powiedziała, że nie cho-? – zapytał w progu Bruno.

– Też się cieszę, że wróciłeś, synu – odpowiedział Szymon, zdejmując sandały. – Fajnie było?

– Tata, ja cię nie pytam, jak mi było. Ja cię pytam, czemu matka powiedziała, że nie chodzi. Schlała się wczoraj czy co?

– Pokaleczyła stopy.

– Niniejszym się upaliła w bonusie.

– To była impreza bez narkotyków.

Bruno prychnął, prawdopodobnie z pogardą, i coś wymamrotał pod nosem.

– Co mówisz?

– Nic. Wychodzę. Sławoj nasrał w kuchni. Nara – i już trzasnęły drzwi, a Bruno zniknął.

Nie zdążył wkurzyć się na syna, ponieważ zadzwoniła komórka.

– Nie, mamuś, raczej nie. Maja wbiła sobie szkło w stopę i nie bardzo może chodzić. Co?... Zbiła kieliszek, znaczy talerz... Tak, jestem pewien, to był talerz, nie kieliszek... Dobrze, mamuś, ucałuję, na razie.

– Z kim rozmawiałeś?! – krzyknęła z sypialni Maja. –
I przynieś mi e-papierosa, bo się duszę!

Poszedł do kuchni, sprzątnął kupę Sławoja. Ze stołu zgarnął e-papierosa. (Naładowanego, zatem Maja musiała
wstać pod nieobecność Szymona).

– Proszę. Poszukać inhalatora? I tak będzie ci zaraz
potrzebny – dodał z lekkim sarkazmem.

Leżała na kołdrze. Zaciągnęła się wodną parą z nikotyną.

– Dziękuję. Gdzie byłeś?

– W kuchni.

– Pytam się o wcześniej.

– Na spacerze.

– Trzy godziny? W taki upał?

– Dokładnie. Ja, w odróżnieniu od ciebie, nie mam
kaca. Upał mi nie przeszkadza.

– Pojechałeś do zoo?

– Do zoo?

– Albo do twojej matki?

– Co ty wygadujesz?!

– Cuchniesz – wytłumaczyła Maja. – Tylko nie wiem
czym. Albo jest to smród zwierzęcia trzymanego w klatce,
albo woń domu twojej matki, ten świętoszkowaty, trupi odór.

Zagryzł zęby. Nie znosił, gdy Maja wbijała szpile
w teściową, a jego, Szymona, matkę. Swoją drogą, matka Mai
nie różniła się bardzo od jego matki. Obie wierzyły w Kościół,
dewocję i dewocjonalia, czasem też w Jezusa. Fakt, że religij-
ność Szymonowej matki pogłębiała się z wiekiem, kilka lat
temu sięgając dna ortodoksji, łamanej jeśli nie przez świę-
tość, to z pewnością przez beatyfikację, fakt ten w ogóle nie
usuwał faktu innego: bardzo matkę kochał.

– Wezmę prysznic – powiedział z zamiarem uniknięcia kłótni.

Skacowana Maja uwielbiała prowokować kłótnie. Szymon nie wiedział dlaczego, wiedział jedynie że. Korekta: prawdopodobnie wcale nie uwielbiała, lecz prowokowała, po prostu, kropka.

– Przepraszam, Szymuś. Źle się czuję. Jak syrenka.

Usiadł na brzegu łóżka, wziął ją za rękę:

– Jaka syrenka?

– Taka z bajki, chyba Andersena. No wiesz, co pokochała księcia tak bardzo, że dla niego wymieniła swój rybi ogon na stopy. I potem każdy krok sprawiał jej niesamowity ból, mimo to chodziła po ziemi z miłości do swego księcia. – Mówiła szybkimi zdaniami, Szymon nie przerywał, zaczynał się bać, że ona znowu odjeżdża w swój świat, w ten straszny, uciążliwy wariant świata zaludnionego widmami w przedrzeźnionych zwierciadłach, kończący się terapią i mocnymi psychotropami. – Tylko czy ja mam księcia, dla którego warto oddać ogon?

Nachylił się, żeby ją pocałować, ona odchyliła głowę i pocałunek wylądował nie tam, dokąd go posłano, lecz niczym zniesiona wiatrem bomba rozbił się o szyję, zgrzytnął i zsunął, nie doprowadzając do żadnej eksplozji, ani grama namiętności, niewypał. Niewybuch. Brak przyzwolenia na przytulenie, dyplomatyczna nota z żądaniem niebliskości.

Pragnął coś powiedzieć. Najlepiej coś, co rozbroiłoby tę sytuację i ten niecelny pocałunek. Nic nie przychodziło mu na myśl. Nie wiedział, który kabel – niebieski (syrenka) czy czerwony (matka) – przeciąć, aby uniknąć zniszczeń.

– Kochanie – rzucił pierwsze słowo, miękko, niby lasso, Maja jednak zachowała czujność i się uchyliła, słowo tedy nie dosięgło jej, nie skrępowało, ot, spadło próżno w piach lub raczej, dostosujmy obrazowanie do warunków krajoznawczych, na kołdrę. Szymon spróbował czegoś innego: – Czy myślisz… – powiedział i urwał, Maja często łapała się na haczyk „czy myślisz…" i dopowiadała ciąg dalszy podług własnego uznania i nastroju. Dziś jednak ów haczyk nie chwycił. „Czy myślisz…" unosiło się w ciszy, dryfowało szyderczo, stopniowo przeobrażając Szymona w głupka, który nie potrafi dokończyć prostego zdania.

Dlaczego, pomyślał ze szczerą rozpaczą, ona nie chce mi pomóc? Dlaczego czegoś nie powie? Dlaczego nie puści mnie wolno?

Wreszcie się zlitowała.

– Idź, weź prysznic. Cuchniesz. Innym ciałem. Kobietą.

To była kotka, nie kobieta, chciał powiedzieć, w porę ugryzł się w język. Wstał i wyszedł. A może kot, nie kotka?

4.

Na szybie pokrytej parą rysujemy dwa kółka dodając uszy,
wąsy i ogon. W ten sposób powstaje kot. Można także
narysować świerk, kwiat albo człowieka.

Dopóki różnica temperatur po obu stronach szyby utrzymuje
się – ludzie, zwierzęta i rośliny istnieją w sposób niebudzący
wątpliwości. Istnieją z zewnątrz i od środka.

Krystyna Miłobędzka

W pociągu zajęła miejsce przy oknie, nie tak brudnym, jak
wyryła sobie na tabliczkach uprzedzeń, dosyć jednak nie-
czystym, ażeby chronić skórę przed wzdragającym dotykiem

szyby, nieprzyjemnym gestem nieożywionego, niedoglądniętego świata.

Wbiła wzrok w płachtę gazety. Nie czytała jej po to, żeby czegoś się dowiedzieć. Z góry przecież wiedziała, co napiszą w prawicowej, liberalnej, lewicowej lub innej prasie; stałości poglądów dziennikarzom pozazdrościłby sam Budda, chyba znowu, któryż to raz!, wycofany z głównonurtowego obiegu idei. Każdy pisał i komentował, jak mu linia grała, jak od linijki prosto, żadnych szlaczków czy wahnięć, żadnych parkinsonów, częste alzheimery. Czytała o tym, o czym wiedziała, w ramach profilaktyki alzheimera. Otóż uznała, że sytuacja, w której prasowy artykuł wzbudziłby w niej zainteresowanie albo przyniósł istotnie nowe informacje, byłaby sytuacją alarmową, albowiem klarownie dowodzącą, iż Ninel zapomina, co wiedziała. Prasa nie zawiodła, tytuły, co do jednego, kubek w kubek, pozwalały się skatalogować pod d; d jak déjà vu. Męczące jak kac, nudne jak ziemniaki z wody.

Wysiadła na Dworcu Centralnym, wsiadła w 175, korki rozładowała zapadająca noc. Po dwudziestu minutach szybkiej jazdy i niespiesznego marszu wstukała kod domofonu i otworzyła drzwi do swojego mieszkania.

Wypełniała ją w połowie radość z dobrze spełnionego obowiązku. Pozostała część, druga połowa Ninel pozostawała pusta, jeśli nie liczyć śladowych ilości oparów – miłości, skrępowania, złości, ulgi, tych wszystkich drobinek, które unoszą się nawet wtedy, gdy żaden aparat detekcyjny nie jest w stanie wykryć ich obecności.

Na dwa dni Ninel zamieniła się w przykładną córkę. Odwiedziła matkę, odebrała ją ze szpitala, zainstalowała w jej mieszkaniu. Rozmawiały o literaturze i sanatoryjnym sznycie. Matka bagatelizowała hospitalizację, w moim wieku to tylko nieco rzadsze, mówiła, niż wizyty w toalecie, pospolite badania, ot co!, natomiast Ninel nie odpowiadała matce: nie mów tak, mamo. Zgrany duet, w obu znaczeniach. (Ninel wolała trio z czasów, gdy żył ojciec).

Nie zawsze udawała się Ninel sztuka wejścia w funkcję córki. Tym razem rozwiązała funkcję córki bezbłędnie, dwa dni i ani jednego poważniejszego błędu! Dlatego teraz odczuwała zasłużoną satysfakcję, nieczęstą po wizytach w rodzinnym domu, na swój sposób odświętną.

– Gdzie mój Bury? Kici kici.

Pod swoją nieobecność przyjęła od Szymona dwa raporty o stanie kociego zdrowia. (Je, rusza się, miauczy – głosił pierwszy; Zrobił kupę obok kuwety. Mam się martwić? – brzmiał drugi).

– Mrrrr – zamruczała w jego języku, po buremu.

Zajrzała do kuchni; lubił siedzieć na małym telewizorze, nie siedział.

W łazience kupa w wannie, w sypialni pusto.

W pokoju dziennym pojawiły się ciemne linie, o nieregularnej grubości, tracące raz po raz ciągłość. Linie rysowały się esowato na jasnych klepkach parkietu, wskakiwały na stół i krzesła, biegły biurkiem, także wskroś klawiatury, książek, korespondencji. Zbijały się w motek na górnej części obudowy kremowego monitora. Ciągnęły ścianą równolegle do oparcia kanapy. Zasupłane, objęły w posiadanie cały fotel.

W pierwszej chwili nie rozumiała, co widzi. Klisza pokoju złapanego w sieć, tak brzmiała początkowa interpretacja, proteza, na której jej umysł musiał się opierać dopóty, dopóki poprawniejszy obraz nie wyprze tego poprzedniego.

Drugie skojarzenie, intuicja łączyła linie z Burym; proste skojarzenie – kot i włóczka.

Przyklękła i dotknęła palcem niezrozumiałego wzoru. Bardzo zagęszczona ciecz, roztarła ją opuszkami, rdzawy kolor, kłaczek futra. Już wiedziała, stuprocentowa pewność lekko zmiękczona nadzieją na pomyłkę. Na żart w makabrycznym stylu.

Siedział na parapecie. Nigdy tam nie siadał.

Wzięła go na ręce. Nie zaprotestował.

Zastanawiała się, gdzie Burego położyć. Nie chciała kłaść go na rozwleczonych po pokoju niciach. Poszła do kuchni. Wydawała się czysta.

Weterynarz dawał Buremu najwyżej dwa miesiące – mijał trzeci – ze wskazaniem na eutanazję, tak napisał w karcie. Nowotwór, guzy. Możliwości są następujące: guz wypchnie gałki oczne, kot umrze; guz zatka drogi oddechowe, kot się udusi. Nie dałaby głowy, czy weterynarz nie przedstawił kilku jeszcze scenariuszy, włącznie z tym, który wypełniał się na jej oczach, na stole.

Spróbowała zetrzeć krew z pyszczka, po którego bokach zwisały dwie długie nitki z paciorkami skrzepów, oklapnięte i śliskie niczym wąsy wyłowionego suma. Musiałaby je urwać, inaczej nie dawały się usunąć, uciekłyby jej spomiędzy palców.

Zwymiotował burą miazgą. Odruchowo odwróciła głowę, nie w geście obrzydzenia, lecz nieuświadomionego protestu: nie chciała patrzeć na cierpienie kochanej istoty; istoty, z którą spędziła aż osiemnaście lat. Po sekundzie – interwał między odruchem a rzeczywistością – znowu patrzyła na swego kota.

Spojrzała na krwawą papkę: głównie skrzepy, także kawałeczki surowego mięsa, kłaczki futra, pewnie też masło (w ostatnich miesiącach żywił się głównie masłem i surową piersią z kurczaka). To było tak, zracjonalizowała sobie, guz pękł do przełyku, wylała się krew i ropa, Bury je połykał, potem wymiotował. Krwotok nie ustał, dowód został wypluty na blat stołu chwilę temu.

Zaraz musi zająć się Burym, co za paskudny dzień! Jeszcze chwilę temu tak była z siebie jako córki zadowolona! Zadzwonił Szymon z pytaniem o kota, czy w porządku. Opowiedziała mu. Zapytał, czy chce, żeby pojechał z nią (z nami!, skarciła go w myślach) do weterynarza. Nie namyślając się, przyjęła ofertę. Rozłączyła się. Odłożyła komórkę. Kurwa.

Niemal od razu pożałowała, że się zgodziła. Zakłuła ją wściekłość; to bardzo nieeleganckie, pomyślała z furią, zaoferować pomoc potrzebującej osobie. Ów właściwie nieznany mi młody człowiek wykorzystał moją słabość i bezradność i bezczelnie zaofiarował wsparcie, a ja, idiotka, się zgodziłam.

Skierowała złość przeciwko Szymonowi, ponieważ okazał się pierwszą zdrową osobą, jaka nawinęła się jej pod rękę. Naprawdę była jednak zła na siebie, zła Ninel, zła. I na swoją matkę, zła matka, tyle razy hospitalizowana i nadal żywa. Pogłaskała Burego. Stracił tyle krwi, że nie miał siły zareagować.

Starła blat do czysta. Z lodówki wyjęła pół kostki masła, podsunęła kotu pod pyszczek. Liznął dwa razy. Doceniła, że nadal starał się ją zadowalać; dobry Bury. Gdyby mężczyźni byli tacy jak ten kot, chętniej by ich dotykała.

Wszystko przygotowała zawczasu, adres całodobowej lecznicy, numer telefonu, miękki koc do pojemnika transportowego, gotówkę w kopercie z napisem: Koniec kota.

Szymon przybył, taksówka czeka, powiedział, wziął delikatnie pojemnik z Burym. Ona usiadła obok kierowcy, on z tyłu, z kotem.

Dotarli na miejsce.

Bury dostał zastrzyk.

Wzięła go na ręce. Mruczał. Zwymiotował na pożegnanie krwawą resztką. I już go nie było. Popłakała się.

Szymon nie znalazł odwagi, żeby ją przytulić. Położył tylko dłoń na jej ramieniu w płochliwym geście wyrażającym współczucie. Ninel wolałaby otrzymać gest wsparcia, nie współczucia, znalazła się wszakże w okolicznościach, w których nie pozwolono jej wybierać.

Nie płakała długo. Burego już nie ma. Poza tym z całą siłą uderzył ją schematyczny i krzywdzący obraz, martwa poniekąd natura: samotna kobieta, jej kot i ktoś za plecami.

Kulturalny oraz kosztowny weterynarz złożył kondolencje, zapytał, czy Ninel życzy sobie zabrać ciało.

– Nie. Jeżeli istnieje taka możliwość, proszę je skremować.

– A prochy?

– Gdzieś rozsypać – rzuciła ostrym tonem. Po czym natychmiast dodała gwoli usprawiedliwienia: – Niech pan zrozumie, kot, który był moim przyjacielem, żył, a to ciało nie ma z moim kotem nic wspólnego. Dlatego nie interesuje mnie, co się z nim stanie.

Weterynarz skinął głową.

– Jeszcze jedna kwestia... Muszę zadać pani bardzo w tej sytuacji krępujące pytanie...

– Tak?

– A więc, no... Bardzo przepraszam, to idiotyczne, lecz: paragon czy faktura?

Uśmiechnęła się mimo woli, jak gdyby nagle wyzwolonym tikiem. Nigdy wcześniej nie przyszło jej do głowy, że śmierci można podzielić według dowodu uiszczenia opłaty.

– Paragon.

Życzył im spokojnej nocy.

Przed drugą w nocy była z powrotem. Na żałobę wybrała kuchnię. (Na wizytę w pokoju dziennym za wcześnie). Umyła twarz w kuchennym zlewie. Zapaliła papierosa. Uznała, że wyjątkowo pozwoli sobie na szklaneczkę whisky.

Alkohol parzył wnętrze ust. Nie usuwał zmęczenia, za to pozwalał ostrzej spojrzeć na sprawy do załatwienia; praktyczne sprawy, pragmatyczne decyzje. Pozwalał zaplanować, krok po kroku, kolejne czynności. Gdy Ninel opracowała w szczegółach plan działania, okazało się, że wypiła trzy szklaneczki, wypaliła tuzin papierosów i potrzebuje snu.

Wyciągnęła wtyczkę archaicznego stacjonarnego telefonu na korytarzu, wyłączyła komórkę i z ulgą położyła się do łóżka. Pościel cuchnęła. W ostatnich miesiącach zmieniała ją nawet dwa razy w tygodniu, jednak żadne środki czystości, żadne zapachowe atrybuty zaawansowanej cywilizacji nie usuwały na dłużej niż kilka godzin woni starego kota i rozkładu. Bury gnił od środka i śmierdział na zewnątrz. Gdy lizał Ninel szorstkim językiem po nosie, wstrzymywała oddech. Gdy zasypiał na poduszce tuż obok jej głowy, musiała przywoływać się do porządku, powtarzać proste zdania z elementarza: To jest kot, a to jest smród. Kot śmierdzi, ponieważ gnije. Z powodu smrodu nie wolno nikogo odtrącać.

Powtarzała zdania z małej książki o przyzwoitości i współżyciu tak długo, aż powonienie akceptowało to, co wcześniej zaakceptował umysł – smród oznacza dokładnie tyle, że śmierdzi, nic więcej, nic. Pomimo dobrze ugruntowanego stanowiska etycznego miewała z zapachem kłopot, szczególnie w wąskim pasie granicznym rozdzielającym sen od jawy. To właśnie tam, ze sparaliżowanym już rozumem, a jeszcze bez znieczulenia, jakie przynosi marzenie senne, nabierała głębokiego przekonania, że leży na wielkim jak materac pobojowisku, pośród zwłok, pokotem. Że cierpliwie czeka na swoją kolej, na ekshumację. Że jest trupem wskutek pomyłki. (Ludzkie okrucieństwo jest chyba pomyłką?) Albo – z umysłem poniżej lustra jawy, w coraz bardziej przypadkowej toni, w której unosiły się akcydentalne zdarzenia i przedmioty, dowolnie łączliwe – myliła ekshumację z ekscytacją. Słyszała wspaniałe brzęczenie tysięcy skrzydeł, kręciło jej się w głowie od nagłych zmian kierunku, od rozbłysków światła na fasetowych oczach, od eksplozji fetoru, który przestawał być zapachem, przemieniał się w stan – najbardziej pożądany, wywołujący euforię stan.

Nim ostatecznie traciła władzę nad porządkiem samej siebie i spójnością wydarzeń, stawała się jedną z tysięcy much, unoszących się roznamiętnioną chmurą nad gnijącymi ciałami. Tylko wtedy czuła, na krok przed zdaniem własnej osoby rojeniom sennym, że jest prawdziwym członkiem prawdziwej wspólnoty. Na jawie miewała ze zbiorową identyfikacją ogromne problemy, chociaż zapach przecież nie znikał; stłumiony rozmaitymi aromatyzerami – etyką, dogmatami, poprawnością polityczną, bezrefleksyjnością – nadal bił i przenikał wszystko.

Wstała dobrze po południu. O dziwo, wyspana i pełna energii. Pomyślała, że zaparzy herbatę. Herbata mogła jednak zetrzeć tę dobrą kondycję, dlatego Ninel po prostu przystąpiła do realizacji planu opracowanego godziny temu.

Zaczęła od najtrudniejszego punktu – salonu. Z góry na dół, brzmiał plan, jak z płatka, obiecywał. Nasamprzód sczerniała smuga nad kanapą; Bury często wskakiwał na oparcie i szedł do samego końca, trąc pyszczkiem o ścianę. Ostatniego dnia również tak postąpił. Krew nie dawała się zmyć, nie ustępowała, wżarła się w tynk, rozmazała. Ninel pożałowała, że odmalowując dwa lata temu mieszkanie, nie zdecydowała się na droższą, za to zmywalną farbę. Teraz – w konsekwencji oszczędności lub prędzej, śmierci kota, oszczędności nie miały tu nic do rzeczy – posiadała rozmyty, brudnoszary pas, szpecący cały pokój. Patrzyła na plamę, próbując wykonać sztuczkę, która wielekroć ratowała jej przyjaźnie, znajomości i inne, bardziej oficjalne relacje. Sztuczka polegała na polubieniu tego, czego się nie lubiło. (Z mężami udawała się na długie lata). Po kilku minutach poddała się; nie ma takiej siły, wyższej, niższej ani odśrodkowej, która zmusiłaby Ninel do polubienia tej krwawej szarfy.

Nie da się polubić, trzeba zasłonić. Przypomniała sobie, że chyba zostało po remoncie pół puszki farby. Korekta planów, aktualnie z dołu do góry: nim sięgnie po farbę, musi zetrzeć rysunek skrzepów i kresek z podłogi, żeby nie utytłać całego mieszkania w resztkach Burego.

Klepki nie sprawiły trudności, mop i woda z płynem przywróciły parkietowi swoistą jednorodność i nudę, jakie cechują każde przyzwoite tło dla stóp i wzroku.

Zapobiegliwie odsunęła kanapę od ściany. Farbę znalazła w szafce pod zlewem, pędzel nieobecny, zgubiony. Musiała pójść do sklepu. Poszła.

Zamalowawszy ślad, cofnęła się o dwa kroki, aby ocenić efekt. Nie przypadł jej do gustu. Gdyby poszukać porównania, powiedziałoby się: rana, na którą ktoś nalepił plaster z rysunkiem blizny; może za szybko wszystko?

Rozważała dostępne działania i zasłaniające przedmioty, aż wpadła na to, że pod łóżkiem kurzył się rulon z pięknym kilimem, prezentem ślubnym od dziadka, spakowanym skrupulatnie i wepchniętym pod łóżko po pierwszym rozwodzie. Najwyraźniej już czas ponownie zawiesić go na ścianie, uznała.

Wyciągnęła rulon, zdarła grubą folię, uzbrajając tym samym naftalinową bombę. Ostry zapach zakręcił w nosie. Przeciągnęła kilim do pokoju, rozłożyła na podłodze. Nie mieścił się, więc przesunęła stół i krzesła; zmierzyła długość boków. Ołówkiem zaznaczyła na ścianie miejsca, w które należało wbić gwoździe. Wspięła się na krzesło i wbiła pierwszy gwóźdź, i się poddała. Krew odpłynęła jej z rąk i głowy. Po gwoździu dziennie, postanowiła, nie więcej.

Pokój chwilowo nie nadawał się do zamieszkania: przesunięte meble, płachty gazet na podłodze, domyślnie chroniące przed zachlapaniem farbą, mrowie innych przedmiotów, zmaterializowanych znikąd lub zowąd. Nie zdawała sobie sprawy, że jest zdolna do nabałaganienia na taką skalę, i to podczas porządków.

Poczuła frustrację, złość na własną indolencję lub raczej – koniec końców każdy krok zaplanowała zadowalająco – na efekt swego działania.

Ten pokój nie jest mi niezbędny, pouczyła się, potrzebuję tylko dostępu do komputera. Sprzątnęła biurko, starła krew z książek, zabrudzone papiery i korespondencję wyrzuciła do kosza, nie sprawdzając, czy nie zawieruszył się tam jakiś ważny list. (Jeżeli ktoś ma do mnie interes, napisze ponownie, w najgorszym razie z odsetkami).

Poczuła się usatysfakcjonowana na tyle, aby zwekslować obowiązki na przyjemności. Wzięła bardzo długą kąpiel. Spuszczała ochłodzoną wodę i dopuszczała gorącej. Nie myślała o niczym. Posiadała ciało i to posiadane ciało wydawało się równie zadowolone z właścicielki, jak właścicielka z niego, czyli, uściślając, nie do końca. W wodnej parze, zaparowanych kafelkach, wilgotnym powietrzu coś takiego jak osobowość, osobność, ja, jaźń, te wszystkie psychopatologie i nawyki umysłowe udawało się ignorować lub też: udawało się ich nie dosłyszeć w ten sam sposób, w jaki nie dosłyszy się ambarasującego pytania.

Wytarła się, wyszorowała zęby, wklepała balsam. Zmieniła pościel na świeżą. Tej pościeli nie używała od lat, znalazła ją przypadkiem w czasie dzisiejszych nieporządków. Pachniała krochmalem albo matką. Matka, pomyślała, najboleśniejsza antropomorfizacja mego życia. Dochodziła szósta, za oknami światło tak jaskrawe, jak gdyby przeprowadzano serię nieustannych wybuchów atomowych w oku zagrożonym jaskrą. Zaciągnęła zasłony. Popiła aż trzy proszki nasenne. Rzuciła się na świeżą pościel. Zapach krochmalu albo matki. I komu ja, Filippides, winnam dostarczyć dobre wieści?

5.

Dwa razy dziennie fala przypływu zalewała piasek za chat-
ką państwa Maytree, a w ciągu trzystu sześćdziesięciu pięciu
dni pora roku zmieniała się czterokrotnie. Podobny tryb życia
jak państwo Maytree prowadzą małże, które jednak znacznie
mniej czytają.

Annie Dillard

Wymęczyło go spotkanie. Dobrze się bawił. Stracił trzy kieliszki. Nie była to strata bezpowrotna, nadal bowiem szkło
tkwiło w stopie. Szymon, co prawda, zarzekał się, że usunął
wszystkie odłamki, lecz stopa raczej pozostawała w sporze
z Szymonowym zapewnieniem. Kłótliwa stopa, stwierdził,

żeby z niestosownym rozbawieniem skonstatować, iż stopa jest rodzaju żeńskiego, a rodzaju żeńskiego nie wypada o nic obwiniać – a już na pewno nie o ból czy niewygodę – ponieważ rodzaj żeński dopiero od niedawna, i nie w pełni, posiada prawa przysługujące rodzajowi męskiemu.

Goście wyszli.

Krzyś zwinął się w kłębek na sofie.

Andrzej postanowił odłożyć porządki na później, teraz tylko trzeba koniecznie i obowiązkowo zamieść podłogę. Szczotka stała na balkonie.

Wyszedł na poranne powietrze. Przez rozcięcie w niebie jątrzyło się słońce. Oślepiony alkoholem i czystym tlenem umysł kojarzy fakty i obrazy od siebie dalekie. Stykają się one na jedną chwilę, eksplodują i oddalają na bezpieczną odległość, do swoich szuflad i czasoprzestrzennych ciągów. Wypolerowana gałka słońca, stercząca z bezchmurnego nieba, przypomniała mu, że już to kiedyś widział, w sklepie u rzeźnika: gładkie, obłe zakończenia kości, wyrastające z czerwonego mięsa.

Zamiótł podłogę.

Krzyś pochrapywał.

Andrzej odczuwał zmęczenie, choć senność odeszła, niestety. Za trzeźwy na sen, zbyt pijany na lekturę. Wino się skończyło, przygotował tedy bardzo mocnego drinka: sok pomarańczowy z wódką, to jest, skorygował proporcje i kolejność słów niczym wytrawny barman, wódka z sokiem pomarańczowym, kolorystyczny akcent korzystnie uwypuklał wzór wyrżnięty w krysztale, kładł się miękko, soczyście, prawie z bezbronną, otwartą jak rozłupany dziadkiem orzech miłością.

Sącząc alkohol, myślał, że jest bardzo szczęśliwym człowiekiem. Już tło lśniło optymizmem – urodził się za późno na powstanie warszawskie i za wcześnie (chyba) na trzecią wojnę światową – lecz przygasało przy blasku samego Andrzeja. Jest zdrowy, przystojny. Wykonuje znośną i popłatną pracę. Mieszka w przestronnym apartamencie, który powinien spłacić za jakieś dwadzieścia pięć lat. Korzysta z życia, podróżuje, czyta, ogląda, interesuje się, gniewa i reaguje. Wie, w jakim świecie chciałby żyć, i wspiera inicjatywy do takiego świata drogę torujące. Mówi obcymi językami, bez zaczadzenia glosolalią. Regularnie uprawia seks na zdecydowanie satysfakcjonującym poziomie. Kocha Krzysia i czuje się przez niego kochany. Nadal lubi Maanam, a do psów rasy bolończyk czuje sentyment z ciasteczkiem: siad!, dobra suczka! No i najważniejsze – jego osoba przestała być narzędziem zbrodni, a jego życie przestępstwem. Kilkadziesiąt lat temu trafiłby do więzienia za bycie sobą, teraz ktoś najwyżej rozwali mu nos lub splunie. To jest postęp, nawet jeśli gorzki; to jest zmiana na lepsze, mimo że niewystarczająca.

Dokonał inwentaryzacji własnego szczęścia, znacznie obszerniejszej niż streszczenie zamieszczone powyżej. Od czasu do czasu, gdy wyciszał się w alkoholowej otulinie, uświadamiał sobie, jak wiele posiada i jak wielką wdzięczność z tego powodu odczuwa. Ta wdzięczność nie została zaadresowana w sposób precyzyjny i niebudzący wątpliwości. Nie była wdzięcznością dla Boga, świata, osoby, faktu, zdarzenia, społeczeństwa, kontekstu, normy. Była raczej wdzięcznością od niż wdzięcznością do. Była, mówiąc bez ogródek, wdzięcznością od Andrzeja do kogoś lub czegoś, do nikogo lub niczego, w zależności od tego, kto zechciałby odebrać przesyłkę, nadaną bez pokwitowania i – w pewnym sensie – na koszt adresata.

Rozważania nad szczęściem, zwłaszcza doświadczanym, nigdy nie trwają długo, a już na pewno rwą się sobotnim rankiem po imprezie. Szczęście, pomyślał Andrzej, nadaje się najwyżej na filmową etiudę. O ileż bardziej zajmująca jest śmierć! Z takiej śmierci da się utoczyć thriller, bestseller, serial albo i tren.

Nie dopił drinka. Odstawił szklankę troskliwie do zlewu. Dość już zniszczeń w szklanym składzie jak na jeden wieczór, i to bez nominalnego choćby słonia.

Poszedł spać do sypialni. Rozważał wyciągnięcie się obok Krzysia na sofie, sentymentalizm wszakże został błyskawicznie znokautowany przez sybarytyzm. Sybarytyzm jest potężniej zbudowany, choć charakteryzuje go krótszy zasięg ramion.

Obudził go młot pneumatyczny. Nie sam dźwięk. Drżenie powietrza. Wibracje.

Usiadł na łóżku, pomasował skronie, uniósłszy do twarzy dłonie w geście, który nie zapowiadał masażu, bardziej wyglądał na wyraz slapstickowego zdumienia. Ten młot, to go chyba wyśniłem, stwierdził. Bo i rzeczywiście, powietrze nie drżało, dzieci sąsiadów nie krzyczały, dzienne ptaki urządziły sobie sjestę, Krzyś nie pochrapywał, kran nie kapał. Cisza. Zwykła wielkomiejska cisza z warczeniem samochodowych silników w tle.

Zwlókł się z łóżka, spuścił stopy, grzeczne i równoległe stopy drugiego progu podatkowego, jęknął, gdy na nie przeniósł ciężar ciała. Zabolało go szkło, ten odłamek usunięty przez Szymona. Fantom. Belka w oku.

Wziął prysznic, przy okazji się wysikał. Starał się nie sikać pod prysznicem, mimo że sikanie takie jest nadzwyczaj zalecane i korzystne dla Ziemi. Sikając w tej manierze, na przykład kubistycznie lub z impresjonistycznym ukłonem po mydło, nie trzeba spuszczać wody w sedesie, dzięki czemu więcej wody udaje się zmarnować w sposób inny lub wypić, jeśli doskwiera pragnienie. Odpowiedzialni i ekologiczni ludzie już nie sikają gdzie indziej, bynajmniej w Warszawie. Mimo tych zalet Andrzej zasadniczo trzymał się starej szkoły. Sikał do sedesu, jadł w restauracjach, zakupy robił w sklepach. Mówił „przepraszam", gdy wpadł na kogoś, i „dziękuję", gdy wydawano mu resztę. Żywa skamieniałość.

Na kuchennym stole znalazł kartkę: „Coś mi wypadło. Do zobaczenia wieczorem w klubie na Kim Lee. K.".

Andrzej zastanawiał się, co oznacza „K.", czy to jest „Krzyś", czy „Kocham". Jakież asekuracyjne imię!, uznał z lekkim rozgoryczeniem. Z nim nigdy nic nie wiadomo. Nie wiadomo, czy jest sobą, czy kocha.

Posprzątał, bez entuzjazmu, choć z przewidywalnym finałem – zarówno mieszkanie, jak i sam Andrzej osiągnęli stan zasługujący na najwyższą notę.

Do spotkania w klubie pozostało kilka godzin. Kilka godzin. Powiedzmy jasno: kilka godzin weekendu, który miał być wspólny, a okazuje się osobny.

Andrzej postanowił czytać – nie wiadomo który raz – Miłobędzką. Ubóstwiał Miłobędzką, zwłaszcza wczesną i późną, pośrodku gdzieś się ona pogubiła albo też Andrzej nie dojrzał do środka. Uwielbiał początek i koniec, pewnie był histerykiem.

zaciśnięte usta
zza których nie wyjdę

Nosił ten wiersz w sobie, pod powiekami, w sercu, pod językiem, w metrze i na rowerze. Ten wiersz, dwuwiersz bez tytułu, oddawał wszystko, co Andrzej czuł, kim był, że

skamieniałością w sensie, w lesie dawno już przestarza-
łym i uwęglonym brunatnie lub kamiennie. Przeanalizował
dwuwiersz wielekroć. „Zaciśnięte usta" nie kojarzą się pozytywnie. W ten sposób okazujemy złość, zawiść, charakter
tak negatywny, że nie ma mowy o sikaniu pod prysznicem,
ulgę przynoszącym sikającemu oraz planecie. „Zza których
nie wyjdę" brzmi z kolei jak kaprys wrednego dziecka. Tępy
upór zza drzwi. Opór. A jednak zderzenie dwóch negatywów,
dwóch czarnych obrazów złości i uporu, ono wyzwala. Przestaje być odmową uczestnictwa w świecie. Staje się skargą.
Tym dotkliwszą, że bez remedium.

zaciśnięte usta
zza których nie wyjdę

Oto jest stwierdzenie. Stwierdzenie pewnego faktu, stanu, wbrew frazeologii i kontekstowi. Lub kontekstom,
w końcu mamy XXI wiek, ze sporymi szansami na ponownie XIX.

zaciśnięte usta
zza których nie wyjdę

Mógłby opowiadać o tym dwuwierszu godzinami.
Mógłby, aczkolwiek nie umiałby. Ostatecznie usta były, jakie
były – kłódka na poziomej kresce.
Zadzwoniła komórka. Pewnie Krzyś, pomyślał, wcis-
kając bez zastanowienia zielony guzik.
– Cześć, to ja, Wim. Od dwóch godzin jestem w War-
szawie. Chciałbym się z tobą zobaczyć.
– Cześć – odpowiedział Andrzej i zamilkł.
– Powiesz coś więcej?

Coś więcej; zbitka samogłosek i spółgłosek zorganizowanych wokół spacji; po obu stronach spacji – rozumianej jako bariera, ale i miejsce puste – tworzą się sedymentacyjnie dwa słowa, słowo „coś" oraz słowo „więcej"; słowo „coś" pozbawione jest znaczenia, słowo „więcej" nic nie znaczy; połączenie dwóch słów wyzutych ze znaczenia często doprowadza do płaczu, szczególnie pomiędzy ludźmi, których połączył romans, niekiedy powiązany z uprawianiem seksu.

Seks; rzeczownik, który powstaje z pominięciem spacji lub też – według innej definicji – powstaje w celu unicestwienia spacji; rzeczownik „seks" zawiera w sobie obietnicę lub przestrogę na przyszłość, która brzmi: eks.

Andrzej chrząknął.

– Myślałem, że wszystko zostało już powiedziane.

– Powiedziane, tak. Mimo to chciałbym cię zobaczyć.

– Po co?

– Po prostu chciałbym.

– Dziś nie dam rady. Jutro, dobrze?

– Dlaczego nie dziś?

– Dziś mam życie. Rozumiesz? Spotykam przyjaciół, kochanka. Dziś chcę być szczęśliwy, idę do klubu – głos Andrzeja stwardniał. – Jutro. Jutro albo w ogóle.

– Zatrzymałem się w Sofitelu, okropne miejsce. Dobrze, jutro. Niedziela, godzina czternasta, w hotelowym barze na dole. Bywasz okrutny.

Andrzej nie zdążył zaprzeczyć ani potwierdzić. Wim się rozłączył.

Nie spodziewał się tego telefonu. Może kiedyś, za rok, w jakiejś przyszłości, ale na pewno nie tutaj, w Warszawie, tak teraźniejszo; słuchawka telefonu jeszcze nie ostygła w miejscu, w którym przyłożył do niej ucho.

Andrzej mógłby roztrząsać, czegoż to Wim chce. Nie chce jednak snuć domysłów, wyręczać Wima w rozmowie, która najwyraźniej musi odbyć się po raz kolejny. Dwie, a gdyby wliczyć tę w samolocie do Amsterdamu, to trzy, trzy takie rozmowy już przeprowadzili. Były to kulturalne rozmowy rozsądnych ludzi, idących od teraz każdy swoją drogą, bez wybuchów złości czy łez, bez podważania przeszłości i fałszywych obietnic na przyszłość. Andrzejowi ze zdenerwowania drżały ręce. Wim każde zdanie popijał łykiem wody, każdy taki łyk stawał się jak gdyby ciasnym ruchem wiosła, popychającym naprzód wbrew intencjom wioślarza, który pragnąłby zawrócić, a mimo to, łyk po łyku, wiosłował tam, dokąd dopłynąć nie zamierzał, do końca, jakiegoś umownego, będącego równocześnie uzgodnieniem i decyzją. Coś, powiedzmy, że intuicja, szeptało Andrzejowi, iż ta trzecia lub czwarta rozmowa przybierze inny obrót, wymknie się spod kontroli. Umówili się w hotelowym barze, bezpieczne publiczne miejsce, pełne ludzi. Może niepotrzebnie się martwię? Może nie będzie tak źle?

Wziął nieplanowany prysznic. Liczył, że zmyje z siebie rozmowę z Wimem. Słowa wypowiedziane i usłyszane nie zabrudziły Andrzeja, żadna literatura nie zaszła, porządek słów nie wpłynął na porządek ciała.

Spóźnił się o kwadrans, którego nikt nie zauważył. Zresztą on sam odniósł wrażenie, że nie przyjechał za późno, tylko za wcześnie. Nie zamierzał dramatyzować, acz przebiegło mu przez głowę, że się wygłupił, że się pojawił o – dajmy na to – rok przed umówioną porą. To dlatego nikt na niego nie czekał. Wreszcie ktoś go rozpoznał albo raczej – ktoś go z kimś pomylił. Ludzie, zwłaszcza w klubach i miejscach masakr, są zaskakująco do siebie podobni.

Został usadzony pomiędzy znajomymi Krzysia. Znał ich wszystkich z jakichś bliźniaczych spotkań w klubach, na manifach, w siłowni, w teatrze, z premier książek i z uczonych odczytów. Gdyby Andrzeja odpytać, podałby każde imię, przybliżony wiek, przybliżony zawód, przybliżony dochód miesięczny, przybliżone IQ oraz – dla odmiany precyzyjnie – szarżę na skali pijawki.

> Skala pijawki – skala obrazująca zdolność jednego człowieka do przyssania się do drugiego człowieka; skala pijawki opisywana jest szarżami od szeregowca po generała; im wyższy stopień, tym trudniejsze oderwanie się; od majora w górę kontakt bywa skrajnie niebezpieczny i głęboko niezalecany, por. Maria Dąbrowska i Anna Kowalska, Demeter i Kora, siostra Faustyna i Jezus.

Dziś wieczór nie przybył nikt niebezpieczny, sami szeregowcy i niejaki Berek, który chyba zeszłego roku na urodzinach Krzysia dosłużył się kaprala, na szczęście jednak przyssał się tym razem do prowincjusza na sąsiedniej kanapie, a więc nie stanowił bezpośredniego zagrożenia. Przynajmniej nie teraz, nie jeszcze, a może – już nie?

Zgodził się na dzisiejszy wieczór, ponieważ Krzyś go przekonał, będzie z miesiąc temu, że powinien zobaczyć Kim Lee, absolutnie boską drag queen. Andrzej lubił drag queeny. Każda transgresja w jakiś sposób go wzruszała, ponieważ urodził się w okresie, w którym podstawowa transgresja, czyli religia, dokumentnie utraciła czar i moc.

Uściślając, rozumie on transgresję jako przekraczanie zawierające w sobie to, co jest przekraczane; jako zdarzenie (bo przecież nie ruch) skierowane nie tyle ku czemuś, co od czegoś. Upraszczając, transgresywność zdarzenia, jakim dla niego jest każda drag queen, polega nie na chwilowej zmianie płci, lecz na zabraniu przerysowanej płci w podróż, u której kresu czeka nie nowa płeć, lecz oddalenie się od płci. Ponadto Andrzeja naprawdę bawi to, że świetnie można czuć się dopiero w nie swojej skórze. No i, cóż, lubi blichtr cekinów, strusich piór, boa, pudru, tafty, błysk szpilek, napięcie mięśni łydki, cały ten XIX wiek, który na dobre skończył się dopiero pod Ypres w obłoku gazu musztardowego.

Krzyś odnalazł Andrzeja, z kuflem piwa usiadł mu na kolanach, powiedział:

– Wyglądasz na skwaszonego.

– Jest ciemno.

– Zaraz wystąpi.

Z głośników rozległa się zapowiedź występu boskiej Kim Lee, po zapowiedzi zabrzmiała z mocą wagnerowską muzyka do Edith Piaf, jakby szło nie o Niczego nie żałuję, ale o Pierścień Nibelungów, tę hałaśliwą tetralogię dla głuchoniemych, której prawykonanie odbyło się w specjalnie w tym celu wzniesionym (oraz wzmocnionym) ośrodku w Bayreuth.

Po Piaf, niezbyt zachwycającej, Kim Lee wykonała kilka utworów Anny German. W Tańczących Eurydykach wspaniale wypadły długie, zgrabne, rozfikane nogi. W Balu u Posejdona urzekała łuskowata syrenia suknia. Prawdopodobnie inne utwory również zostały odegrane profesjonalnie, wnosząc z reakcji publiki, on jednak stracił słuch na rzecz wzroku, co przy Wagnerze akurat nie dziwi: organizm broni się jak potrafi. Otóż prawie na wprost niego, na przestrzał sceny, siedział mężczyzna, mężczyzna wpatrujący się bez mrugnięcia powieki w Kim Lee.

– Zdrętwiała mi noga, mógłbyś...? – zapytał Krzyś.

– Jasne.

Wyglądał – Andrzej szukał stosownego porównania – niczym meteoryt tunguski albo inna jakaś katastrofa, zdarzenie losowe lub onieśmielający ceną prezent. Mężczyzna sprawiał wrażenie ogromnego, muskularnego; jeżeli istnieje archetyp gladiatora, to Andrzej weń właśnie się wpatrywał. Nie chodziło jednak o rozmiar, widywał już kulturystów, lecz o pewien rodzaj marmuru, gatunek kamienia, uderzenie dłuta, charakterystyczny połysk, głuchy odprysk. Otóż mężczyzna połyskiwał. Leniwy blask mógłby brać się z oświetlenia klubu. Lecz nie. Andrzej przyjrzał się postaciom siedzącym obok: trzymały się matu lub, ci spoceni, pół-.

Andrzej z trudem, z Krzysiem na kolanach, rozwiązał zagadkę. Nieznajomy połyskiwał, ponieważ zachował gładkość polerowanej kamiennej płyty, nie miał włosów, nic a nic. Bez brwi, rzęs, zarostu.

Przypomniał sobie z czasów, gdy studiował medycynę, fachowy termin, alopecia universalis.

– Kto to jest?

– Kto?

– Ten, co się błyszczy.

– Że co?!

– Ten duży, łysy – Andrzej użył słów, które według niego w ogóle nie opisywały nieznajomego, mimo to w potocznym płaskim opisie, na poły plotce, takich pewnie określeń by użyto.

– Aaa, ten. To Norbert. Chłopak Kim Lee. Tak jakby. Mój stary znajomy.

6.

Zero procent nie istnieje – mówi Uberbein, który był mate-
matykiem.
Włosy mi wypadły, bo chodziłem do prostytutki.
Do lata całkiem wyłysieję. Tak mi powiedzieli.
Ale zero procent nie istnieje – powtarza.

Gonçalo M. Tavares

Krzyś obudził się w mieszkaniu Andrzeja, lecz bez właściciela.
Zawołał: Andrzej; nikt się nie zgłosił. Może spróbuję z innym
imieniem?

Obszedł kwadratowe metry w kredycie. Do lodówki
na magnesie przyczepiona została karteczka. („Wracam późno. Nie czekaj z kolacją. A.”).

„Nie czekaj z kolacją" – to był ich wspólny żart. Krzyś próbował sięgnąć pamięcią, kto i kiedy użył tej frazy po raz pierwszy. No tak, na samym początku, z pięć lat temu. Andrzej zaprosił Krzysia do siebie, szykował wykwintną kolację. Krzyś, siedząc na kanapie, obserwował, jak Andrzej fachowo kroi pomidory albo uciera sos, albo blanszuje szpinak. (Ten szczegół kulinarny zagubił się po – i w – czasie). Na samym początku Krzyś był obłąkańczo zakochany w Andrzeju. Obłąkańcze zakochanie nie przypominało wcześniejszych obłąkańczych zakochań, którym podlegał regularnie niczym metronom, co rok lub półrocze, na trzy-cztery miesiące, odkąd skończył dwanaście lat i zadurzył się w sąsiedzie w pretensjonalnej kolejności: po uszy, powyżej nosa, ością w gardle. Obłąkańcze zakochanie Krzysia w Andrzeju bazowało na tym, na czym bazowały wszystkie jego poprzednie obłąkańcze zakochania: na nieprzezwyciężalnym poczuciu fizycznego uzależnienia. Nieprzezwyciężalne poczucie fizycznego uzależnienia przybierało dwie formy, ze znakiem dodatnim lub ze znakiem ujemnym. Znak ujemny pojawia się, gdy Krzyś nie prowadzi Andrzeja w zasięgu wzroku. Wtedy całe ciało skręca się z dziwacznego bólu, nawet gdy Krzyś czyta, pisze, rozmawia ze znajomymi, sika, je, wykonuje jakąkolwiek czynność, odnosi wrażenie, że jest to czynność pusta, pozbawiona zarówno rdzenia, jak i konturu, ponieważ jest to czynność bez horyzontu, niedbale naszkicowana, bez Andrzeja. Ze znakiem dodatnim mamy do czynienia, gdy Krzyś widzi Andrzeja. Ciało Krzysia także boli, wykręca się w heinemedina, lecz jest na swój sposób szczęśliwe, zadowolone, oto bowiem odczuwa i reaguje na drugie ciało, to ukochane.

Podczas gdy Andrzej kroił, ucierał lub blanszował (ten szczegół zagubił się w czasie), Krzyś, siedzący na kanapie, sondował uważnie Andrzejowe plecy. Czy one mnie kochają? Czy on – krojąc, ucierając, blanszując – myśli o tym, że za plecami jestem ja? Ja, który go kocham, z plecami i resztą, bez reszty i obłąkańczo?

Zakochanie w Andrzeju tym różniło się od wygasłych już zakochań, że dopuszczało emocję, czasem cedowaną na rozum, której imię brzmi: kompromis. Wcześniej Krzyś nie uznawał kompromisów w zakochaniu. Chciał mieć wszystko i ciągle, nieograniczony dostęp do drugiej osoby, co niezmiennie kończyło się, jak kończyło, czyli – końcem. W przypadku Andrzeja jednak – z tym samym, co zawsze, bólem, wynikającym z fizycznego uzależnienia o znakach dodatnim i ujemnym – już od prologu ich znajomości (prologiem okazał się zlot fanklubu Maanamu; wspólnie zaczęli redagować fanzina „Cafe Maur") Krzyś wiedział, że chcąc tego, co zawsze, czyli wszystkiego, i ciągle, pogodzi się z tym, że dostanie dużo mniej i rzadziej.

Plecy Andrzeja w jednolicie błękitnej koszulce z pojedynczą słoneczną kropką, czary-mary, przemieniającą ją, błękitną tkaninę koszulki, hokus-pokus, w wielką niezapominajkę o nieregularnych płatkach (płatki rękawów, płatek wykroju na szyję, prosty płatek tnący poziomo ciało na pół po linii pośladków), plecy Andrzeja w koszulce-niezapominajce wydały mu się tak wstrząsająco dopasowane do jego pragnień, że Krzyś wstał z kanapy i podszedł do wybrańca. Objął go (krojącego, ucierającego, blanszującego), choć nie powinien (to było dopiero ich trzecie spotkanie, a pierwsze tête-à-tête). Pocałował w szyję, przywarł naiwnie ciałem do ciała, poczuł, że członek, ten zabawny indykator emocji, kategorii logicznych i karcianych gier (prawda!; sprawdzam!), stwardniał. Andrzej krojący, ucierający, blanszujący znieruchomiał.

– Nie czekasz z kolacją? – zapytał.

Potem się kochali po raz pierwszy. Potem używali zwrotu „nie czekać z kolacją" jako żartobliwego określenia na seks. Przez te pięć lat wspólnego życia w – głównie – weekendy korzystali z tego zwrotu tak często, że jego pierwotne znaczenie gdzieś się zatraciło, rozpuściło w idiolekcie.

Teraz, czytając kartkę przyczepioną magnesem do lodówki, Krzyś nie wiedział, co ona oznacza. Czy „nie czekaj z kolacją" znaczy, że Andrzej wróci i będą się kochać, czy też – że nie wróci?

W tej niejednoznaczności Krzyś pomyślał, że miga mu jego własny koniec, ogon, nie do dogonienia. Zaskoczyła go dość w sumie oczywista konstatacja, że słowa mogą znaczyć dokładnie to, co znaczą. Że słowa brzmią także poza idiolektem. Ta zaskakująca perspektywa nie wydawała mu się perspektywą pociągającą. W rzeczy samej nie po to Krzyś uczynił się osobny i pojedynczy, na nieobraz i niepodobieństwo, żeby rozumieć i mówić w pierwszym znaczeniu. Poza tym Krzyś uwielbiał niuanse i gry kontekstów, uwielbiał sądy zanurzone w palecie szarości, detale mieniące się znaczeniem niby pancerz chrabąszcza, tymczasem w tym „nie czekaj z kolacją" nie zawierało się nic, co Krzyś by cenił. To „nie czekaj...", zapisane czarnym tuszem na białej kartce, to była jakaś brutalna gra zero-jedynkowa, jakieś albo-albo, jakiś mateusz.

Mateusz, obecnie rzeczownik odimienny rodzaju męskiego, wcześniej męczennik oraz ewangelista; rzeczownik „mateusz" bezpośrednio odwołuje się do słów swego poprzednika, męczennika i ewangelisty: „Niech mowa wasza będzie: tak, tak; nie, nie. A co nadto jest, od Złego pochodzi"; we współczesnej polszczyźnie „mateusz" występuje najczęściej w zwrocie „Ależ to jest mateusz!", czyli „Ależ to jest próba sprowadzenia skomplikowanej sytuacji do fałszywego uproszczenia tak-nie"; zwrot „ale mateusz" (niekiedy pisane także wielką literą ze względów grzecznościowych) jest często wykorzystywany przez ośrodki władzy, np. Kościoły, głowy rodziny, myśliwych, media itp.

Czekać czy nie czekać?, zastanawiał się. A jeżeli czekać, to na co? Stało się wczoraj coś niecodziennego, czy nie stało?

Przypomniał sobie, że wczorajszego wieczoru Andrzej wydawał się skwaszony, tylko że w większej grupie ludzkiej on zawsze sprawiał takie wrażenie. Po prostu źle tolerował grupy. Kiedyś Krzyś rzucił żart nieprzedni, jedyna grupa, z którą nie masz problemów, to twoja grupa krwi.

Smażąc jajecznicę (Andrzej będzie niezadowolony, rozgrzany olej opryskał kafelki i płytę ceramiczną), Krzyś przypomniał sobie jeszcze jedno: szczególne zainteresowanie Norbertem. Jak go nazwał? Człowiek, który lśni? Nie. Inaczej. Podobnie.

Krzyś zjadł, wstawił naczynia i sztućce do zmywarki. Trudno.

Pojechał do siebie. Wcześniej do lodówki przypiął magnesem kartkę o treści: „Nie czekałem. ☺. K.". Już w metrze uznał, że taka wiadomość to głupota. Jakaś niepotrzebna złośliwość, zawistka.

Trudno.

Przeprosi przez telefon.

No i musi pamiętać, żeby odebrać wyniki.

Kawalerka Krzysia była przeciwieństwem mieszkania Andrzeja. Jeden spory pokój, obrzucony przez kochanka cokolwiek pogardliwym mianem bajaderki. W istocie pomieszczenie składało się z resztek rozmaitej konduity i pochodzenia. Niepasujące do siebie meble: piękne przedwojenne krzesło i peerelowski półkotapczan. Stosy książek, gazet, notatek, przemieszane z kartonami po pizzy, pleśniejącymi puszkami po zupach i słodkiej kukurydzy, złotkami po czekoladkach. Do tego jeszcze ubrania, mniej lub bardziej zabrudzone. Dominowały skarpetki i majtki w liczbie ogromnej, jak gdyby na rozkaz rozebrała się do rosołu cała brygada płetwonurków bojowych.

Krzyś porządki – nazywał je inwentaryzacjami – przeprowadzał raz na kwartał. Do wielkich czarnych worków wędrowały wtedy opakowania po jedzeniu, skarpetki i majtki, czasem koszulki, czasem książki. Zeszłego roku Andrzej kupił mu pod choinkę pralkę, mimo to Krzyś nie korzystał z niej nadmiernie. Po to kupował na bazarze najtańsze majtki, skarpetki, T-shirty, żeby nie musieć ich prać. Ponadto odkrył, że tanie poliestrowe ubrania – w odróżnieniu od człowieka – cechuje tajemnicza zdolność do samooczyszczenia. Takie, dajmy na to, czarne skarpetki, dwudniówki lekko śmierdzące, już po trzech tygodniach zaczynały pachnieć słodką kukurydzą albo – jeśli polegiwały obok opakowań z wietnamskiego baru – kurczakiem słodko-kwaśnym. Spokojnie można je było wykorzystać ponownie. I tak w kółko, aż do momentu, gdy materiał zesztywnieje. Na zesztywnienie nie ma rady. Priapizm, wiadomo skądinąd, szczególnie upodobał sobie martwą naturę oraz tekstylia.

Przesadne przywiązanie do czystości to, według Krzysia, kolejny fetysz zachodniej cywilizacji, straszenie zaś ludzi zarazkami, te wszystkie umyj-rączki-przed-jedzeniem, nie-głaszcz-psa-bo-zachorujesz, to nic innego, jak zakamuflowany antysemityzm, to wypełnienie pustki po Holocauście. Przed wojną straszono Żydem, po wymordowaniu Żydów trzeba było znaleźć coś na ich miejsce. Wynaleziono higienę i zarazki, a na skalę międzynarodową – Związek Radziecki oraz Stany Zjednoczone.

Oczywiście do powyższej teorii nigdy by się nie przyznał publicznie. Przestrzeń publiczna nie służy mówieniu prawdy. Prawda nie opuszcza czterech ścian.

Otworzył okno, ażeby osłabić zapach słodkiej kukurydzy i zupy grzybowej, którą raczył się przedwczoraj. Zrzucił gazety z krzesła i usiadł. Napięcie związane ze stemplowaną magnesem korespondencją (via lodówka) nieco zwiotczało.

Parsknął śmiechem. Dwa tygodnie temu Andrzej wpadł po jakieś książki, odmówił herbaty i zatrzymał się w progu, gdzie było stosunkowo najczyściej. Podczas bardzo krótkiej rozmowy taktownie omijał temat bałaganu. Krzyś z rozbawieniem obserwował, ileż to wysiłku kosztowało jego partnera, który jednak na odchodne dał wyraz swemu zdumieniu:

– To niesłychane, że nie masz wszędzie much!

Krzyś zawsze parskał śmiechem, gdy sobie przypominał tę uszczypliwość, niebędącą, bardzo prawdopodobne, żadną uszczypliwością, lecz zdumieniem w stanie czystym.

Zadzwonił telefon.

– Słucham?

– Dzień dobry. Przepraszam, że dzwonię w weekend.

– A kim pan jest?

– Artur Palinowski. Jestem...

– Tak, wiem.

– No, więc... moglibyśmy się spotkać w redakcji? Na przykład jutro?

– Po co? Przecież odrzuciliście moją książkę.

– Och! Niech pan tak nie mówi! Wcale nie odrzuciliśmy, tylko poddaliśmy krytycznej lekturze. Może nieco pochopnej. I zbędnie głębokiej.

– Zwał, jak zwał. Po co niby mielibyśmy się spotykać?

– Pojawiły się nowe okoliczności.

– Może u pana. U mnie dookoła nadal obowiązują stare.

– Mimo to...

– Oj, dobrze już. Wtorek o drugiej, może być?

Rozdrażniła go ta rozmowa. Odzywał się niegrzecznie, przecież był autorem, którego książkę odrzucono po jadowitej recenzji wewnętrznej. Nadszarpnięte ego czasem forsuje swoje prawa. Poza tym nie lubił tego Palinowskiego. Spotkał się z nim bodaj raz na jakiejś literackiej gali. Przypominał on wielką meduzę, gwałtu, rety!, wyciągniętą z morza i osadzoną na stelażu kręgosłupa, żeby się nie rozlazła, i osprejowaną beżową farbą, żeby się ją dało zauważyć. Krzyś patrzył, z jaką wprawą porusza się na przyjęciu po gali Artur Palinowski, redaktor naczelny jednego z najważniejszych polskich wydawnictw – dla każdego ze znakomitych gości trzymał dobre słowo, celną uwagę, miłą obietnicę. Andrzej przyniósł Krzysiowi drinka, spojrzał po linii Krzysiowego wzroku na brylującego Palinowskiego i powiedział:

– Nikt by się nie domyślił, że on dopiero niedawno wyszedł z wody na ląd.

– Pierdolony. Szybko się adaptuje.

– Świetna motoryka.

– Że co?

– Słyszałeś, jak błyskawicznie zareagował na pochlebstwo?

A potem równocześnie dostali ataku śmiechu. Czasem też śnili wspólne sny.

Spotkanie w redakcji jednego z najważniejszych polskich wydawnictw trwało krótko i okazało się treściwe. Krzyś upewnił się, że Palinowski jest meduzą, świetnie wykształconą, ogromnie oczytaną, o parzącym dowcipie, acz w upale oddychającą z niejakim trudem: chyba wodą oddycha się łatwiej, wolniej, w mniej spektakularny sposób. Ustalili, że złożona przez Krzysia książka ukaże się pod warunkiem, że Krzyś namówi ważną personę do napisania blurbu na czwartą stronę okładki.

Krzyś wyszedł z redakcji zaopatrzony w adres mejlowy i telefon tejże persony. Zajmie się tym później, teraz martwiło go, że nagrali się z kliniki i że Andrzej nie zadzwonił, nie zareagował na idiotyczną notkę przyczepioną magnesem. Nie wytłumaczył się z nieobecności. Nie miał pretensji. Nic. Cisza.

W pięcioletniej historii ich związku przydarzały się już kryzysy, zawsze jednak coś je zapowiadało. A to Krzyś nie zgadzał się na związek Andrzeja z Wimem, a to Andrzej nie zgadzał się na romans Krzysia z jakimś młodym studentem. Przyczyna kryzysu, zwykle trzeci człowiek, zawsze była wyraźna, nawet jeśli niezapoznana osobiście. Tym razem nic nie zapowiadało kryzysu. Podobnie zresztą, jak kryzysu kubańskiego (październik 1962 roku).

A może nie ma żadnego kryzysu?

Może coś Andrzejowi wypadło? Wczoraj wypadło, dziś jest w pracy?

Może.

Zadzwonił telefon. To nie Andrzej, niestety.

– Cześć, Maju.

– Muszę, o Boże, muszę po prostu się z tobą spotkać!

– Wiesz, to nie jest najlepszy czas u mnie.

– Tu chyba jakieś nieporozumienie zaszło, bo ja cię nie pytam, jaki ty masz czas u siebie. Ja ci mówię, że się muszę, o Boże, spotkać z tobą!

– Kończą ci się naboje do e-papierosa?

– Nie kpij z mojej astmy, podły oraz niewydany pisarczyku!

Koniec końców uległ Mai. Miał do niej słabość i predylekcję. Do jej dziwnych jazd, egoizmu, egotyzmu. Do wyostrzonej wrażliwości i subtelnego poczucia humoru. Do celowej afektacji i połykanego dystansu. Do ciepłego płomienia, który od środka rozświetlał jej skórę niczym niskowatowa żarówka gładki abażur. Nadto lubił patrzeć na Maję. Rasowa twarz myślącej osoby, naczynia krwionośne, którymi płynęło coś więcej niż krew – coraz rzadszy krajobraz, cenne dorzecze, wspaniały nos, jak dzwon.

Maja opowiadała, popijając nadal modne mojito, o swoim życiu, z wyciągniętymi nogami opartymi o sąsiednie krzesło. (Tak mnie bolą pokaleczone stopy!) Miksowała problemy z matką (Ta pani Cecylia, nie wyobrażasz sobie!), problemy z ciałem (Skończył mi się stilnox; czym ja będę spała?), problemy z literaturą (Nie rozumiem zachwytów nad Lessing), problemy z dilerem (Wyjechał na wakacje bez m n i e uprzedzenia! Bardzo samolubne. Przecież ja umrę z głodu, bo jem wy-łącz-nie po paleniu). Był to uroczy, acz dość standardowy zestaw kłopotów, nic, co usprawiedliwiałoby paniczną potrzebę rozmowy z przyjacielem.

– Masz naprawdę wspaniałe problemy – przerwał jej lekko poirytowany. – Każdy by ci pozazdrościł. A teraz powiedz, o co chodzi naprawdę.

Zamilkła, spojrzała jednostronnie i przenikliwie, jak kura, niepewna, czy trafiło jej się ziarno, czy kamyk, lekko przechylając głowę w lewo.

– Nie układa wam się z Andrzejem, prawda? Zauważyłam coś już wtedy, w piątek. To dlatego zbiłam kieliszek albo może się upiłam? Jestem taka w sumie wszechstronna... – Krzyś milczał, Maja wydała przeciągłe westchnienie i z torebki wygrzebała klucze. – To są klucze, które znalazłam w torbie Szymona. On mnie zdradza.

– To tylko jakieś klucze.

– One pachną kobietą.

– One nie pachną, bo są z metalu. Metal nie trzyma zapachu.

– W dupie mam, czy trzyma, czy nie! Tu chodzi o moje życie, a nie o zwieracz!

7.

Ninel LUBIĘ TO na Facebooku: Sześć stóp pod ziemią; Nie czytam poezji; Mad Men; LGBT – QWERTY; Wolę żaby od mieszkańców Augustowa; Fiodor Dostojewski nie żyje; Nie chodzę na panele, w których występują tylko mężczyźni; Feminoteka; Mężczyźni z wąsami są komiczni, kobiety z brodą sexy; Głupie teksty Helveticą na artystycznych zdjęciach.

Ninel nie lubiła na Facebooku: ZNAJOMI.

Przypomniała sobie, że od przedwczoraj nie jadła. Nie odczuwała głodu, zmusiła się jednak do wyjedzenia resztek z lodówki; kawałek sera, kilka koreczków śledziowych, pomidor oraz – ostatnia już – paczka sucharów beskidzkich.

Z trudem opanowała odruch wymiotny. Odczekała, aż ciało pogodzi się z pożywieniem. Przykro mi, stwierdziła, jeszcze musisz mi posłużyć.

Każdy ruch sprawiał jej ból. Kwas mlekowy, skutek intensywnego i niepotrzebnego wysiłku fizycznego, próżnej i zakończonej fiaskiem potrzeby doprowadzenia mieszkania do porządku. To nie kwas mlekowy, skorygowała, to zespół opóźnionego bólu mięśniowego: konsekwencja drobnych mechanicznych zniszczeń tkanki mięśniowej. Organizm uruchomił stan zapalny, ażeby zregenerować uszkodzone struktury. Wiele już razy przeżywała stany zapalne i regeneracje, po każdej miłości, zauroczeniu i małżeństwie, po wspinaczce na szczyt, Bożym Narodzeniu. Nabrała pogłębiającego się z wiekiem przekonania, że jej organizm zachowuje się coraz bardziej rutynowo. Ta rutyna kiedyś nas zgubi, myślała.

Ta rutyna istniała i od zewnątrz, i od środka. Wszystko zachodziło jakby poza świadomością, od kuchni; do jadalni zwyczajnie serwowano gotowy produkt – naprawioną Ninel. Tyle razy uszkodzoną i tyle razy naprawioną, że człowiek zdołałby uwierzyć we własną nieśmiertelność, gdyby tylko nie odczuwał takiego znużenia. Albo obrzydzenia. Nadto Ninel podejrzewała, że ciało ją oszukuje. Stało się nieelastyczne, zawsze reagujące podług wypracowanych wcześniej procedur. Procedurom wielekroć powtarzanym nie wolno ufać.

Doczłapała do biurka, zalogowała się; przy Szym777 zielona ikona, online.

Sepulka: Dzięki za pomoc. Doceniam, że z nami pojechałeś.

Szym777: Nie ma sprawy.

Sepulka: BTW, zapomniałam zabrać od ciebie klucze.

Szym777: Tak, ech, głupia sprawa. Nie mogę oddać ci
kluczy.

Sepulka: Cóż cię powstrzymuje? Kurtuazja?

Szym777: Nie wiem, czy to odpowiednie określenie
na moją żonę.

Nie przypuszczam.

Sepulka: Nie rozumiem.

Szym777: Znalazła klucze i ubzdurała sobie, że mam
kochankę.

Sepulka: Albo kochanka.

Szym777: Albo.

Sepulka: Muszę znikać. Do pracy.

Postaraj się odzyskać klucze.

I... dziękuję za wszystko.

Naprawdę doceniam.

Ninel, nie wiedzieć czemu silnie wzburzona, ode-
pchnęła się od biurka, fotel na kółkach pojechał aż pod ścianę i walnął oparciem w półki z książkami. Od impetu spadła
jedna z nich, książka, nie półka, zawsze mniej do zinterpretowania. A dokładniej: energia kinetyczna wzburzenia Ninel przeszła w energię potencjalną układu człowiek–wiedza.
W układzie tym Ninel przypadła rola człowieka w spoczynku, wiedzę zaś reprezentował tom, który grzbietem uderzył
o parkiet i wskutek tego rozłożył się wzdłuż własnego grzbie-
tu niczym ociężały motyl o nudnym, typograficznym rysun-
ku na prostokątnych skrzydłach. Rysunek skrzydeł, ubar-
wienie zwierząt, makijaż diwy – wszystkie te gry, rozpięte
między kameleonem a wężem zbożowym, służą jednemu
celowi: przetrwaniu.

Ninel i książka zastygły z energią wynikającą z ich
wzajemnego rozmieszczenia w – tak kłamie definicja – polu

sił zachowawczych (powiedzmy, że jest to kapitalizm; aha, i demokracja). Energia potencjalna układu Ninel–książka równa jest pracy, jaką należało wykonać, aby uzyskać ową konfigurację.

Gdy uświadomiła sobie, czemu równa się energia potencjalna układu, w którym się znalazła, ba!, który tworzyła, dostała histerycznego ataku śmiechu. Albowiem praca została wykonana przeogromna. Pierwsza i druga wojny światowe, Okrągły Stół, Wałęsa, Jaruzelski, Gorbaczow. Matka, ojciec, dwa małżeństwa, dwa rozwody. Pojedynczy syn.

Napracowały się kinetyczne żarna niczym woły w kieracie.

Śmiała się, policzkami ciekły łzy, płuca palił bezdech. Wreszcie, wyczerpana, przeszła w stan spoczynku. Człowiek w spoczynku i spoczywająca na parkiecie książka. Czyż, uwzględniwszy tło, istnieje wspanialszy obraz?

Wenus z Milo, przetrącona tu i ówdzie, nie umywała się do tej współczesnej instalacji godnej Tate Gallery. Do Ninel i książki.

Upłynęło nieco czasu, nim bohaterka, zmęczona, obolała i ciut rozdrażniona, podniosła upadłą książkę. Gdy spadają gwiazdy – pomyśl życzenie; gdy spadają książki – odstaw je na miejsce.

Upadły tom okazał się *Stoma latami samotności* Márqueza – jakież to tandetne, stwierdziła. Tytuł brzmi jak niedotrzymana obietnica, pomyślała. Lub wyrok w zawieszeniu.

To zabawne, uznała, wstając z fotela, że na moich oczach sypie się z górnych półek historia literatury. Odstawiła książkę na miejsce. Na półkę z realizmem magicznym. Każda fascynacja i każde wzruszenie znajdują swój czas i swój kres. *Sto lat samotności* trafiło pomiędzy Cortázara i Sábato, na wysoką półkę, po którą się już nie sięga, nie w wieku Ninel, dwudziestym pierwszym. Jeszcze wyżej stali Dostojewski i Conrad, niemal w komplecie. Pisarze odpowiadający na pytania, których już nie ma. Trzeba, postanowiła, zdać te książki na makulaturę albo poczekać, aż martwe pytania ożyją, chociaż akurat tego wolałabym nie doczekać. A w ogóle to trzeba zaprowadzić ład w salonie. Tyle potrzeb, jedna ja, kot już nie.

Przetrwanie; najpopularniejsza gra materii ożywionej, co warte odnotowania, w tę grę zawsze się przegrywa, mimo to grają wszyscy, gra ta przypomina nieco alkoholizm; aktualnie jej popularność znacznie wyprzedza drugą w kolejności politykę, trzeci w rankingu futbol oraz czwarte warcaby; przetrwanie dzielimy na: (1) brawurowe (por. lemingi), (2) pogłębione (por. Freud, Z.) oraz (3) kompulsywne (por. Plath, S.); gra w przetrwanie polega na tym, żeby wytrzymać dłużej niż ktoś lub coś, w związku z czym gra bezwzględnie wymaga punktów odniesienia, choć i tak przynosi wyłącznie przegraną; w ostatnich dekadach największą publikę przyciągają gry prowadzone przez: (1) Kościół rzymskokatolicki, (2) ser oscypek, (3) kino dwuwymiarowe oraz (4) ptaka dodo.

Zaparzyła herbatę. Zamierzała dokończyć powieść Ishiguro i napisać zamówioną recenzję. Nie wiedziała, czy poradzi sobie bez Burego. Bury zawsze z nią czytał i pisał. To były jedyne momenty, kiedy nie wymiaukiwał pretensji. On szanował Ninel czytającą oraz Ninel piszącą. Przyglądał się jej uważnie, kaligrafując pędzelkiem ogona zamaszyste ideogramy.

Nie zabrała się jednak do lektury ani pisania.

Dotkliwie brakowało jej Burego.

Rodzice Ninel pochodzili z Wilna, po wojnie i zawirowaniach na mapie przenieśli się z Kresów Wschodnich do Łodzi. Nie objęła ich wszak pierwsza fala masowego wysiedlenia polskiej ludności (1944–1946), lecz fala druga (1955–1959), skromniejsza. Matka Ninel wielekroć opisywała scenę przybicia pociągu do przystani dworca miasta Łódź. Wagony nieomal bydlęce, upał kongijski, dworzec wojną poraniony. Z każdą matczyną opowieścią dochodziło do drobnego przeskalowania szczegółów, okoliczności i wartości. W najświeższych wariantach opowieści zniknęły z wagonu drewniane ławki, które to wcześniej, gdzieś w latach siedemdziesiątych, wyparły były z narracji fotele osobowe. („Siedzieliśmy w ścisku, upale i smrodzie; na podłodze, niczym skazańcy" – mówiła matka). Uszczerbek komfortu został powetowany wzrostem temperatury. W latach sześćdziesiątych lato tego dnia, gdy dotarli do Łodzi, było piękne, trzepotał nawet lekki wietrzyk. W następnej dekadzie upał wzmógł się istotnie, ażeby w latach osiemdziesiątych, zmrożonych stanem wojennym, sięgnąć przymiotnika „kongijski". Nigdy matki nie zapytała, dlaczego akurat „kongijski", dlaczego matka zdecydowała się na Kongo, mając do wyboru choćby Indochiny, Koreę i Izrael, Saharę, Gobi i tak dalej, daleko stąd. Również budynek łódzkiego dworca kolejowego przeszedł długą drogę. W pierwszych matczynych opowieściach optymistycznie prezentował się jako „prawie niezniszczony przez niemieckie bomby", po pewnym czasie obraz ten ustąpił obrazowi budynku „intensywnie odbudowywanego", a skończył bodaj trzy lata temu jako „dziura w ziemi". („Dziura w ziemi, lej po bombie, mówię wam" – mówiła matka).

Podobnej ewolucji doświadczało wydanie Ninel na świat. Na samym początku urodziła się w jedynym przyzwoitym łódzkim szpitalu. Gdy Ninel miała dziesięć lat, urodziła się w drodze do szpitala, na przyczepie czy furmance, zaprzężonej w konie czy traktor. Gdy rozpoczęła studia, matka zadecydowała, że nie czas na filmowe opowieści i powolne jazdy kamery, czy też dorożki, i od momentu tamtej decyzji jej córka rodziła się od razu, bez owijania w bawełnę, na łódzkim peronie. („Prawie nie pamiętam bólu, tak byłam zażenowana całą tą sytuacją" – mówiła matka).

Pochylając się nad narodzinami Ninel, nie sposób uniknąć pytania o jej imię. Kto wpadł na ten pomysł, trudno dociec. Jedna z wersji głosiła, że ojciec, uradowany przyjściem na świat córki, tęgo sobie popił, a nim otrzeźwiał, zapisał ją w stosownym urzędzie pod imieniem, okazało się, Ninel. Jest wielce prawdopodobne, że ojciec podał inne imię, urzędniczka zaś (lub urzędnik) sobie zeń zakpiła, (-pił), wpisując w życie niemowlaka owo straszne: Ninel.

Ninel to anagram Lenina. Lenin wspak. Tajemny znak.

Matka lubiła opowiadać, że gdy imię wyszło szydłem z worka, w domu rozpętała się burza i tyle łez polało, iż trzeba było sąsiadów gorąco przepraszać i do sucha wycierać. Zamieszkiwali naówczas we czworo, a jeśli doliczyć nowiutkie dziecko, to w pięcioro – rodzice oraz dziadkowie ze strony matki. Zatem doszło do rodzinnego sztormu, którego efektem okazała się anatema rzucona na Ninel.

Pierwsze lata życia Ninel spędziła pod czułą kuratelą babci. Przed wojną w Wilnie babcia pracowała jako lekarz, rzecz w tamtych latach raczej niezwykła, kobieta wykonująca męski zawód! Jej mąż, czyli dziadek Ninel, był z kolei znanym okulistą. Młodszy brat matki Ninel, ukochany i jedyny syn babci, Jakub, zginął na wojnie. Przywołujemy tę ścieżkę powiązań, uczuć i śmierci, ażeby stała się jasna miłość babci do wnuczki. Z pewną tylko przesadą wolno rzec, że miłość babci do wnuczki przenikała się z miłością matki do syna. Ninel występowała równocześnie w dwóch naturach: jako wnuczka i jako odzyskany syn. Tak jak Jezus kojarzył w sobie dwie natury, rozłączne i połączone, ludzką i boską, tak Ninel istniała z równą mocą jako dziewczynka i chłopczyk, wnuczka i synek. Dopóki rodzice nie wyszli z domu do pracy, Ninel bytowała głównie jako ukochana córeczka mamusi i tatusia. Gdy jednak drzwi trzasnęły, akcenty zaczynały rozkładać się odmiennie i dziewczynka zrzucała skórę córeczki, przekształcając się w synka, babcia zaś – pozostając babcią – stawała się matką, ale i przyjaciółką, ale i potencjalną platoniczną kochanką.

Wróćmy do kapryśnego początku, do imienia. Po awanturze imię Ninel zostało zakazane. Nikt tak się do niej nie zwracał. Babcia i dziadek wołali na nią Kuba, a z czasem imienia tego zaczęli również używać rodzice. Kuba to, Kuba tamto. Kuba nauczyła się sikać do nocnika, Kuba powiedziała pierwsze zdanie. Ciut później Sowieci zainstalowali rakiety na Kubie.

Ninel dowiedziała się o swoim imieniu pierwszego dnia w szkole.

Na pierwszej lekcji nauczycielka wyczytywała imię i nazwisko ucznia. Uczeń obowiązany był wstać i potwierdzić swą obecność.

Nazwisko brzmiało znajomo, nie zgadzało się imię. Cisza się przedłużała. Nauczycielka powtórnie wyczytała imię i nazwisko.

– To w połowie jestem ja – powiedziała Ninel głośno, nie podnosząc się z miejsca. – Nazywam się Kuba.

Nauczycielka, niby przewodniczka stada, suka alfa, ściągnęła usta w uniwersalnym grymasie. Grymas ów był zapomnianym hieroglifem, zagubionym znakiem, dopuszczającym mnogość interpretacji. Można w nim wyczytać rozbawienie, pogardę, konsternację, a to ledwie początek listy.

Po słowach Ninel zaległa cisza jeszcze głębsza. Cała klasa pilnie studiowała nauczycielski grymas, aż wreszcie jakiś nad wiek wyrośnięty piegus dokonał deszyfracji lub interpretacji i głośno się roześmiał.

– Wstań! – rozkazała nauczycielka.

Nie bardzo było wiadomo, kto ma wstać, Ninel czy piegus. W ciągu kilku sekund dokonała się próba sił, gra okrutna i o daleko idących konsekwencjach, aczkolwiek jest nieprawdopodobne, by dzieci zdawały sobie z tego sprawę. Nauczycielka jak gdyby wycofała swoją obecność, zawiesiła własną władzę nad tłumem dzieciaków, ślepa niczym Temida, nie patrzyła ani na Ninel, ani na piegusa, pozwalając, żeby rzecz się dokonała bez jej udziału. Żeby ktoś wstał. Po prostu. Ten słabszy. Mniej przebiegły, więcej naiwny.

Wstała Ninel. Odsuwając krzesło, uświadomiła sobie albo raczej przeczuła, że popełniła gruby błąd. Piegus odetchnął z ulgą. Za późno na zmianę decyzji. Już stała.

Dopiero wtedy nauczycielka zdjęła z oczu przepaskę i spojrzała na dziewczynkę. Jej wzrok mówił, ach, więc to ty przegrałaś, nie ten piegus nad wiek wyrośnięty. Ninel nie pamiętała ciągu dalszych wydarzeń. Zapamiętała za to wyraźnie, że ona jedna stoi, a cała gromada dzieci się z niej śmieje. Śmieją się dopóty, dopóki nie pada nauczycielska komenda.

– Cisza!

Popłakała się w domu. Rodzice jeszcze nie wrócili z pracy, babcia dokądś poszła, dziadek rozmawiał z gościem w gabinecie. Ninel weszła pod kuchenny stół i tam płakała. Żeby zdusić jęk, wpychała piąstkę w usta. Wreszcie zasnęła. Znalazła ją babcia.

– Kuba, kochaneczku, co się stało, mój szkrabie?

Ninel spojrzała nieprzytomnie na babcię. A potem przyszła jej do głowy fraza, którą podsłuchała w świecie dorosłych, pewnie gdzieś na ulicy. Fraza świetnie pasująca, bo równie niezrozumiała, jak niezrozumiałe były sytuacje, ta ze szkoły i ta aktualnie się rozgrywająca, pod stołem.

– Musiała mnie pani z kimś pomylić. Nazywam się Ninel i nie jestem Żydówką.

Nawet teraz, kilkadziesiąt lat później, nie potrafiła bez emocji wspominać pierwszego dnia w szkole. To wtedy przeżyła szok albo raczej całą serię wstrząsów. Dostała imię i zrozumiała, że imię boli. Została publicznie upokorzona, napiętnowana. Zawiodła się na babci i rodzicach. Przegrała pierwszą bitwę w swoim życiu. Jednak najistotniejsze nauki, pobrane pierwszego dnia w szkole, wolno by streścić w sposób następujący. Zrozumiała, że o wygranej nie przesądzają racje czy prawda, lecz łut szczęścia, zbieg okoliczności, splot kontekstów i przesądów. Pojęła też, jak niebezpieczna jest gra w grę, której zasad nie poznało się w sposób wyczerpujący. Aż wreszcie dotkliwie sobie uświadomiła, że nie można polegać na innych. W sytuacjach dramatycznych sojusznicy się zawieruszają. Z pomocą ni odsieczą nie bieżą babcia, rodzice, dobrobyt, bóg, wolność słowa.

Otrząsnęła się ze wspomnień niby pies z wody.

Nie ma Burego.

Mój kot jest popiołem, pomyślała.

Sprawdźmy, co muszę zrobić.

Nie ma Burego.

Mrrrrrrrrrr to przeszłość.

Wróciła do biurka z komputerem, wygrzebała notes, weń zajrzała. Recenzja z powieści Ishiguro, druga tura egzaminów poprawkowych, kolegium redakcyjne jutro, spotkanie z Beatą i Kingą pojutrze, narada wydziału w piątek, nagranie programu na Woronicza, rozmowa w radio na temat eugeniki i Victora Hugo (kto wpadł na tak nędzne połączenie? czy galery to przestarzała forma eugeniki?), kolejny felieton do popularnej prasy, jurorowanie w konkursie na najlepszą drag queen.

Wygląda na to, stwierdziła gorzko, że odniosłam w życiu sukces, przynajmniej w tym tygodniu. I to spory. Apokaliptyczny.

Skonstatowawszy zawartość błękitnego notesu, zrobiła coś, czego nie robiła od lat. Zamknęła oczy na pobojowisku, jakim stał się pokój poddany wymazywaniu śmierci Burego. Odchyliła głowę do tyłu tak bardzo, jak na to pozwalało oparcie fotela. Rozłożyła ręce w pozycji ukrzyżowanego Chrystusa osób pracujących na siedząco. A następnie z wielką siłą klasnęła.

Pocierała o siebie dłonie.

Pochyliła głowę.

Pocierając dłonie, czuła, jak podnosi się temperatura skóry. Czuła płomień, który nie zapłonie. I pomyślała życzenie. Na przekór kociej śmierci.

Jestem stara, chciałabym raz jeszcze stracić głowę. Zakochać się bez sensu i wbrew kontekstom. Mimo narracji słusznych i wbrew tym krzywdzącym.

Poza grami i literaturą.

Powyżej progu ubóstwa.

Tak po ludzku.

Jestem nieznośnie staroświecka! Chciałabym raz jeszcze! Znowu.

8.

Miałem pełne zaufanie do doktora Borisa, którego dłoniom gwiazdy filmowe powierzały przecież całą swą przyszłość. Co więcej, wiedziałem, że stałem się jego majstersztykiem, że widok mojej twarzy nieudacznika obudził w nim najgłębsze ambicje, przypomniał mu, dlaczego wybrał ten zawód, i dlatego dał z siebie wszystko i jeszcze trochę.

Kazuo Ishiguro

Norbert złym okiem obserwował jurorów. Zasiedli za stołem nakrytym zielonym suknem. I długi stół, i zielone sukno, dość surrealistyczne w przestrzeni nowocześnie urządzonego klubu, nawiązywały prawdopodobnie w kpiący sposób do wieków PRL-u, gdy za podobnymi stołami zbierały się gremia rozliczne i poważnie komiczne, wszelako taka zawoalowana sugestia, elegancki odnośnik nie znalazły dostępu do Norberta. Według Norberta ten stół nie pasował, a jeszcze bardziej nie pasowali mu ludzie zza stołu.

Norbert pracował w banku. Zaczął jako stażysta, na trzecim roku studiów. Przechodził wszystkie szczeble kariery, pracując ciężko i z oddaniem, z nieopłaconymi nadgodzinami. Dogadywał się nawet z kolegami, żeby użyczali mu swoich chipowych kart identyfikacyjnych, w przeciwnym razie wyszłoby na jaw, że spędza w pracy dwadzieścia godzin na dobę, to zaś z punktu widzenia BHP jest bardzo be, przy jakiejś kontroli poleciałyby głowy lub premie. Doszedł od kasjera do kierownika średniego szczebla, co – jak uważał – było sporym sukcesem. Biorąc pod uwagę punkt startu, miasteczko na Lubelszczyźnie, osiągnął wiele, wybił się, skończył studia, przeprowadził się do Warszawy, kupił auto, spłacał mieszkanie, zarabiał prawdziwe pieniądze na prawdziwym etacie. Pośród atrybutów, dzięki którym jego rodzice i tak już pękali z dumy, brakowało jednego jedynego do kompletu – rodziny. (Nawet gdyby został księdzem, można powątpiewać, czy rodzice odpuściliby mu wnuka. W końcu odstępstwa od celibatu są dość powszechnie akceptowane, bo niewypowiedziane. Hipokryzja czyni cuda).

Po urodzeniu ważył ponad pięć kilogramów, prawdziwy gigant, aż trudno uwierzyć, że to niemowlę z niewysokiego ojca i zdecydowanie lekkiej matki. Zdrowy, wszystkie odruchy w normie. Zapłakał jak się patrzy, prosto w uszy, bez klepnięcia w plecy.

– Hmm... – oznajmił ojciec, widząc po raz pierwszy pieworodnego.

Malec nie posiadał brwi ni rzęs, ani śladu najcieńszego włosa, niechby i podzielonego na czworo. Chował się zdrowo, rósł jak na drożdżach. Chodzić zaczął w terminie, mówić też. Norbert pod każdym względem mieścił się w normie, z wyjątkiem tej jednej, ściśle powierzchownej kategorii – nie urosła mu na ciele ani jedna włosowa cebulka, niechby i ścięta jak szczypiorek.

Dość wcześnie przestał zadawać pytania, miał wtedy bodaj cztery lata i dopiero opanowywał składnię i jej zapadnie. To nie było tak, że stracił zainteresowanie odpowiedziami. Pragnął przecież wiedzieć, dlaczego słońce świeci, skąd się biorą dzidziusie, czemu dzieci muszą chodzić spać, kiedy wcale nie chcą. Nie było też tak, że znał odpowiedzi, ponieważ nie znał nawet tak, zdawałoby się, prostych, jak na pytanie o aktualny dzień tygodnia lub liczbę palców u ręki.

Przestał pytać, gdy zrozumiał, że odpowiedzi i tak nadejdą, same z siebie, od dorosłych, z telewizora, zewsząd. Niektóre odpowiedzi bardzo go rozczarowały („Czy urosną mi kiedyś włosy?"), inne doprowadzały do płaczu („Mama kocha cię najbardziej na świecie. I tatuś też").

Z biegiem lat zapomniał, że jako dziecko prawie nie pytał. Dorósłszy, pytał oszczędnie, zmuszony koniecznością albo dobrym wychowaniem, prawie nigdy jednak ciekawością, a już na pewno nie taką ciekawością, która domaga się natychmiastowego zaspokojenia.

Jurorzy zasiedli, Norbert przetoczył złym wzrokiem po ich twarzach. Niektóre z nich były anonimowe, inne pojawiały się w mediach. Oto wpływowy i szanowany polityk najsilniejszej z nie tak znowu licznych ni silnych partii lewicowych, prawnik, mąż i ojciec dwojga dzieci. Oto Qwerty, gwiazda blogosfery o bardzo podobno wysokim IQ, chociaż trzeba uzupełnić, że gwiazda swoim IQ nie szafowała ani na prawo, ani na lewo, trzymając się egoizmu pojętego najwężej, jak to wyobrażalne. Oto Kinga, szefowa katedry studiów genderowych i celebrytka, postrach gadających głów z wąsami. Oto Ninel Czeczot, socjolożka literatury, kobieta legenda, acz Norbert nie przypominał sobie, dlaczego jest tak legendarna. Może odkryła rad lub polon? A może była kochanką Trockiego? Norbert zapisał sobie w głowie, żeby sprawdzić w Wikipedii. Albo poczekać. Odpowiedź i tak go dopadnie.

Jak na doroczny konkurs na najlepszą polską drag queen, zebrało się zastanawiająco poważne jury, ludzie znani i wpływowi, to zaś oznaczało, że pod płaszczem świetnej zabawy kryje się coś o wiele poważniejszego, dajmy na to polityka albo jej rewers, nazwijmy go w uproszczeniu wartościami.

Norbert osobiście nic nie miał do poszczególnych jurorów. Nie znał żadnego z nich. On najzwyczajniej w świecie nie znosił samej idei jurorowania, oceniania, wartościowania. Nienawidził tej idei i jej podlegał. W banku raz tylko nie został pracownikiem miesiąca. Przeżył to okrutnie, samotnie, z butelką wódki i pawiem na dywanie.

Oczywiście to będzie przede wszystkim wieczór wypełniony występami, wieczór zabawy. Oczywiście wygrywają wszyscy, wszystkie drag queeny, wszyscy jurorzy i wszyscy goście klubu. Mimo to nie potrafił życzliwie patrzeć na tych, którzy będą oceniać.

W niechęci Norberta tkwiła również zadra prywatna. Otóż w konkursie wystąpi Kim Lee, chłopak, oględnie mówiąc,

Norberta. A co, jeśli Kim Lee nie wygra? Niby to tylko zabawa. Ale nie dla Norberta.

– Cześć. – Ktoś szturchnął Norberta w ramię. – Jak leci?

To był Krzyś, wielka, niespełniona miłość. Wpadli na siebie dawno temu, zaraz po tym, jak Norbert wyniósł się do Warszawy na studia. Pierwszego wieczora w stolicy, rozpakowawszy tobołki w akademiku, Norbert postanowił udać się do gejowskiego klubu o nazwie Oddział. Paliło go uczucie wstydu na równi ze szczęściem. Te dwa stany zlały się w jedno uczucie, tak silne, że mógłby lewitować. Przystanął przy barze i zamówił colę. Zagadał do niego szczupły chłopak:

– Cześć. Jak leci?

Zanim Norbert się zorientował, zanim rozważył warianty zdań, powiedział prawdę:

– Wspaniale. Tylko trochę strasznie. Pali mnie całe ciało. Skóra. I od środka też.

Nieznajomy roześmiał się i w ten sposób znajomość została zawarta, Krzyś i Norbert.

– Co cię przygnało do Warszawy?

Norbert dość chaotycznie zdał relację ze swego życia. Miasteczko, rodzice, szkoła podstawowa i średnia, studia, szansa. Streszczał własne losy, cola zamieniła się w piwo, a historia doszła do puenty pozbawionej puenty:

– I teraz jestem tutaj.

Krzyś z niejasnych pobudek zaopiekował się Norbertem. Dziwnym, ogromnym, bezwłosym chłopakiem z prowincji. Pokazywał Norbertowi miasto, ludzi, miejsca. Pokazywał, jak się ubierać, jakiej muzyki słuchać, na jakie filmy chodzić. Oraz na jakie wystawy i dokąd. Pomógł mu znaleźć pierwszą pracę.

Norbert zakochał się w Krzysiu na zabój, z czego Krzyś nie chciał zdawać sobie sprawy. Seks z nim byłby dla Krzysia czymś równie egzotycznym lub ekscentrycznym, jak seks z kosmitą, kobietą albo kaleką. Taki seks spełniał się w roli ćwiczenia rozgrzewającego umysł, jako możliwość na poły teoretyczna, na poły terapeutyczna, oddzielona jednakże od sfery praktycznej solidną, konserwatywnie betonową ścianą. Nieodwzajemnione uczucie, a może fakt, że Norbert nauczył się sprawnie i samodzielnie poruszać w wielkomiejskiej scenerii – jakakolwiek by zaszła przyczyna, ścieżki Krzysia i Norberta rozeszły się. Widywali się od lat, od czasu do czasu, w przypadkowych okolicznościach, klub, kino, galeria handlowa. W pewien sposób śledzili swoje życia. Tu i tam ktoś wypowiedział jakieś zdanie, komentarz, echo, domysł. Norbert orientował się, co robi Krzyś. Krzyś orientował się, co porabia Norbert. Krzyś odczuwał rodzaj rodzicielskiej dumy, w końcu jego wychowanek dobrze sobie radził. Norbert zaś odczuwał, bardziej na podniebieniu niż w mózgu, sprzeczną miękką masę o smaku przypominającym gorzką czekoladę. Byłby to więc splot ciepła, słodyczy, wdzięczności, lecz zabrudzony nazbyt wyraźną, dominującą nutą. Ta nuta, cienka ścieżka języka, ostra grań niewypowiedzianych słów i zatajonych potrzeb, ona tkwiła mocno w tej masie ciepła i słodyczy. Należało mieć się na baczności, ostrożnie poruszać językiem, żeby nie poleciała krew czy żółć.

– Powolutku leci – odpowiedział Norbert. – Nie narzekam. A u ciebie? Nadal jesteś z tym... z tym...

– Andrzejem?

– Tak. Z nim. Dokładnie.

– Jestem. Nie poznaliście się?

– Nie.

– To pewnie dlatego, że on prawie nie wychodzi. Nudzi go życie towarzyskie, a może to ludzie go nudzą. Czekaj, właśnie mi się przypomniało, Andrzej pytał o ciebie.

– O mnie? – Norbert się spłoszył.

– Zeszłego tygodnia, w Tête-à-tête, podczas występu Kim Lee.

– Aha – bąknął Norbert. – Muszę już iść. Do potem.

– Do potem.

Norbert nie potrafił się rozluźnić. Wybuchy śmiechu, lejący się alkohol, występy drag queenów, żartobliwe zapowiedzi prowadzącego, szepty jurorów, cała ta zabawa i wesołość nie znajdowały do niego dostępu. Działy się w innym porządku zdarzeń i innej odnodze czasu, w osobnym wzorze. Norbert ani chciał, ani umiał poddać się swobodnej atmosferze. Równie dobrze ktoś mógłby mu nakazać empatię w stosunku do głazu narzutowego.

Siedział przy jednym ze stolików, sztywno, cały z kamienia. Prezentował się niby złośliwie powiększony homunkulus, niby jakaś mutacja chrześcijańskiej agape, dla wzmocnienia dramatycznego efektu odziany w modną koszulę, modne dżinsy i buty. I czapkę. Niby hip-hop, ale taki na pół gwizdka.

Nadeszła pora występu Kim Lee. Dwie piosenki, dwie suknie. Na początek *Diamonds are forever* z podkładem Shirley Bassey. Ładnie przerysowane, lecz nie dość oryginalnie, żeby wygrać, co Norbert uświadomił sobie z narastającym przerażeniem. Kim Lee zakończyła, zebrała oklaski od niechcenia, znikła ze sceny na minutę. I wróciła w czarnej sukni i rudej peruce. Norbert nie znał ani tej sukni, ani peruki. Kim Lee wyjątkowo nie wtajemniczyła go w szczegóły dzisiejszego show. („To będzie niespodzianka, ciupciu-ciupciu"; pewnie wietnamskie, obce Norbertowi słowo). Kamiennym ciałem Norberta przebiegł dreszcz, wtórny wstrząs złego ukłucia, odgłos dłuta.

– A telaz, moi dlodzy – powiedziała do mikrofonu polską wietnamszczyzną – wykonam utwól, dla któlego wsiscy tu się zeblaliśmy, a co najmniej ja się zeblalam cala. – Kim Lee zrobiła pauzę, żeby wybrzmiały wybuchy śmiechu, przyjazne gwizdy i okrzyki. – *Nie opuściaj mnie.*

Norbert nie umiał przypisać pierwszych taktów konkretnemu wykonawcy. Błyskawicznie odrzucił wersję Edyty Górniak, Shirley Bassey, Niny Simone, Cyndi Lauper i kilka kolejnych. Umysł Norberta pracował wydajnie i gładko, odrzucając i odrzucając, aż dotarł do rozwiązania.

– Ona oszalała. Oszalała.

Kim Lee wybrała piosenkę w interpretacji Michała Bajora! Drag queen śpiewająca do męskiego głosu! Norbert palił się ze wstydu. Nie będzie zwycięstwa w konkursie. Większą szansę dawałby *Mazurek Dąbrowskiego* albo ten hymn drugi, żałosny jak wszystko, co jest popłuczyną po upokorzonej wspólnocie, *Polacy, nic się nie stało.*

I rzeczywiście, w klubie zaległa cisza. Norbert wbił wzrok w podłogę. Zatkał uszy rękoma. Pragnął znaleźć się gdzie indziej. Pragnął być z kim innym. Kimś innym. Kimś, kto podchodzi do konkursów na luzie, z ironią i dystansem, bez tej zaciętej powagi i dzikiej ambicji.

Gdy odetkał uszy i podniósł głowę, niczego nie rozumiał. Ludzie bili brawo, Kim Lee łaskawie rozdawała ukłony i ekspediowała w powietrze pocałunki. Norbert rzucił okiem na stół jurorów, oni również klaskali.

Nie rozumiał. Przecież ten występ powinien zakończyć się spektakularną klapą, tymczasem obserwował coś przeciwnego.

Nie rozumiał, gdy Ninel Czeczot ogłosiła werdykt.

– Za grę kontekstami w grze kontekstów. Za szkatułkową konstrukcję sensów i nonsensów. Za odświeżającą odwagę pójścia tam, gdzie się było, jest lub znowu będzie. Za wyczucie komizmu sytuacyjnego, który staje się demokratycznym dramatem. I tak dalej. Najlepszą polską drag queen jest... Kim Lee!

Nie rozumiał werdyktu. Gdy kobieta odczytywała słowa z kartki, goście klubu chichotali. Jurorka prawdopodobnie wypowiadała jakieś dowcipne kwestie, lecz on ich nie rozumiał. Pewien poziom abstrakcyjnego rozumowania, zdawał sobie z tego sprawę od dawna, po prostu nie był mu dostępny. Norbert został skonstruowany solidnie, do konkretu i kolumn Excela; nigdy nie wybrałby się śladem Nansena albo Prousta.

W końcu zrozumiał jedno, dotarło do niego, że Kim Lee wygrała. Liczy się efekt. Liczy się wygrana. Droga do niej prowadząca – w wypadku Norberta zawsze żmudna i okupiona ciężką pracą – i tak ulega zapomnieniu. Liczy się efekt. Kim Lee wygrała. Chłopak Norberta, oględnie mówiąc, wygrał.

Teraz wypełniły Norberta duma i euforia, tak nagłe i ogromne, że go uniosły znad stołu i kazały razem z innymi wykrzykiwać w podnieceniu jakieś słowa, podczas gdy Kim Lee odbierała statuetkę Matki Polski dla najlepszej polskiej drag queen. (Statuetka Matki Polki została kulturowo zastrzeżona ® przez prawdziwy naród).

9.

*Tak bardzo bym Ci chciała opowiedzieć o tym, co się nie
wydarzyło, lub że nie pamiętam. Ale się boję, że zostanę
przez to potraktowana jak pisarka klasy B, lub C.*

Marta Podgórnik

W ogóle się nie bawiła, choć nikt by na to nie wpadł. Sprawiała wrażenie zrelaksowanej, ciut sceptycznej, przyjaźnie zdy-
stansowanej, kumpelsko zaangażowanej. Unosiła lewą brew
świadomie, ponad górną krawędź oprawki okularów. Ta brew,
te oprawki szylkretowe, niby staroświeckie, aktualnie dramatycznie modne – całość świetnie wypadała na zdjęciach
oraz na żywo, w telewizji.

Pilnowała się, żeby nie przesadzić z lewą brwią. Lewa brew pozostawiona sama sobie potrafiła wzbić się tak wysoko, że Ninel zaczynała przypominać Jacka Nicholsona odgrywającego rozpacz albo podobną, silniejszą emocję, taki lot nad kukułczym gniazdem lub wręcz lśnienie na przykład. Oczywiście nikt poza nią nie widział podobieństwa między Jackiem Nicholsonem a Ninel. I całe szczęście, błogosławiła się, po co mi plotki.

Siedziała tedy za stołem w klubie i oglądała występy drag queenów. Była głęboko znudzona i pragnęła wrócić do domu. Chciała cierpieć po śmierci Burego i czuć się niekochana, stara i zużyta oraz zagrożona, dajmy na to, włamaniem. (Kto wie, co Szymon lub jego niezdyscyplinowana psychologicznie żona zrobili z kluczami!)

Musiała pilnować lewej brwi, ponieważ siedzący po bokach jej starzy znajomi wiedzieli, że wysoko wzniesiona lewa brew oznacza całkowity brak zainteresowania i okrutne znudzenie.

Z prawej strony zasiadł ważny obecnie polityk lewicy. On nie był tak groźny, kochał przebieranki i całkowicie oddał się ocenianiu występów. Znacznie groźniejsza była strona lewa, po której to siedziała Kinga. Ona potrafiła błyskawicznie zorientować się, że Ninel utraciła zainteresowanie, właśnie po pozycji zajmowanej przez lewą brew. Potem Kinga będzie znowu miała pretekst do dzikiej awantury o to, że Ninel się nie angażuje, nie wspiera feminizmu ani nowego lepszego świata, jest pozerką, że nie jest obecna w stopniu wymaganym choćby przez zasady dobrego wychowania oraz ludzkiej przyzwoitości.

Dlatego Ninel, śmiertelnie znudzona i znużona, stosowała się do trzech zasad publicznych występów.

Trzy zasady publicznych występów (3ZPW) – zespół zachowań akceptowanych w mediach i społeczeństwie, praktycznie nieuleczalny, acz podobno można codziennie łykać aspirynę; zasada pierwsza: poruszaj nie rzadziej niż raz na dwieście sekund głową; możesz kiwać w pionie lub poziomie, ale uważaj, żeby ruchy nie kojarzyły się z parkinsonem ani modlitwą/medytacją; zasada druga: rób coś z ustami; gdy publiczny występ dotyczy Jedwabnego, Katynia, likwidacji getta itp., staraj się ściągać usta w niewielką dziecięcą piąstkę (uwaga: jeśli masz ładne, warto również skorzystać z oczu!; kolor oczu staraj się dobrać do garderoby przed publicznym wystąpieniem), gdy występ dotyczy weselszych rzeczy, np. bankructwa systemu emerytalnego, kolejnego zamachu terrorystycznego albo poezji Eliota, staraj się trzymać usta w pozycji poziomej; zasada trzecia: unikaj lnu, wybieraj materiały niegnące się albo korzystaj z żelazka.

Dziś wieczór wybrała bawełnę z dodatkiem poliestru, usta ułożyła w poziomą kreskę z lekkim wzburzeniem górnej wargi, w wyrazie pomiędzy bitwą kiboli a zamachem na demokrację. Ponadto poruszała głową na prawo i lewo, a co dwie minuty w dół, na piekło, i w górę, do nieba, no i pilnowała lewej brwi, żeby ta nie uciekła nazbyt wysoko, w stratosferę czoła. Zerkała też na innych jurorów. Pragnęła wrócić do braku, do siebie, do miejsca bez Burego, pachnącego sosnowym żwirkiem, benkiem, który się zbryla.

Była już gotowa zasnąć, aktywnie dzieląc się dowcipnymi zdaniami z członkami jury, gdy na scenę weszła Kim Lee. Pierwszy numer Ninel przewegetowała, drugi ją obudził. Kim Lee występowała do utworu Michała Bajora.

Zainteresowanie Ninel, początkowo skromne, w niezauważalny sposób w czasie pięciu minut – tyle chyba trwał występ – przeszło w stan nieomal przedeuforyczny. Bardzo prawdopodobne, stwierdziła, że odreagowuję śmierć kota albo też życie matki. Do wyboru. Zależnie od preferowanej szkoły psychoanalitycznej.

Bez większych problemów przekonała zacne grono jurorskie, że to właśnie Kim Lee należy się nagroda. Potem musiała wygłosić coś na kształt laudacji. Skończyła mówić, zeszła ze sceny. Adrenalina, zawsze wydzielająca się podczas publicznych występów, odpłynęła. Sucha plaża, nagie skały – w ten lakoniczny sposób opisałaby krajobraz własnej osoby. Zmarniała gdzieś pomiędzy Kingą a politykiem, przywiędła i w pełni świadoma wszystkich szkodliwych okoliczności, na jakie naraziła swoje ciało przez niemal sześćdziesiąt lat: miliony papierosów, alkohol, lektura Marksa, działanie w opozycji, bezsenność i nieodstępujący ani na krok lęk.

Ninel, zapadnięta w sobie, wsobna, dopiero w taksówce zorientowała się, że dokądś jedzie. Siedziała obok kierowcy, z tyłu żartowali jej znajomi. Przysłuchiwała się ich rozmowie z zainteresowaniem łamanym przez zaniepokojenie, starając się dowiedzieć, dlaczego siedzi obok taksówkarza i na co przystała. Nadzieja, że odwożą ją do domu, okazała się płonna. Wyglądało na to, że jadą do – tutaj brakowało jej pewności – biura partii, domu polityka, innego klubu, aby kontynuować tak miło rozpoczęty wieczór. Pomyślała, że jeszcze nie jest za późno, że może rozboli ją brzuch i zdoła wykręcić się z imprezy. Nic takiego jednak nie zaszło: brzuch nie rozbolał, a wykręcenie się z wieczoru, przy tak niewielu posiadanych przez Ninel informacjach o najbliższych planach, przerosło jej pomysłowość. Muszę szybko wypić jakiś alkohol, żeby się ogłuszyć, postanowiła. W końcu gdzieś dojechali, do willi jakiejś, chyba w Radości, acz Ninel mogła się pomylić.

Orientacja przestrzenna nie zaliczała się w poczet jej cnót i przywar, choć pewnie przy „Wyprowadzić sztandar!" nie pomyliłaby drzwi.

Gości przybywało z minuty na minutę, pełny przekrój wiekowy i modowy, od aborcji do eutanazji, od braci młodostudenckiej lub nawet późnolicealnej, przez wiek dojrzały, aż po – stwierdziła z rozbawieniem – osoby na granicy wydolności. Ta ostatnia kategoria należy do mnie; zawłaszczam ją. Ninel lubiła myśleć o eutanazji w kontekście własnej osoby. Ta myśl z jednej strony ją uspokajała, z drugiej – pozwalała zachować fason, by nie rzec z pewną przesadą: godność.

Wypiła dwie lampki czerwonego wina i wdała się z przyjaciółmi w długi spór o podłożu kulinarnym lub światopoglądowym. Dyskutowali o kawiorowej lewicy, o przewagach smakowych jaj wiejskich nad jajami z masowej produkcji, o wyższości wegetarianizmu nad wszystkożernością.

– No a poza tym Singer twierdzi, iż kontakty seksualne między zwierzętami i ludźmi mogą być obopólnie satysfakcjonujące – zakończyła Kinga.

Ninel nie śledziła toku rozumowania Kingi, dlatego nie zareagowała, choć mogła. Wszak najzabawniejsze reakcje nie są reakcjami powiązanymi logicznie.

– Jedno jest pewne – podsumował polityk, poklepując czule własny brzuch. – Świat nie będzie lepszy, ponieważ jesteśmy zbyt inteligentni i syci, żeby coś zrobić.

Ninel piła czerwone wino w dużych ilościach, wlała w gardło całą Kanę Galilejską oraz inne okoliczne wesela; czerwone wino chroniło ją przed samą sobą i rozszerzało zakres dostępnych żartów i złośliwości. Pulsująca myśl o Burym, rwąca jak popsuty ząb, została zepchnięta na margines. Jałowa myśl o własnej bezużyteczności – w końcu Ninel wyznawała utylitaryzm – również została utopiona w winie. Tej wewnętrznej i tym czerwonym.

Piła i konwersowała, podczas gdy liczba gości stopniowo malała. Wreszcie Kinga uznała, że pójdzie położyć się na górze, w jednej z czterech sypialń, choć mogła przecież pozwolić sobie na zamówienie taksówki. Jej odejście wprowadziło pewne zamieszanie w kręgach rozmawiających ludzi, ktoś wstawał, ktoś siadał, żegnał się bądź witał. W czasie tych ruchów tektonicznych, którym podlega każda chyląca się do wschodu słońca impreza, nagle znalazła się w nowej konfiguracji: elegancki Azjata, ogromny bezwłosy mężczyzna, jakiś chłopiec, sądząc po modnych tenisówkach, czytelnik Bourdieu, i stary dobry znajomy, za diabła nie pamiętała, skąd się znają i dlaczego od trzydziestu lat. Nie pamiętała nawet, czy się z nim przespała. Jeśli był z KOR-u, to całkiem prawdopodobne.

W pewnym momencie zawieruszył się stary dobry znajomy, zniknął Azjata, Ninel zaś, bezwłosy mężczyzna i czytelnik Bourdieu znaleźli się w jednej z sypialni. Ona leżała pośrodku okazałego łóżka, po jej bokach mężczyźni, wszyscy pijani, na całkiem szerokim i bezdyskusyjnie jedwabnym skrzyżowaniu jawy z marą. Lub na rozstajach majaków i realności.

Jak to się stało, nikt nie zapamiętał. Pierwszy gest, gra i sąd, jeden wzór i drugi, pierwsza pora roku i jaskółki latające nisko, na miłość i deszcze. Wszystko skryło się jak Wielki Wybuch, poza granicę tego, co da się zaobserwować i opisać, w umownym miejscu, do którego udaje się dotrzeć rozumowi na drodze długich i w znacznej mierze intuicyjnych ciągów logicznych.

Jak to się stało? Brak odpowiedzi, same siebie warte rekonstrukcje.

Ninel całowała się z bezwłosym mężczyzną.

Miękkie miał usta, twarde ciało.

Gotowa była pogodzić się z tym, że bezwłosy mężczyzna jest snem starzejącej się kobiety. Miewała takie sny i czuła się nimi upokorzona bardziej niż rzeczywistością. Zawsze musiała wykonać pracę, powtórzyć sobie, że wiek nie ujmuje praw, ani do miłości, ani do seksu, do atrakcyjnego wyglądu, do dobrego jedzenia. I niedługo – w tym miejscu wyliczanki chichotała – do ulg: na transport, do kin i teatrów, może na lekarstwa.

Konferencję poświęcono kryzysowi finansowemu w kontekście – z grubsza – socjologicznym.

Miała czterdziestopięciominutowy wykład. Pełna sala. Pozwoliła sobie na kilka żartów. Trzy czwarte Polaków nie dostrzega korelacji między dwoma wykresami (w badaniu jeden obrazował sprzedaż petard, drugi – liczbę wypadków). Ninel miała nadzieję, że na sali zebrała się ta jedna czwarta, zdolna do zrozumienia.

To był jej wielki problem intelektualny. Rozumiała, że wtórny analfabetyzm jest ogromnym zwycięstwem cywilizacyjnym nad analfabetyzmem. A równocześnie przerażała ją skala tego sukcesu – dlaczego od razu trzy czwarte?! Czy tego zwycięstwa nie dałoby się powściągnąć do jednej trzeciej?!

Czy rzeczywiście – idąc wyżej – merytokracja to jedyne rozwiązanie? Albo monarchia oświecona?

Och, myślała, nie wiem, naprawdę nie wiem, czy mam siłę być Oświeconą Królową.

Wieczorem zorganizowano ognisko. Takie z kiełbaskami oraz muzyką. Ludzie tańczyli raczej osobno niż w parach, Ninel chciała tańczyć, lecz się wstydziła, tak sama do siebie, to po próżnicy.

Podszedł do niej młodziutki chłopak, znała go ze słyszenia, chyba Marcin, bardzo zdolny – przyszły i potencjalny – krytyk filmowy.

– Zatańczyłaby pani ze mną? – zapytał.

Kiwnęła na tak i tańczyli, przytuleni, a gdy rytm skakał, skakali. Jeden taniec, drugi, trzeci, czwarty.

Muzyka się urwała, ognisko dogasało, kiełbaski pożarto.

– Dziękuję za taniec – powiedziała, zarumieniona i lekka.

– Pani nawet sobie nie wyobraża, co dla mnie ten taniec znaczył! – wyrzucił z entuzjazmem Marcin.

Spojrzała na chłopca czujniej, taka deklaracja nie wróżyła niczego miłego.

– A co niby znaczył?

– No... Tańcząc z panią, to tak jakbym tańczył z Historią! Jakbym tańczył z samym Michnikiem!

Spoliczkowała go.

Historia historią, ale nawet ona musi ustąpić przed kobiecością.

Rankiem następnego dnia odwołała wszystkie spotkania. Potrzebowała zadbać o siebie.

Najpierw zajęła się ciałem. Było zmęczone i niewyspane. Przecałowane i naddotykane. Źle znosiło zarwane noce i nadmiar alkoholu. Należało je umyć, wklepać balsam i zaciągnąć do łóżka. Aha, i zasłony też zaciągnąć. Żeby światło nie przeszkadzało.

Ninel popiła wodą proszek nasenny. W ocenę własnego zachowania, rozbiór emocji, ewentualny wstyd i całą tę powieść psychologiczną pobawię się jutro, postanowiła.

Przed upływem kwadransa już spała. Nie musiała łykać drugiej tabletki.

10.

W tajemnicy przed żoną wyjechał z Błociszewa w nieznanym kierunku i zaangażował się do berlińskiego cyrku jako woltyżer. Po dłuższym czasie powrócił do domu, przywożąc ze sobą oswojoną panterę. Była ona przyczyną konfliktów między małżonkami i w tej sytuacji została oddana do ogrodu zoologicznego.

Wojciech Kęszycki

Szymon znowu się topił, dusił lub też przesadzał. W okolicznościach psychologicznych, w których się ponownie znalazł, przypominał sobie zawsze stary angielski dowcip. Dwie osoby w wodzie, jedna mówi: „Sir, być może pan pływa, ale ja, moim zdaniem, tonę". Według Szymona tak brzmiała najkrótsza definicja małżeństwa.

Biedził się nad tłumaczeniem bajki z amharskiego. Bajka nosiła tytuł *Uszy i język*. Najdalej jutro powinna trafić do redakcji kwartalnika niezwykle niszowego, o czym zaświadczały w każdym numerze monochromatyczny druk oraz liczne przypisy. Był to także kwartalnik bardzo prestiżowy, o czym z kolei przekonywał permanentny niedobór honorariów.

Biedził się nad niegotowym zdaniem, brzmiącym obecnie jakoś tak: „Dwa-my że jesteśmy potrzebni-w tym powód dużo słuchać mało mówić być potrzebnym ponieważ--mówić jest mówić odpowiedź dać-jej ona-zaś sprawa zaskoczona wrócić miejsce jej wejść".

> *Za kilkanaście godzin powyższe zdanie przyjmie formę:*
> *A one [uszy] dały mu [językowi] taką odpowiedź: „Powód, dla którego potrzeba nas dwoje, jest taki, że trzeba dużo słuchać, a mało mówić". Język, zaskoczony, wrócił na swoje miejsce.*

Tłumaczenie szło mu opornie. Znaki amharskiego sylabariusza tańczyły mu przed oczyma niby czerwona płachta. Gdyby urodził się bykiem na korridzie, pewnie przypuściłby szaleńczy atak i zginął, ponieważ jednak wylosował ludzką pulę genów – te dwa czy cztery procent różnicy w genomie – szarży nie przeprowadził; kolor czerwony kojarzył mu się wyłącznie ze znakiem STOP. Tym różni się mężczyzna od byka, pomyślał. Inaczej reagujemy na czerwień. Z różnym skutkiem, kierunkiem i tempem.

Jak po grudzie szedł mu przekład. Nie potrafił się skupić, dokonać syntezy i przełożenia jednej kultury na drugą. Myślał nie o tekście, lecz o sobie. Sobie i Mai.

Nie rozmawiali od dwóch tygodni, od czasu afery z kluczem, niebędącej – według jego wiedzy – żadną aferą. Maja, szukając czegoś w jego torbie, znalazła klucze Ninel i od razu zrobiła mu awanturę o kochankę, podwójne życie, brak szacunku, źródła chrześcijaństwa, a następnie zaczęła szlochać. Powinien od razu wytłumaczyć i wyprostować sytuację, tak go jednak wybuch żony zaskoczył i zezłościł, że postanowił się zemścić i milczeć.

Szymon nie powiedział Mai o Ninel, o jej kocie, o Burego zgonie, Maja też mu o czymś nie powiedziała. Wyczuł to, bezbłędnie wyczuwał, kiedy mu nie mówiła czegoś ważnego. To niemówienie, dość symetryczne i wrogie, przeżerało czerwiem codzienne chwile. Ucieszył się, że dostał grant naukowy i wyjedzie do Berlina. Na rok, za sporo pieniędzy. Ale dotąd nie wspomniał o tym małżonce. Niech ona nie wie, że on wyjedzie. Zasłużyła na karę i niespodziankę.

Zresztą Maja nie pozwalała sobie nic wytłumaczyć. Gdy Szymon docierał do słowa „klucze", ona wyciągała do góry ręce, żeby zaraz jedną dłoń położyć płasko na ustach, drugą zaś na oczach. Za którymś razem nie wytrzymał; Maja zawsze wydawała się nieco przesunięta wobec rzeczywistości:

– Idiotko, jak nie chcesz słuchać, zatkaj uszy. Zostaw oczy i język w spokoju! Uszy zatkaj!! I-diot-ka!!!

Powiedziawszy lub wręcz wykrzyczawszy powyższe, trzasnął klasycznie drzwiami, wybiegając z mieszkania. Szedł prędko bez celu. W ten sposób opanowywał silne emocje: idąc prędko bez celu. Przez głowę przebiegały mu rozmaite stany emocjonalne. Złość na siebie, ba!, wściekłość, że pomógł Ninel. Gdyby nie zgodził się na sprawowanie dwudniowej opieki nad kotem, gdyby nie zapomniał oddać kluczy, gdyby wieczorem nie pojechali do weterynarza, gdyby nie zapomniał oddać pieprzonych kluczy, Maja nie wpadłaby w swój irytujący stan, jebane klucze plus niedopowiedzenie. Jak mógł zapomnieć o regule ojca Mai, stwierdzającej bezwzględnie: każdy dobry uczynek zostanie prędzej czy później ukarany?! Jak mógł zapomnieć, że tak zwane dobre uczynki nie przynoszą dobrych skutków?! Rozwój społeczeństwa najzwyczajniej i najbanalniej wyeliminował tak zwane dobre uczynki. Dobre uczynki są przestarzałe. Nie są nawet dobre!

Obok złości truchtało przerażenie. A co, jeśli z Mają to już koniec? Jeśli on nie znajdzie w sobie siły, żeby po raz kolejny się do niej, do Mai, przebić? Przebić z siebie; ja to potężna przeszkoda. W końcu racja jest po jego, nie jej stronie. To on dysponuje argumentami, ona zaś łzami lub wyniosłym, wkurwiającym milczeniem. Jakże nienawidził – dokooptujmy do wściekłości i przerażenia także nienawiść; nienawiść niech spaceruje na smyczy w kagańcu niczym rasowy, groźny pies – tego jej milczenia i swoich antropomorfizacji. Kiedy Maja tak milczy, również patrzy. Albo inaczej: ona nie ogranicza się do milczenia i patrzenia. Ona, patrząc, odwraca płochliwie wzrok, jak ofiara. Skąd ona, kurwa, klnie Szymon, nauczyła się tej sztuczki?! Nienawidził, gdy zderzały się ze sobą porządki, porządek racjonalny (ten jego) z porządkiem emocjonalnym (tym jej). W takim zderzeniu, zderzeniu prawdy i światła (to Szymon) z bólem i rozczarowaniem (to Maja), zawsze przegrywał. Przegrywał, ponieważ nauczono go sądzić, że emocje, ból, rozczarowanie etc. są pierwotne, naturalne, niepodlegające zafałszowaniu, podczas gdy logiczne rozumowanie, racjonalna ocena zawsze są wystawione na próbę, muszą okazać skoroborowany hart. To dlatego Szymon przegrywał. Mógłby oczywiście, przegrywając, czuć się moralnym zwycięzcą, acz ten trik opanowali jedynie godnościowcy, czyli prawicowi politycy i biskupi. Moralność to przejaw emocji przefiltrowanych przez historię, koncelebrowaną przez politykę, religię, szerzej – kulturę. Moralność, myśli, jest równie wkurwiająca jak Maja, moja żona: przynajmniej czasem, aktualna, jedyna.

Podsumujmy jego szybki marsz bez celu – wściekłość, przerażenie, nienawiść, one wyznaczają rytm kroków, one każą mu stać na czerwonym świetle, ruszać na zielonym. One też, trzy ciemne muzy, Mojry złośliwe i grozę budzące, oto one, gdy Szymon już je wychodzi, przejdzie nimi, oto one znowu go pokonają. Wściekłość. Przerażenie. Nienawiść. One tkwią w nim i z nim, ale równocześnie przeciwko niemu. Nie sposób ich zignorować, nie sposób ich wykorzystać. Zawsze przeciwko, zawsze kłodą pod.

Wreszcie Szymon dociera pod pomnik radzieckich żołnierzy na Polach Mokotowskich. Przysiada na ławce niedaleko cmentarza, białe rzędy minimalistycznych nagrobków rozciągają się spokojnie.

Zielona trawa, słońce, piękny dzień. Są ptaszki kląskające. Są młodzi ludzie na łyżworolkach i desko-. Są konkubinaty pchające przed sobą wózki z potomstwem. Są starsi ludzie o kulach i bez, zażywający początku sennego lata. Szymon czasem kątem oka zerka na nich z zazdrością. Jakaś kobieta, obrączka w słońcu nie lśni, pewnie – w przestarzałej terminologii – konkubina, podaje półlitrową butelkę wody mineralnej mężczyźnie, na którego palcu obrączka błyska stroboskopowo; słońce drży kapryśnie, gra po liniach grawerunku, kolejni ludzie wymknęli się Jezusowi. Jakiś licealista jadący na deskorolce upada, pomaga mu wstać jego kolega. Kilka ziarenek piasku i smuga ziemi malują na policzku chłopca niepewną literę „i" bez kropki, jaką stawia pierwszoroczniak w zeszycie; jego kolega, chwyciwszy wcześniej za łokieć upadłego, żeby pomóc mu wstać, teraz odrywa swą dłoń od łokcia i z policzka kolegi ściera „i" bez kropki. „Weź, wyluzuj", mówi ów chłopiec, ów z ręką obcą na swoim policzku, „weź, wyluzuj", powtarza.

Jakiś staruszek upuszcza kulę, którą wytrąca mu z ręki wybrzuszony przez korzeń drzewa asfalt alejki; one tak nieznośnie rosną, te drzewa, poza szacunkiem dla starszych osób i poza odpowiedzialnością, kompletnie nieobjęte ubezpieczeniem. Starzec zatrzymuje się niepewnie, pewnie myśli, że samotny spacer to błąd i ekstrawagancja w jego wieku, mimo olśniewającej pogody. Nie może zrobić kroku naprzód, upadnie bez kuli. Nie może się schylić, bo nie wstanie. Nie może się cofnąć, bo to nie taśma, którą wolno przewijać do tyłu, tylko życie, a życie jest zacięte, idzie wyłącznie do przodu. Staruszek stoi nieruchomo. Kontempluje ciepły okład słońca na skórze albo martwi się zostawionym w domu kotem, trudno rozstrzygnąć. Podbiega do niego chłopiec, na którego policzku „i" rozmazało się w brunatną plamę, jakby w „a" bez konturu. Podaje kulę, starzec dziękuje, rusza. Chłopak siada na krawężniku, obok niego przysiada kolega. Siedzą. Przed nimi deskorolki. „Wiesz, jak jest", mówi ten z literą „a" bez konturu. „Wiem", potwierdza ten niedawno ścierający literę „i" bez kropki.

Szymon widzi to wszystko kątem oka. Park i ludzi. Ludzie w parku wydają mu się wspaniali, wydrukowani niczym z igłowej drukarki uderzeniami promieni słonecznych, wywołani do życia palcami akuratnej stenotypistki. Kradzieże i tajemnice zaczną się po zmroku. Na razie jest wspaniale, na razie świadomość tego, co będzie, nie rzuca cienia na to, co jest; sympatyczny, popołudniowy letni fałsz.

Szymon, lub raczej jego świadomość, może nawet ta z przedrostkiem samo-, unosi się nad ławką, nad cmentarzem radzieckich żołnierzy, nad Polami Mokotowskimi. Szymon szybuje, wie, że przegrał, ale też wie, że nie po raz ostatni. Przenika go miłość do nieznajomych ludzi, do tego starca i tych chłopców deskorolkowców, do tej kobiety bez obrączki i mężczyzny z. Szymon szybuje, szybując, naprawdę kocha, kocha zaś, ponieważ staje się trzecioosobowy. Unosi się w trzeciej osobie, we wrażliwej, współczującej i socjologizującej narracji, nad samym sobą w pierwszej osobie, nad spacerowiczami, drzewami, nagrobkami. Wznosząc się powietrznym kominem, rozumie, dlaczego ogarnęło go nagłe i pozaprzyczynowe kochanie: najdoskonalsza forma bytu to trzecia osoba liczby pojedynczej. Trzecia osoba liczby pojedynczej jest jedyną osobą, z którą pewne rzeczowniki wchodzą w trwały związek frazeologiczny. Na przykład transempatia. Albo przedwspółczucie. Albo obokprotoplasta. Albo zapłeć. Szymon zna wiele słów w wielu afrykańskich językach. Niekiedy filologicznie wątpi w rzeczownikowy rdzeń ich istoty. Teraz za wszelką cenę chciałby się trzymać tej osoby trzeciej, w niektórych gramatykach zagubionej; wie jednak, że wróci tam, skąd wyszedł, do osoby pierwszej, do tego ja nieokreślonego, pozbawionego cech dystynktywnych, monadycznego.

Ktoś obok przysiada na ławce, Szymon pospiesznie wciąga w siebie szybującą świadomość, być może nawet z przedrostkiem samo-, wciąga jak oddech, jak mrówkolew mrówkę, do więzienia, do leju. Jest teraz ponownie kompletny, ponownie w niekomfortowej i oswojonej celi – tylko stąd, z niej, z tego niedosłownie okratowanego miejsca, z tego siebie samego potrafi komunikować się z innymi ludźmi.

Patrzy na gościa i wcale się nie dziwi, że go zna. W istocie nieznajomi ludzie nie siadają na ławkach zajętych przez nieznajomych ludzi, zachowanie takie byłoby wysoce niehigieniczne. Po to jest Facebook, żeby nie siadać obok nieznajomych w parku, żeby nie pobrudzić się rozmową z drugim, niespodziewanym człowiekiem.

– Cześć – mówi Szymon i w ogóle nie oczekuje odpowiedzi.

Obok siedzi, bo usiadł, King Kong, Szymona najbliższy, w chwili obecnej także w znaczeniu czasoprzestrzennym, przyjaciel.

King Kong (por. Hongkong): (1) okazałe, kudłate zwierzątko, cierpiące powszechnie w kinie i telewizji; King Kong zadebiutował publicznym cierpieniem w 1933 roku (por. dojście Hitlera do władzy, także powieść George'a Orwella Na dnie w Paryżu i Londynie*); remaki cierpienia rozpoczęły się w latach sześćdziesiątych XX wieku i trwają do dnia dzisiejszego (por. 1920.* Bitwa Warszawska *Hoffmana); King Kong zwyczajowo podlega zestrzeleniu z wysokiego budynku/wieży (por. piramida), do zestrzelenia dochodzi wskutek nieporozumienia, miłości oraz konfliktu porządków cywilizacyjnych; (2) king kong (slang) oznacza duże wiadro (– Nastaw jakieś wiaderko./– O fak, aleś king konga nastawił!); (3) pseudonim Jana Grębosza, żołnierza Armii Krajowej, członka batalionu „Surowiec".*

Wiadro, Ms. – drze, lm D. – der: (1) sposób palenia marihuany za pomocą wiadra wypełnionego wodą i plastikowej butelki z obciętym dnem; (2) dawniej niskotechnologiczne urządzenie do noszenia wody, przechowywania węgla, składowania śmieci itp.; obecnie wiadra produkowane są masowo w krajach

Trzeciego Świata, w Europie w zaniku i pod ochroną, wpisa-
ne na listę Czerwonej księgi wymierających przedmiotów; (3)
wylać wiadro zimnej wody – zw. fraz., zależnie od kontekstu:
ostudzić czyjś zapał, cierpieć pragnienie, nakrzyczeć na ko-
goś, doprowadzić do wystrzelenia sutków w konkursie mokrego
podkoszulka.

Poznali się, Szymon i King Kong, wiele lat temu w poniedziałek, o ósmej rano, na ćwiczeniach z filozofii analitycznej, na które Szymon zapisał się, ponieważ sądził, że zdobyta
wiedza przyda mu się w jego językoznawczych zaintereso-
waniach. Profesor nie oszczędzał się w weekendy. Twarz jego
poniedziałkiem czerwona, głos słaby, naczynka krwionośne
na nosie dość ekstrawertyczne, nieomal jowialne, intelekt
nienaruszony. Poniedziałek nie należał do najlepszych dni
profesora. Chyba tylko Etat, rozumiany jako Wartość Po-
nadwymierna, oraz Ubezpieczenie Zdrowotne były w stanie
ściągnąć profesora z łóżka i doprowadzić do salki Instytutu
Filozofii. Profesor najczęściej milczał i poczkiwał niestra-
wioną wódką. W wyjątkowych chwilach spierał się ze swoim
przyjacielem. (Jaakko Hintikka, ur. 1929; nieobecny na sali
wykładowej). Dowodził błędów semantyki możliwoświatowej,
punktował niebezpieczeństwa i manowce kwantyfikatorów
rozgałęzionych, tych „ciepłych, częściowo uporządkowanych
zbiorów", koniunkturalnie zawieszonych w sile rachunku
predykatów pomiędzy logikami: pierwszego i drugiego rzędu. Najczęściej jednak profesor wydawał z siebie ciąg, dłuższy lub krótszy, trudnych do oznaczenia dźwięków, znacznie
bliższych fonetyce niż fonologii.
        Profesor coś świstał z płuc, nikt ze studentów nie
miał zielonego (warto zapamiętać na przyszłość lub wszelki

wypadek ten kolor, oznacza on „jedź!" lub „islam") pojęcia, o czym on poświstuje. Studenci milczeli, profesor poświstywał lub milczał, mijało półtorej godziny. W ten sposób, tym trybem, koleiną nonsensu przebiegały ćwiczenia z filozofii analitycznej, zwanej skrótowo i bez polotu analem.

Przed pauzą zimową dochodzi do niecodziennego zdarzenia. Profesor wydaje z siebie serię dźwięków. Ogromny uczeń, kudłaty i milkliwy, skrzyżowanie Chewbaccki ze Świętą Kumernis, przezwany przez kolegów King Kongiem bez pogłębionej chyba ścieżki skojarzeniowej, odtwarza profesorski układ dźwięków. Studenci się śmieją. Profesor patrzy uważnie na King Konga.

– Nazwij – rozkazuje głośno, wyraźnie, jakby z krzaka gorejącego przemawiał.

– Kwantyfikator Reschera – nazywa King Kong.

Zapada cisza. Coś pomiędzy powszechną konsternacją, zdziwieniem, że ludzie bywają inteligentniejsi od nas, a ponurą zawiścią złączoną z ciemną – trzymajmy się konsekwentnie palety – ulgą, że taka wiedza nie pomaga, lecz utrudnia, nie otwiera, lecz zamyka, nie umożliwia, lecz unie-. Nikt aż tak ostentacyjnie inteligentny nie odniesie sukcesu w życiu łamanym przez społeczeństwo. Społeczeństwo nie toleruje jednostek ponadprzeciętnie inteligentnych w czystym tego słowa znaczeniu. One zagrażają matrycy kontaktów, trzeba je wyeliminować, można ośmieszyć, można upokorzyć.

Szymon nie poszedł na kolejny wykład. Zaszył się w bibliotece. Odnalazł wzór kwantyfikatora Reschera. To, co poświstywał profesor i co odświstał mu King Kong, brzmiało mniej więcej tak:

$$(Q_L x)(\phi x, \psi x) \equiv Card(\{x: \phi x\}) \leqslant Card(\{x: \psi x\}) \equiv$$
$$\equiv (Q_H x_1 x_2 y_1 y_2)[(x_1 = x_2 \leftrightarrow y_1 = y_2) \wedge (\phi x_1 \rightarrow \psi y_1)]$$

Pamięta, i nigdy tego nie zapomni, co poczuł. Po pierwsze, ale to kontekst, że prawdziwa, żywa niczym srebro inteligencja umie naśladować bełkot. W praktycznym wymiarze życia Szymona przełożyło się to na wielki szacunek do wypowiedzi, także pozawerbalnych, których on nie rozumiał, na przykład wypowiedzi i nie – Mai. Po drugie, postanowił, że zostanie najlepszym przyjacielem King Konga. Tak też się stało. Z poniedziałku na poniedziałek, z ćwiczeń z analu na ćwiczenia zbliżali się do siebie. Skończyli studia, Szymon i King Kong, lecz nadal pozostali w tym zbliżeniu lub raczej ciągłym się zbliżaniu, taką bowiem formułę przybrała ich przyjaźń.

King Kong mieszkał niedaleko Pól Mokotowskich, często tu przychodził. Teraz usiadł i milczał. Nigdy nie rozmawiali wprost o problemach uczuciowych, rozczarowaniach, radościach. Milczenie przerwał Szymon, głos mu zadrżał, wybrzmiał nutą płaczu:

– Wiesz, siedzę teraz nad konstrukcjami nieczasownikowymi, wyrażającymi znaczenia egzystencjalne.

– Jakie języki? – zapytał delikatnie King Kong.

– Suahili, hausa, joruba, kanuri, bole, lele, ewe, bambara – poskarżył się Szymon. – I jeszcze – dodał z rozpaczą – fyer. Bym zapomniał.

– Poważna sprawa.

Szymon pokiwał głową. Czuł się słaby, odsłonięty. Komicznie bezbronny.

– Orzeczenia nieczasownikowe znaczeń egzystencjalnych i pochodnych, one w sumie wyrażają się i zamykają w pięciu grupach pojęć.

– Aż tak źle? – zapytuje King Kong.

– Fatalnie. Bo jest identyfikacja, czyli że „to jest coś/
/ktoś”. Jest równorzędność, czyli że „coś/ktoś jest czymś/
/kimś”. Jest atrybutywność, czyli że „coś/ktoś jest jakieś/
/jakiś”. Jest lokatywność, czyli „być gdzieś/znajdować się”.
No i jeszcze, kurwa – głos mu się załamuje – prezentacja,
„oto jest coś/ktoś”.

Szymon drży. Nagle odczuwa chłód. Zgubił się latu,
zawieruszył w jakiejś zimie czy jesieni, w nieodpowiedzial-
nych sandałach i absurdalnych szortach. Nie wie, czy znajdzie siłę, żeby opowiadać o tym, co czuje. Mimo to próbuje:

– „Kùmnó màní”. To w lele. Tam w zdaniach wyrażających istnienie orzeczenie „być” wyraża zaimek lokatywny
„tam”. „Kùmnó màní”. Bóg tam. Czyli Bóg istnieje. Smutne.
Prawda?

Zaczyna płakać. King Kong obejmuje przyjaciela. Szymon płacze wielopłaszczyznowo, także na metapoziomach,
nie stroniąc od metasensów, choć uwija się ze wszystkim
parą oczu. Płacze z bezsilności. Płacze nad Mają, nad sobą.
Nad latem i zimą. Nad grami i sądami; snami i jawami, osob-
nymi wzorami. Nad zaimkiem lokatywnym „tam” i rozbebe-
szoną amharską bajką. Bo coś mu wpadło do oka, coś wypadło
w życiu. Płacze również z ulgi i wdzięczności – nikt nigdy nie
rozumiał go tak dobrze jak King Kong, prawdziwy przyjaciel.

Najbliższy.

Na wyciągnięcie ręki.

Otaczający ramieniem.

Jakaś para w średnim wieku zatrzymuje się. Patrzy
na cmentarz radzieckich żołnierzy i na łkającego chłopaka
w ramionach chłopaka kudłatego.

– Przyjeżdżają bolszewickie dzieci – stwierdza on – i szlochają nad grobami dziadków.

– Takie to jest wzruszające bardzo – mówi ona. – Zrobię Marysi zdjęcie komórką. Jutro ma urodziny.

11.

Zwykłe książeczki dla dzieci zupełnie mnie nie obchodziły, a w wieku sześciu lat postanowiłem sam napisać książkę. Poradziłem sobie z początkiem: „Jestem jaskółką". Potem podniosłem wzrok znad kartki i zapytałem: „Jak się pisze linie telefoniczne?".

Bruce Chatwin

Ostatni tydzień wypełniły zdarzenia, gęsto nanizane koraliki, powiązane ze sobą czasowym następstwem, niczym ponad, nigdzie obok. Maja widziała się kilka razy z Krzysiem, który z kolei przechodził trudną fazę z Andrzejem, nie służył więc pomocą ni dowcipem. Krzyś także przechodził trudny czas z samym sobą, wyczuwała to. Lecz nie umiała wydusić z niego jakiejś informacji, domysłu czy plotki. Wyczuwała w nim zaprzeczenie, nie potrafiła jednak nadać temu zaprzeczeniu kształtu. Bała się zaprzeczenia i wyparcia, ponieważ sama była w nich mistrzynią.

Umyła matce okna, to zaś wiązało się z koniecznością wysłuchania długiej listy zażaleń na świat, na zięcia oraz wniosków natury ogólnej i niewesołej, ale z wisienką na torcie – matka pożyczyła jej bezterminowo cztery tysiące. Próbowała również opanować kryzys w małżeństwie, pocałowała nawet Szymona w policzek, później w usta, tylko że mąż akurat spał. (Dochodziła trzecia w nocy). No, ale przynajmniej, pomyślała po nieskutecznym pocałunku, nikt mi nie wytknie, że nie próbowałam ocalić naszego małżeństwa. Z zaniechań: nie powiedziała Szymonowi o wyrzuceniu z pracy, w końcu spał; on zaś nie wyjaśnił jej pochodzenia obcych kluczy. Na dokładkę próbowała zbliżyć się do Bruna. Robiła mu przez trzy dni z rzędu śniadania do szkoły, aż Bruno nie wytrzymał psychicznie i powiedział:

– Matka, słuchaj, to, że ci się nie układa bieżąco w ży-, nie oznacza, że masz mnie katować. Te śniadania są normalnie opresyjne. One mnie... krępują.

– Kochasz mnie, synku?

– Matka, nie ogarniałem, że jest tak źle...

Czwartego dnia Maja nie zrobiła synowi śniadania. Podglądała go rankiem z korytarza. Zaspany Bruno wszedł do kuchni, spojrzał na pusty stół i się uśmiechnął. Uśmiechnął, jak gdyby wszystko wróciło do normy.

Bruno wyszedł, Szymon wyszedł, Maja usiadła nad kawą przy kuchennym stole, z e-papierosem i inhalatorem. Sławoj usiłował ściągnąć ciężką pokrywkę z garnka, w którym trzymali owoce. Nie udało mu się, dlatego obrażony zrobił kupę na stole.

– Głupia fretka – stwierdziła Maja. – W ten sposób nie wolno okazywać emocji – pouczyła.

– Dlaczego nie? – zapytał Sławoj. – Sama chciałabyś nasrać na środku kuchni z rozpaczy, ale się boisz.

Zastanowiła się:

– Może i masz rację. Chciałabym, tylko że ty możesz, bo masz kogoś, kto po tobie posprząta, czyli mnie, ja zaś nie mam nikogo, kto by po mnie posprzątał. Nawet siebie nie mam. Dlatego nie mogę.

– Daj mi skórkę od banana – powiedział Sławoj.

– Nie.

– To daj obierki od ziemniaka.

– Nie.

Sławoj uciekł z kuchni. Sprzątnęła kupę. Dumała ze złością o Sławoju. Wredna fretka. Potrawka z fretki, pogroziła w myślach. Albo rękawiczki.

Dojrzała, żeby zadać sobie pytanie z gatunku „dlaczego?", podgatunek „czemu ja?", kategoria „ach".

Dlaczego i czemu ja. Ach.

Przecież wszystko jest jakby świetnie namacalne. Udany mąż, udane dziecko... Ach, nie będzie ciągnąć tego ene-due-like-fake. Dziecięce wyliczanki jeszcze nigdy nie wyprowadziły dorosłego na prostą... Mam chusteczkę haftowaną, bo nie utrzymałam śniadania...

Nie będzie również – co to, to nie, plus niedoczekanie! – kończyć podróbek własnych myśli fastrygą wykropkowanego niedopowiedzenia.

Tyle już razy Maja przerabiała osunięcie się w rozpacz i depresję, że drogę tę zapamiętała. Brzydziła ją ta droga.

Śliska, obmierzła i kusząca. Trzy przymiotniki z kiepskiej powieści. Obrzydlistwo, bez punktu wyjścia ni dojścia. Pospolity tunel. Histeryczny i skompromitowany kicz. Gorzej byłoby tylko, gdyby pojawiły się śnieżniki lśniące, cyklameny, dzbaneczniki, kokorycze... W każdej pretensjonalnej powieści kwiaty kwitną nazwami gatunków. Jeśli kwitną w powieści, może i kwitną w życiu? Będzie musiała pojechać na jakąś łąkę, żeby sprawdzić, aczkolwiek wątpiła, aby te łąki dały się uzgodnić.

Maja rozumiała, że nie ma żadnych podstaw, żeby czuć się głęboko nieszczęśliwa. Te klucze nie wiadomo czyje, które znalazła u Szymona, to prawda i furtka. Pretekst i nieporozumienie. Odrobina rozsądku – rozsądek wytrąca się w ludziach z wiekiem niczym sól na plaży – wystarczyłaby do rozwiązania nabrzmiałej już ryzykownie sytuacji.

Tu nie szło o klucze, o zniknięcie Szymona którejś nocy na ileś godzin, o milczenie. O brak pracy. (Przecież znajdzie jakąś, zanim będzie musiała przyznać, że straciła poprzednią). Dlaczego nikt tego nie rozumie?

Czasem coś po prostu jest. Jak pyłek pod powieką. Bez początku, bez przyczyny. Jest. Żadne łzy, żadne krople do oczu nie potrafią tego usunąć. Prawdopodobnie pomógłby zabieg chirurgiczny: usunięcie pyłku wraz z gałką oczną. Czasem coś po prostu jest. Coś uwiera i zatruwa. Guzek na superego, rakowa narośl na tkance samoakceptacji, dziura w logice. Tego „coś” nie udaje się nazwać ani odmienić. Niedopasowanie i niewygoda nie poddają się obiektywizacji ni deklinacji. One są. Są.

A może, zastanowiła się Maja, one są tak dotkliwie, ponieważ w ogóle ich nie ma? Maja klasnęła. Wspaniała myśl! Jaka ładna, nieprzydatna, kolorkowa myśl. Absolutnie niczego niezmieniająca. Zakwitły kocanki piaskowe, goździki pyszne i jarzmianki większe.

– Chodź, Sławoj, dam ci skórkę od ziemniaka. Poprawił mi się humor.

Niezawiniony smutek, on znowu przyszedł. Widziała go wyraźnie i słowo „widziała" nie jest wcale figurą. Niezawiniony smutek był kobietą. Nigdy nie przyjrzała się jej twarzy, ponieważ zawsze koncentrowała się na dłoniach lub raczej, uściślając, coś sprawiało, że jej wzrok uciekał w dół, lecz nim spadł do stóp, zatrzymywał się właśnie na dłoniach. Widziała spracowane ręce niezawinionego smutku. Niekiedy wyostrzone do bólu w najdrobniejszym szczególe, w jakimś absurdalnym zoomie, do którego zdolna jest, tak twierdziła, jedynie osoba niestabilna i zwichrowana, na przykład ja – dodawała z mieszaniną dumy i strachu. Zatem zoom na dłonie niezawinionego smutku. Piękny kształt, delikatny, niby kokon, z którego mogłyby się rozwinąć ręce wybitnej pianistki. Co innego się wszak wykluło, nie motyl, tylko gąsienica: brązowawe zrogowacenia pokrywały gąsienicowe ciało od spodniej strony, na grzbiecie piętrzyły się wapienne tarasy. Maja, zahipnotyzowana, próbowała zrozumieć te dłonie. Jak dobrze, myślała, że jednak nie motyl się wykluł, motyle żyją krótko, a gąsienice trwają, jedzą i pełzają. Albo myślała tak: mój smutku, gdzie ty pracujesz tak ciężko, że wstyd pójść z tobą do filharmonii albo pokazać się w eleganckim towarzystwie? Albo jeszcze inaczej: jakie zaskakująco niemodne dłonie, gdybyś chociaż obnosiła stygmaty strzeliste w czerwieni, jak Ojciec Pio, a nie znaki ubogiej codzienności. Mój smutek jest taki ubogi, taki ubogi, taki ubogi – inkantowała.

Niezawiniony smutek zwykle pojawiała się od strony pleców. Najpierw Mają uderzał lub muskał, zależnie od natężenia, zapach, trudny do opisania, jak gdyby wapna zalanego odstaną w słońcu wodą. Później czuła na karku oddech, niezobowiązującą forpocztę czyichś ust, zapowiedź twarzy. Maja przymykała oczy, a gdy je otwierała – ona już była, ten niezawiniony smutek z rękoma robotnicy.

Czekała, aż będą mogły porozmawiać. Obywały się, oczywiście, bez słów. Po prostu coś skłębiało się w jej ciele, kłębek ów nie powstawał, tak podpowiadałby rozum, w mózgu, lecz pod pępkiem, w jelitach albo żołądku. Kłębek ów nie składał się z nerwów, ścięgien ni mięśni, co brzmiałoby dość rozsądnie i prawdopodobnie; on powstawał z czegoś wobec Mai zewnętrznego, acz jednocześnie z czegoś, co się dostało do jej środka. Przypuszczała, że tym budulcem, materią skłębienia, jest powietrze.

Kłąb niepotrzebnego powietrza urastał w niej tak bardzo, że aż stawał się cały Mają, lub całą Mają, a w konsekwencji tego wzrostu ona sama czuła się tym, z czego została zbudowana, czyli – masą niepotrzebnego powietrza, tumanem zbędnych wirów, przejrzystą niekoniecznością, zanieczyszczoną pustką, Pawlikowską-Jasnorzewską, a spadając, też Mniszkówną.

Bardzo ją ten stan bolał: to, że jest pusta i niepotrzebna w środku oraz że ta pustka i niepotrzeba przyszły z zewnątrz, doprowadzając do sytuacji, w której to Maja nigdzie się nie mieściła. Nie było jej w sobie, nie było jej na zewnątrz siebie.

Gdzie ja się chowam w czasie ataku?, zastanawiała się z rzadka. To musi być jakaś cienka warstwa, ani tu, ani tam, coś podobnego do potu na skórze – już nie skóra, jeszcze nie powietrze.

Powietrze czy nie-, wnętrze czy zewn-, tak czy siak skręcał ją pusty, zbędny ból, jakaś – ość bez tematu. Ból dawał się opanować dopiero po zogniskowaniu. Ogniskowała go tedy na spracowanych rękach – widoku niczyjej twarzy, zwłaszcza zamieszkującej Mordor bis, chyba by nie zniosła – swego niezawinionego smutku. On jej pomagał. Niezawiniony smutek pomagała samą swoją obecnością, wyciągając nieruchomą, pomocną dłoń w dobrze utartym frazeologizmie. Gdyby nie niezawiniony smutek, kto wie, czym kończyłyby się ataki Mai, kto wie, czy te ataki nie skończyłyby się końcem Mai, dotkliwą implozją bez najdrobniejszej adnotacji.

Jedne dni wypadały lepiej. Maja zachowywała się niczym klasyczny normals, prymuska przeciętności. Rozesłała nawet wici i CV w sprawie nowej pracy. Wymieniała krótkie zdania z Szymonem i Brunem. Na przykład skłamała, że wzięła trzytygodniowy urlop zdrowotny. („Nie mówiłaś, że jesteś chora" – zauważył Szymon. „Bo nie jestem – odparła zaczepnie. – Ten urlop jest zdrowotny, a nie chorobowy, głupolu"). Widywała znajomych. Jadła, nakładała makijaż na twarz.

Drugie dni w ogóle nie wypadały. Czekała, aż mąż i syn opuszczą mieszkanie. Wstydziła się wstać, dopóki nie wyjdą. Zobaczyliby, jaka jest beznadziejna i wybrakowana. Że ma skórę, a w niej pory w rozmiarze XXL. Że ma dłonie, a z nich wyrastają palce przypalające kotlety. Że ma za chude nogi, do tego jedynie dwie, jak uboga krewna pająka. Że za lekki biust, za długi nos. Że wcale nie jest inteligentna, cięta i błyskotliwa. Że czasem boi się, że jej matka naprawdę istnieje codziennie, a za matczynymi plecami stoi Bóg z wąsami pod nosem i włosami pod pachami. Że już nie ma sił, żeby ukrywać to wszystko przed mężem i synem. Kiedyś musi się wydać, że jej palce kończą się paznokciami, a nos parą dziurek, i że nie przeczytała Joyce'a.

Gdy mąż i syn już sobie poszli, zmuszała się do kawy i rozmowy ze Sławojem.

Pogodziła się z tym, że za każdą rozmowę płaci Sławojowi skórkami po owocach i warzywach, które zjadał albo gromadził w skrytkach, odnajdywanych, gdy skarby zaczynały gnić i śmierdzieć. To chyba nie jest wygórowana cena, pomyślała. Bardzo prawdopodobne, że rozmowy ze Sławojem są najtańszymi z tych, które przeprowadziłam w swoim życiu.

– Co dziś o mnie myślisz?

– Nic, czego dotąd nie pomyślałaś.

– Och, proszę cię – prychnęła Maja. – Tania chińszczyzna! Nie stać cię na więcej?

– Ważę pół kilograma. Mój mózg waży mniej niż mój ogon. Uważam, że i tak nieźle sobie radzę. Daj skórkę.

– Nie. Już dostałeś.

– Daj.

– Nie.

– Daj.

Sławoj zeskoczył ze stołu i pobiegł do zlewu. W brudnej filiżance zebrała się woda, kran przeciekał. Fretka napiła się, stanęła słupka:

– Powiem ci tak: nie umiesz myśleć o sobie, zacznij myśleć o innych. Albo pisać.

– Spierdalaj. Rękawiczka Dobra Rada!

Doprowadziła się do porządku. Dziś czekało ją spotkanie w sprawie pracy. Bolała ją każda wykonywana czynność, mycie włosów, wklepywanie przeciwzmarszczkowego kremu 15 ml Estēe Lauder pod oczy, co je miała powyżej uszu, lakierowanie paznokci. Skąd ludzie czerpią energię na te czynności? Czym są napędzani? Co jedzą? Czyżby moje problemy wynikały z tego, że jestem wegetarianką? Zacznę jeść mięso i wszystko się ułoży? Zharmonizują mi się fale mózgowe z perystaltyką jelit?

Zapytałaby Sławoja o zdanie, fretka jednak gdzieś się schowała. Pewnie siedzi w szafie. I rzeczywiście, fretka tam siedziała.

– Sławoj, powiedz mi, jesteś gejem? – Fretka podniosła pyszczek, spojrzała na swoją panią. – Nie, nie musisz wychodzić z szafy. Wyjdziesz, jak uznasz, że jesteś gotowy. Biorę tylko bluzkę i już cię zamykam. I błagam cię, nie sraj na ubrania. Nie na moje. Sraj na Szymona. No, to pa. Mamusia musi lecieć.

Z bolącym sercem przeszła obok postoju taksówek. Pokusa była ogromna. Otworzyć drzwi, zasiąść na tylnej kanapie, podać adres. Nie musiałaby, jadąc taksówką, widzieć tych wszystkich okropnych ludzi w autobusie. Nienawidziła nieznajomych ludzi, to znaczy – w liczbie, w której pojawiali się w środkach komunikacji miejskiej. Dziesiątki obcych osób, z których żadna nie okazywała zainteresowania Mają ani jej kłopotami, myślami, liczbą palców u rąk i otworów w twarzy. W autobusie czuła się zdołowana i pogardzana. Różnica wydawała się ilościowa (w taksówce jedynie taksówkarz się nią nie interesował, w autobusie – dziesiątki osób), lecz w istocie była to różnica jakościowa. Ilość, gdy mówimy o uczuciach, przechodzi w jakość. Gdy zbyt wielu ludzi ma cię gdzieś i możesz ich wszystkich zobaczyć, odczuwasz głębokie upokorzenie. Co gorsza, najtańsze upokorzenie kosztuje przeszło trzy złote z szansami na podwyżkę. Trzeba kupić bilet. Taksówka, szybko przeliczyła Maja, kosztowałaby prawie trzydzieści. Spora różnica, rząd wielkości pomiędzy pogardą a niepogardą. Jestem bezrobotna, upomniała siebie, nie stać mnie na luksus niepogardy. Stać mnie tylko na serce po lewej stronie.

Wsiadając do autobusu, blaszanego pudełka, połykającego przystankowiczów wraz z bagażem, czuła dokładnie to, co przypuszczała, że poczuje, i czego poczuć nie chciała. Ci wszyscy odrażający ludzie odwracali od niej wzrok z pogardą. Mai kończył się oddech, brakowało jej miejsca na oddech. Muszę prędko o czymś pomyśleć, natychmiast!

Nasze starania, ludzi skazanych na klęskę,
są jak starania Trojan.
Coś uzyskaliśmy, nabraliśmy nieco otuchy,
stajemy się silniejsi, mamy pewne nadzieje.

Konstandinos Kawafis

Wbrew przesądom i naukom każdy z nas ma dwie matki i często ani jednego ojca. Matka pierwsza to Natura. Matka druga to Kultura. Matka pierwsza nigdy nie kłamie; emocje, odruchy, dreszcze – nie sposób podważyć ich autentyczności. Matka pierwsza trzyma nas w szponach, żywi się prawdą. Trudno od niej uciec, nawet udana ucieczka jest ucieczką na trochę, nigdy na dłużej, i nigdy dalej, niż pozwala pępowina. Matka druga jest wyrozumiała, mieszka nieco bardziej na zewnątrz, prowadzi schronisko dla swoich dzieci, dla osób pokrzywdzonych przez pierwszą matkę. Matka druga tka miraże, częstuje karmelkami, uczy, że warto uciekać przed prawdą emocji, odruchów, dreszczy; ukazuje kręgi kontekstów, tryby wątpliwości, sznury związków przyczynowo-

-skutkowych, wykonane ręką piękno. (Ta waza nie jest niebiesko-brązowa. To lazur i ochra).

Matki zazwyczaj żyją w zgodzie, lecz bywa i tak, że skaczą sobie do gardeł. Walczą jak suki. Areną walki zawsze jest ich wspólne dziecko. Którakolwiek z matek by wygrała, zawsze przegrywa arena. Arena odnosi rany, niekiedy obgryza paznokcie do krwi, nacina żyletką wnętrze ud, zapomina o spuszczeniu wody w toalecie, lunatykuje.

Maja, trzydziestoześcioletnia arena w eleganckiej bluzce i lnianych spodniach, poszarpana od środka przez własne emocje i uczucia, nie może oddychać, walczą w niej matki. Gdyby wygrała matka pierwsza, inkwizytorka żywiąca się prawdą emocji, Maja prawdopodobnie by się udusiła. (Lub nie). Tym razem jednak zwyciężyła matka druga, ta od fatamorgany i tęczy, od rzeźby i wierszy. Matka druga budzi w Mai ulubione strofy Kawafisa. Maja, obracając słowa w umyśle, czuje, jak słabnie uścisk, mięśnie przestają być kamienne, obracają się w ciało, oddech wraca, żarna ruszają.

Maja powtarza kolejną strofę, rozluźnia się, rozmiękcza.

Nasze starania są jak starania Trojan.
Myślimy, że śmiałością i zdecydowaniem
zmienimy wyroki losu,
i stajemy do walki.

Konstandinos Kawafis

Rozmowa o pracę, kwalifikacyjna (Maja myśli, że to słowo odpowiednie, chociaż groźne, ale o tym z kolei pomyśli później), przebiega zaskakująco spokojnie. Są pytania, pytania znajdują odpowiedzi. Podczas rozmowy Maja czuje się jak jezioro pełne ryb. Jej rozmówczyni jest wędkarką. Zarzuca wędkę-pytanie i natychmiast wyławia rybę-odpowiedź. Maja jest jeziorem niewyczerpanym, pływa w niej tyle odpowiedzi, lśniących spokojną łuską i wypatrujących błysku przynęty. Maja jest jeziorem niewyczerpanym, nie ma takiego pytania, na które nie połakomiłaby się jakaś ryba.

Ryby Mai:

– Świetnie dogaduję się z dziećmi, z wyjątkiem mojego syna, ale on nie jest dzieckiem, bo zeszłego roku znalazłam w kieszeni jego spodni prezerwatywy. Nieużywane, oczywiście.

– Kocham zwierzęta oraz posiadam fretkę i dokarmiam ją skórkami i ścinkami owoców oraz warzyw.

– Jestem tolerancyjna. Pani pewnie nie wie, że moja fretka jest gejem? Na razie w szafie, kiedyś przecież wyjdzie.

– Och, z mężem świetnie mi się układa. Unikamy rozmów i dlatego nadal myślę, że on mnie kocha.

– Poczucie humoru to moja mocna strona. Moja matka jest gorliwą chrześcijanką. Kilka lat temu przykleiłam superglue krzyż wiszący u niej w pokoju na gwoździu. Chyba do dziś się nie zorientowała, że gwóźdź jest zbędny.

Ryby wypływają z Mai, trzepoczą w powietrzu, rzucają perłowe światło na gabinet, w którym odbywa się rozmowa. Jakież to proste, pytanie wywołuje odpowiedź, takie proste!, cieszy się Maja.

Już wolna, na świeżym powietrzu, zaciąga się e-papierosem na zmianę z inhalatorem. Rozmowa ją uspokoiła, nie chce tego spokoju utracić, dlatego łapie taksówkę. W aucie deklamuje kolejną strofę, cichcem, wewnętrznie jak wylew.

Lecz kiedy przychodzi czas zasadniczego starcia,
opuszcza nas odwaga i cała determinacja,

upadamy na duchu, tracimy zimną krew
i biegniemy wzdłuż murów,
szukając ratunku w ucieczce.

Konstandinos Kawafis

Czyż to nie jest piękne, że tak właśnie jest?, zachwyca się Maja w klimatyzowanym wnętrzu.

W ten sposób będę uciekać. Będę biec do Troi, żeby zdążyć przed koniem trojańskim. Będę zapisywać słowa. Będę pisać bloga. Ale ani słowa o Mordorze i orkach!

Och! Obym tylko nie dostała tej pracy, mimo że świetnie wypadłam na rozmowie. Ta kobieta sporo ze mnie wyłowiła. Wie o mnie więcej niż Szymon i Bruno. Nie chcę, żebyśmy zostały przyjaciółkami.

Maja tańczy w rytmie swoich myśli. Myśli są słoneczne bez wyjątku. Same jasne myśli. Płyną promiennymi wstęgami. Wystarczy zanurzyć się w jednej, a wypływa się już w drugiej albo i trzeciej. Miasto przesuwa się za szybą auta. Szkoda, że taksówka niedługo dotrze do punktu docelowego.

12.

Adam wpadł na pomysł:
On i wąż podzielą się zyskiem
z utraty Edenu.

Derek Walcott

Najstabilniejsze państwa są państwami jednoosobowymi, zamieszkanymi wyłącznie przez historyka badającego ich losy. Najstabilniejsze państwa to państwa minione: wszystkie podboje wykonano, wszystkie odwroty przeprowadzono, granice już nie drżą jak figi na wietrze lub inne, ryzykowne porównanie.

Najprawdziwsze religie są religiami z leksykonów. Najwspanialsi bogowie to bogowie skatalogowani i znani głównie wąskim specjalistom. Najlepsza logika występuje w podręcznikach do logiki. Najuczciwsza etyka to ta, do której zasad nikt się nie stosuje.

Najwspanialsze miłości są miłościami jutrzejszymi. Najciekawsze finały ciała i rozgrywki dusz – przed nami. Wielki Wybuch – przed nami. Lądowanie na Wenus – przed nami. Fajerwerki Armagedonu – przed nami.

Najczęstsze upadki są codzienne. Upadamy również we śnie. Przez sen.

Najpospolitsze „przepraszam" przypomina nieświadomy odruch. Najpopularniejsze „nigdy już więcej" rzadko dożywa miesiąca. „Obiecuję ci" oraz „przysięgam" – one żyją dłużej, czasem rok, czasem lat kilka. „Na zawsze" zawsze jest tylko na trochę lub trochę i ciut dłużej.

Andrzej przebudził się ze snu. Śnił, że myśli. Śnił również, że wie. Nie pamiętał, co wiedział i myślał we śnie; przypuszczał, że gdyby pamiętał i wiedział, toby się bardzo zawstydził. Nikt przecież po tamtej stronie świadomości nie staje się – nagle – inteligentniejszy.

Podniósł się z łóżka. Spojrzał na mokry cień, kontur siebie odciśnięty w prześcieradle i poduszce. Straszliwie się pocił, gdy śnił, że myśli i wie. Przyglądał się plamom, od dołu do góry. Dwie rozwlekłe kropki, tu leżały pięty, stopy. Od nich stożkowo rozchylające się plamy po łydkach, udach i biodrach. Następnie przerwa na wygięcie kręgosłupa, po niej wielki kleks korpusu, obok – maźnięcia ramion. Szyja gdzieś przepadła albo już wyschła, wsiąkła. Akwarela została podjęta na nowo dopiero na poduszce: okrągława plama po głowie. Andrzej nie potrafił ocenić po kształcie, czy pocił się en face, czy może z profilu.

Plamy potu przypominały plamy na tablicach testu Rorschacha. Ciekaw jestem, pomyślał, jak wypadłaby diagnoza. W końcu to test projekcyjny, gra projekcji pacjenta i psychologa.

Najważniejszy jest porządek; czystość przede wszystkim, nawet przed sobotnim śniadaniem. Ściągnął pościel i wrzucił do pralki. Poduszki i kołdrę wyniósł na taras, zapowiadał się słoneczny dzień, niech wygrzeją się na słońcu.

Wziął prysznic. Przygotował śniadanie. Sadzone jajka, pieprz i sól. Bez ukłonu w stronę pospolitości – ani okrawka cebuli czy pomidorów.

Nie widział się z Krzysiem od czterech tygodni. Tak się złożyło, że Krzyś ostatnie weekendy spędzał z rodzicami: remont domu połączony ze złamaną nogą matki. Oto są przyczyny wyrzucające Krzysia z rozkładu Andrzejowego tygodnia. Na upartego daliby radę spotkać się w dniu roboczym, po pracy, tym razem jednak żaden nie znajdował w sobie uporu, ni Krzyś, ni Andrzej.

Czasem dzwonili do siebie, wysyłali SMS-y. Obydwaj grali równocześnie w kilka gier. Gra pierwsza nosiła tytuł „Coś mi nagle wypadło". Gra druga nazywała się „Nic się nie stało". Gra trzecia to „Strasznie mam dużo pracy", a czwarta – „Może jutro się spotkamy". Sporadycznie do głosu dochodziła także gra piąta: „Bardzo za tobą tęsknię".

Andrzej i Krzyś byli wytrawnymi graczami, rozumiejącymi świetnie, że aby grać z sukcesem, trzeba zadbać o alibi w postaci wydarzeń. Trzeba naszykować grom zdarzenia, nagiąć je, przygotować im czas i przestrzeń. Gdy więc „coś mi nagle wypadło", to musiało wypaść; na przykład Krzysiowi wypadła złamana noga matki. Gdy „strasznie mam dużo pracy", to potrzebna była praca; na przykład Andrzej – ku zdzi wieniu współpracowników – siedział w wydawnictwie nawet do siódmej-ósmej wieczorem.

W tych grach brakowało miejsca na blef. Nawet gra piąta („Bardzo za tobą tęsknię") i czwarta („Może jutro się spotkamy") nie dopuszczały kłamstwa ani gołosłowia. Należało naprawdę tęsknić i naprawdę wierzyć w jutrzejsze spotkanie, a jednocześnie liczyć – gdzieś w najmniej nieświadomej części podświadomości – na to, że jutro wydarzy się okazja do gry pierwszej lub trzeciej, które kończyły się grą drugą („Nic się nie stało"), prowadzącą znowuż do gry czwartej lub nawet piątej. (Z grą piątą wypadało się pilnować, zachować powściągliwość, inaczej przestałaby być grą i stałaby się pospolitym kłamstwem).

To nie były wyrafinowane gry, przyznajmy, lecz również to nie były gry prymitywne ani łatwe. W rzeczy samej nie jest prosto prowadzić grę, w której każdy winien wygrać, w której każdy ruch powinno się zaplanować tak, ażeby do zwycięstwa poprowadzić nie tylko siebie, lecz także drugiego gracza. Gra, w której łagodnie zbliżamy się do dwóch szach--matów, wymaga pewnej subtelności. Nadto wspomnijmy o podstawowej trudności obocznej: im dłużej grasz, tym bardziej tracisz wiarygodność.

Powiedziane wyżej wiedział i Krzyś, i Andrzej, każdy na swój sposób, każdy do pewnego tylko miejsca, miejsca względnie bezpiecznego, za którym rozciągał się już palący cynizm.

Cztery tygodnie, podliczył Andrzej. Tak dłużej nie można, nie chcę tego już ciągnąć, tego stanu zawieszenia, przecież gdy noga matce się zrośnie, Krzyś złamie ją ojcu albo ja wezmę na siebie kolejne obowiązki w firmie. W ten sposób, kochając się, nie zobaczymy się przez długie miesiące.

Andrzej postanowił, że jak tylko zmyje naczynia i wyszoruje mieszkanie, wyzywająco zresztą czyste, zadzwoni do Krzysia. Powie mu, że widział się z Wimem, że Wim chciał do niego wrócić, że Andrzej się nie zgodził. Że się pobili w hotelowym pokoju. (Tak, Wim podstępem zwabił mnie z baru do pokoju. Wstyd mi, dałem się nabrać, przepraszam). Że to nie koniec. Wim jeszcze nie powiedział ostatniego słowa. Praktycznie cały czas milczał, chociaż to on wymógł spotkanie.

Andrzej postanowił, że powie Krzysiowi, jak bardzo czuje się przygnębiony. Jak bardzo naprawdę tęskni. Jak bardzo zainteresował się tym ogromnym bezwłosym mężczyzną.

Andrzej postanowił, że powie Krzysiowi, iż przecież nic się nie wydarzyło. Nic, co mogłoby cokolwiek zmienić, uszkodzić miłość, nadkruszyć wzajemne zaufanie. Nic.

Otóż to, o to właśnie idzie, to dlatego nie widzieliśmy się od miesiąca: ponieważ nie wydarzyło się nic. Można naprawić szkody, sprostować sądy, przeprosić za zdarzenia, lecz jak naprawić „nic"?! Jak „nic" odkręcić? Jak przekonująco poprosić o wybaczenie w tej sytuacji? W sytuacji, która jest, acz z równą mocą nigdy nie zaistniała?

W jakimś spazmie rozsądku, skurczu prawdopodobieństwa, targnięciu się czegoś szczerego, struny pacierza, rozumianego bardziej jako stos pacierzowy niż modlitwa, Andrzej pożałował, że nie przespał się z Wimem. Wszystko byłoby teraz znacznie prostsze. Wszystko wyglądałoby teraz znacznie prawdziwiej. Przespałem się, zdradziłem, skłamałem. Trzy wspaniałe, proste słowa, za które można pokutować, które można przebłagiwać, które wszystko określają i wyjaśniają.

Wielce nierozsądne z mojej strony okazało się niepój-
ście do łóżka z Wimem, podsumował Andrzej. Tak trzymał-
bym konkret, coś, zdarzenie, błąd, a tak – nie mam nic, gołąb
na dachu, wróbel wyleciał z garści. Nic się nie stało. Jak przeprosić za nic? Jak nic wytłumaczyć? Jak nic odpokutować?

Andrzej kończył szorowanie kafelków w łazience.
Żałował, że zdecydował się na kolor lazurowy. Czysty lazur,
sądził, że to figura poetycka oraz tradycja antyczna, tymczasem lazurowe kafelki były czyste, ponieważ z trudem się bru-
dziły. Powinien był wybrać czerń, na czerni pozostaje ślad po
każdej kropli wody, można sprzątać w nieskończoność, można odpoczywać i odpoczywać, sprzątając. Lazur jest okropny,
rozczarowujący, westchnął Andrzej. Czysty lazur, fuck.

Zadzwonił telefon.

To nie Krzyś, niestety. To Maja. Maja, czyli zdarzenie,
które pozwoli – w razie potrzeby – kontynuować z Krzysiem
grę pierwszą. („Coś mi nagle wypadło").

Maja poprosiła Andrzeja o pomoc. Nie wiedziała, jak
działa Photoshop. (Mój pierwszy blog, ten o Mordorze, okazał
się klapą, ponieważ nie wklejałam radosnych obrazków ani
plików, no wiesz, muzycznych, w celu rozładowania napięcia).

Umówili się za cztery godziny w mieszkaniu Mai.

Wrócił do czystych kafelków. Potem rozwiesił do su-
szenia pościel, potem nawoskował nawoskowany parkiet, potem szukał kurzu na kolekcji nigeryjskich masek wiszących
na ścianach, potem odkrył, że wiatr nawiał liście na taras.
Mógł je zamieść szczotką, ale wybierał pojedynczo, palcami,
i wrzucał do plastikowego worka. Po przepoconej poduszce
i kołdrze – prażyły się w słońcu – spacerowały biedronki, dużo,
przynajmniej ze dwadzieścia, prawie sabat, choć nie wiedział,

czy z kworum. Wyjął z drukarki czystą kartkę papieru, wrócił na taras, żeby każdą biedronkę przesunąć na biały papier. Gdy biedronka znalazła się na kartce, szedł do barierki zamykającej taras i strzepywał owada. One potrafią latać, myślał, z drugiego piętra spada się długo, różne rzeczy można sobie przypomnieć, skrzydła rozwinąć. Przynieś mi kawałek chleba.

Od przeszło godziny pokazywał Mai, jak w Photoshopie obrabia się zdjęcia. Maja nadużywała jego cierpliwości. Raz po raz pytała o to samo. Dlaczego tak, a nie siak. Bo tak – odpowiadał. Czasem odpływała, nie pozorując nawet zainteresowania tym, czego Andrzej ją uczył, żeby wrócić z pytaniem niezwiązanym z Photoshopem.

– Co się dzieje między tobą i Krzysiem?

– Nic. Nie ma o czym mówić. Po co pytasz?

– Sławoj mi poradził, żebym skupiła się na innych osobach, to się skupiam, i Bóg mi świadkiem, nie jest to proste. Wszyscy są tacy nieinteresujący.

– Jaki Sławoj?

– No, moja fretka – Maja się zaśmiała. – Bez obaw, nie zwariowałam. – Milczeli chwilę. – No, to pokaż mi raz jeszcze, jak zmienić kolor skóry z cmentarnego zombie na chorobliwą femme fatale. Może otwórz jakieś inne zdjęcie. Zaraz się porzygam lub popłaczę, patrząc, jak mnie przerabiasz na wykluczoną.

– Jakie inne zdjęcie?

– Wejdź w folder FOTO i wybierz dowolne. Strasznie szarga mi nerwy, gdy mówisz do mnie po jemniolsku!

– Chyba nie ma takiego języka.

– Zdziwiłbyś się, że to najpopularniejszy język świata! Zapytaj Szymka.

Język jemniolski jest językiem idiolektowym, w którym nie-
świadomie komunikuje się dwie trzecie osób na świecie, a świa-
domie jedynie dwie osoby na świecie (Maja ♀ i Szymon ♂). Ję-
zyk jemniolski wywodzi się z bolesnej anegdoty.
Anegdota przedstawia się następująco:
Stoi sobie ogromnie napakowany dres bez dresu. Posiada bicep-
sy, tricepsy i sześciopaki.
Ogląda go kolega. Ogląda z podziwem i uwielbieniem, by wresz-
cie zadać pytanie:
– No, w porzo, tylko na chuj ci taka wielka głowa?
Pada odpowiedź:
– Jem nią.

Andrzej zamknął treningową fotografię Mai, na której ćwiczyli podstawowe umiejętności, wybrał losowo jakiś
plik, otworzył i zbaraniał. Na zdjęciu sprzed wielu lat stali
Maja, Szymon, Krzyś, wielki bezwłosy mężczyzna i ogromny
mężczyzna kudłaty.

– Kim jest ten koleś?

– Ten kudłaty to King Kong.

– A ten świecący się?

– To Norbert. Kręcił się koło Krzysia dawno temu, ale
niewiele wiem, bo przeszłość mnie nie zajmuje za bardzo,
poza tym, że Krzyś powtarzał, że się nim opiekuje, tym Norbertem. I nie pytaj mnie, co to oznaczało. Chcesz wiedzieć,
zapytaj Sławoja. Trzymaj.

– Co to jest?

– Skórka od mandarynki. Inaczej nic ci nie powie.

GRY
I SĄDY

13.

Byłam wczoraj u matki,
robię jej kakao, pytam: Łyżeczka czy dwie?
– Nie dość, że cały dzień siedzę tu sama w tych czterech
                                                          ścianach,
To jeszcze nie ma do kogo gęby otworzyć, ale co ty wiesz,
                                co ty wiesz, jak ja żyję,
ja żyję jak zwierz, jak cień, ja żyję sama jak cień na ścianie
                                        zwalonego domu,
a co ty wiesz, jak mnie boli, gdzie mnie boli, czy wiesz, co
                                        mnie boli, a może to
trzustka,
[...] –

A co ja myślę! A ja nic nie myślę!
Mnie się trzęsą ręce, ja się cała trzęsę
i mówię:

kurwa, człowieku, kurwa!

Bożena Keff

– Dziękuję – powiedziała Ninel. – Bardzo mi pomogłeś.

– Prosta sprawa – odpowiedział Norbert, chowając śrubokręty do srebrnej walizki.

– Jesteś głodny? Podgrzeję fasolkę.

Jedli w kuchni, siedząc naprzeciw siebie. Na przyokiennym blacie stał malutki telewizor, taki, który można by objąć ramieniem i ukraść niepostrzeżenie, żegnając się z gospodynią. Podczas posiłków oglądała świat w akwarium wypukłego, sentymentalnego kineskopu. Włączała kanały informacyjne: figurki dziennikarzy jak na komendę pilota odstawiały polkę i poloneza ze słów, banał za banałem, błąd językowy na błędzie, slapstick na slapsticku. Jeśli w ogóle jakaś informacja płynęła z telewizyjnego pudełka, nie było w niej treści innej niż: idioci zarabiający więcej (dziennikarze z TV) w chocholim tańcu parodiują próbę komunikacji z idiotami zarabiającymi mniej (widzowie, w tym sama Ninel). Chyba nadinterpretuję, stwierdziła, nie ma w tym nawet tego; ani próby, ani komunikacji, ani parodii. Powinnam sięgnąć do źródła: jest tylko czas antenowy. To w istocie teraz oglądam – czas antenowy.

Na ekranie przeszły gwałtowne burze, gradobicia i trąby powietrzne, niszczące uprawy papryki. Dziennikarz rozmawia z człowiekiem, który właśnie stracił źródło utrzymania, a także dom (wicher zerwał dach). Dziennikarz pyta:

„Co pan teraz czuje? Czy się pan tego spodziewał? Jak poradzi
pan sobie w życiu bez papryki i dachu nad głową?".

Ninel wsłuchuje się zafascynowana, nieodmiennie
i bezterminowo zdumiona. Co trzeba mieć w sobie, jak bardzo trzeba wyzuć się z empatii, taktu, współczucia, tych
licznych obcych słów, biegnących człowiekiem, żeby zadawać
takie pytania osobie z nagle wyzerowanym dobytkiem, komuś załamanemu i otumanionemu nieszczęściem oraz – to
również się liczy – obecnością kamer?

– Nie – stwierdza na głos – to niemożliwe. Ci dziennikarze nie rodzą się aż takimi debilami. Oni na studiach uczą
się, jak być debilem. A potem to doskonalą.

– A nie chcesz wiedzieć, co ten facet zrobi z życiem?
Jak je ogarnie?

Ninel patrzy na Norberta jak na kosmitę.

Siedzi przed nią okazały, solidny, bezwłosy mężczyzna. Biała, połyskująca skóra z gładzią zaburzoną jedynie
wokół oczu. Gdy Ninel w nie patrzy, wyobraża sobie zapis
lotów ważki nad taflą wody, diagram zbudowany z kołowań,
nagłych prostych, zygzaków, punktowych znieruchomień,
a także – trudno, nie czas na wstyd – gwałtownych kopulacji.

Poczucie obcości wywołuje nie tylko wyraźna ka-
mienna obecność jego ciała. Ninel waha się nad słowem
„ciało"; zawisa. Niezbyt jej pasuje. „Powłoka", tak, to jest lepsze słowo, bliższe, cięższe, choć zbyt elastyczne, za miękkie.
Może „kokon"? Jest w tym słowie jedwab i zaprzeczenie ciała,
jest również zapowiedź przemiany. Z przemianą nie należy
przesadzać. Zatem nie tylko wyraźna obecność jego... hmm...
zewnętrza, lecz w równym stopniu obcość tego, co mu siedzi
w głowie i czasem ucieka ustami.

Tu nie ma nic do ogarniania. Co zrobi facet od zniszczonej papryki? Przecież to oczywiste – spróbuje przeżyć.

Jedynie głupiec stawia takie pytanie. Westchnęła. Niestety, Norbert jest głupcem lub kosmitą. Trudny wybór i rzeczywisty kompromis: pracownik banku, ekonomista albo prawnik. (Nigdy go nie zapytała o studia).

– Znowu coś powiedziałem nie tak?

– Słucham?

– Znam to sapnięcie. Sapiesz tak, gdy jesteś poirytowana. Na przykład w sklepie, jak nie ma tego, po co poszłaś. Przez telefon też tak sapiesz. Jak z matką rozmawiasz na przykład. Nie udawaj. Powiedz, co znowu zrobiłem nie tak?

Milczy mu przed twarzą. Zatrzymuje się nad słowem „znowu". Znowu nie tak. Boi się tego słowa. Jak każda kobieta, która miała dwóch mężów. Dlaczego rzeki, do których nie da się wejść dwa razy, nie płyną w dostępnych Ninel krajobrazach?

– Nie mów do mnie „znowu" – mówi i już żałuje powiedzianego; on raczej nie rozumie komunikatów na takim poziomie.

– No, w każdym razie mężczyzna nie potrafi udawać erekcji. – Kutas nigdy nie kłamie.

– Słońce też wschodzi.

– Jaki to ma związek?

– Och, jedno i drugie brzmi jak tytuł książki.

Julian Barnes

Zna ten moment. Norbert zbuduje pionową zmarszczkę na idealnie gładkim czole, tamę przeciwko światu, pułapkę na bodźce, spróbuje zrozumieć, co ona powiedziała; proces ów zajmie mu nie więcej niż czterdzieści sekund; nie zrozumie. Poczuje się gorszy i upokorzony. Już to przerabiali.

Teraz ona czuje się winna.

Dzwoni telefon. Odbiera. Rozmawia.

– Muszę jechać do Łodzi. Moja matka złamała nogę. Przytul mnie.

Norbert wstaje i przytula.

Burzę odłożono na dogodniejszy termin, gdy uporają się już z bardziej niecierpiącymi zwłoki klęskami.

Pociąg z Warszawy do Łodzi spóźnia się pół godziny. Ninel z zadowoleniem konstatuje, że dworzec nadal nie został odnowiony, nie wzniesiono nawet rusztowania. Krzywe perony, brudne ściany, obskurne budki z trującymi zapiekankami i hot dogami. Jest tak brzydko, jak zapamiętała. Albo nawet brzydziej. Spostrzeżenie owo napawa ją otuchą. Oddycha lżej. Z całych sił nienawidzi Łodzi, miasta, w którym się urodziła, wychowała i z którego uciekła przy pierwszej nadarzającej się okazji z pomocą studiów i męża. Oddycha lżej, dookolna szpetota upewnia ją, że nie zwariowała. Miasto Łódź zasługuje na nienawiść. Jest przykre, przynajmniej od strony dworca, jak mało które miejsce na ziemi; nic, tylko zamknąć oczy i pomodlić się o schludny natychmiastowy pociąg – albo lepiej karetkę pogotowia na sygnale – odjeżdżający dokądkolwiek, aby precz stąd.

Ninel zna prawdę, jakąś prawdy odsłonę: nienawidzi Łodzi nie dlatego, że jest lepka, buro-szara, przesiąknięta trupią wonią getta i źle strawionym alkoholem; nienawidzi nie dlatego, że miasto przypomina porzucone przez królową mrowisko, czarny lej, zasysający beznadzieję i wątłe kwoty skapujące z zasiłków dla nieuleczalnie przegranych i uszkodzonych ludzi; nienawidzi nie dlatego, że nie widzi przed miastem przyszłości, to miasto nie radzi sobie nawet z przeszłością, gnije bez wdzięku, niczym ogarnięta gangreną noga; to wszystko nieprawda, przedprawda, poprawda, obokprawda. Nienawidzi Łodzi, ponieważ Łódź jest gniazdem. Gniazdem wychuchanym i zamieszkanym przez matkę.

Zamiast złapać taksówkę, postanawia się przespacerować: grafitowa walizka na kółkach posłusznie ciągnie się za nią, podskakuje na nierównościach chodnika niby wierny piesek o wymiarach bagażu podręcznego, mieszczącego się w samolotach.

Woli spacer znienawidzoną Łodzią od taksówki z jednej przyczyny – spacer odwleka spotkanie z matką. Spacerując, w pewien nieoczywisty sposób oczyszcza się, pozwala, aby jej nienawiść wsiąkała w miasto, zahaczała się o odpadające tynki, przyklejała do przechodniów, zarówno tych zdrowych i prawdopodobnie dobrze sobie w życiu radzących, jak i tych powykrzywianych przez patologie i media. Musi oczyścić się z nienawiści, wydalić ją z siebie, ponieważ za drzwiami rodzinnego mieszkania powinna stać się czystą córczyną miłością, wcieleniem troski, uchem wychwytującym najdrobniejsze żale, łaskawym i wyrozumiałym okiem, matczyną powierniczką, Korą na kolanach i ze szklanką wody w pogotowiu.

Nienawiść przypomina przegrzaną, rozmiękczoną gumę do żucia, wybiega, wystrzeliwuje szybkimi, przejrzystymi splunięciami z gardła i trzewi Ninel, i przylepia się do budynków i ludzi, żeby – docelowo – wystrzelić ją, Ninel, jak z procy i lepkiej pajęczej sieci, wprost w matkę.

Ninel stoi przed drzwiami pomalowanymi lśniącą olejną farbą.

Już nie znajduje w sobie nienawiści.

Obrzygałam nienawiścią miasto, myśli.

Teraz po prostu się boję, że mnie znowu będzie bolało. Znowu. Sześćdziesiąt lat na karku, a boję się, jak czterdzieści lat temu.

Dlaczego Kora nie wynegocjowała więcej czasu?

Demeter i Kora, mit grecki oraz standardowa sytuacja rodzinna; Demeter dawała życie, w tym (wespół z Zeusem) swojej córce Korze. Pewnego razu udała się do pracy, zostawiając swoją jedynaczkę w przedszkolu pod opieką pań przedszkolanek, zwanych w tamtych czasach nimfami. Kora bawiła się na łące, zrywając kwiaty i układając je w bukiety. Gdy zerwała kwiat przepiękny, rozwarła się ziemia i rozwarciem wyskoczył mężczyzna o imieniu Hades.

Hades porwał Korę do podziemnego świata. Demeter wróciła z pracy, nie znalazła córki. Przedszkolanki, zwane w tamtych czasach nimfami, nic nie widziały i wyparły się – zupełnie jak w czasach współczesnych – wszelkiej odpowiedzialności za zgubienie dziecka. Trzeba było urodzić większe albo głośniejsze, szeptały jedna do drugiej za plecami zrozpaczonej matki.

Demeter szukała i płakała, oblekła się w żebracze szaty, przestała pracować. Ziemię toczyły pył, nieurodzaj i susza. Głód.

Wreszcie Zeus, zaniepokojony tym, że mu wierzący w niego wymierają, wyjawił prawdę:

– Hades, pan podziemi, porwał naszą córkę. Jeśli w świecie podziemnym Kora nie spożyła żadnego owocu, zwrócę ci ją, umiłowana Demeter, tylko wróć, fuck and please (po grecku: Εισαι ηλιθια!, Εισαι ηλιθια!), do roboty.

Demeter nie powiedziała tak, nie powiedziała nie.

Poczekała, aż pojawi się Hades i oznajmi, iż Kora zjadła w pod-
ziemnym państwie owoc granatu, a zatem jest dla matki stra-
cona. Na wieki ze zmarłymi zamknięta.

Rzekła:

– Nikt matce nie odbierze córki. Zjadła czy nie zjadła. Granat
czy papaja. Lata mi to koło cyca. Moja córka jest m o j a. Nie
wrócę do pracy, dopóki jej nie odzyskam. Wyzdychają ci, Zeusie,
wierni. Ziemia w popiół się obróci. Chcę z powrotem to, co moje,
bez żadnych warunków i negocjacji. Chcę Korę.

(Demeter zachowała się niczym pierwszy związek zawodowy
w historii ludzkości, negocjujący z pracodawcą warunki godzi-
wego powrotu do pracy).

Zeus się zafrasował. Demeter musi wrócić do pracy. Powiedział
do Kory:

– Córko, wyrzygaj owoc, proszę.

– Ojcze – odparła Kora – wyrzygam większość, ale nie wszystko.
Obiecaj mi, że przez trzy miesiące w roku będę wolna od matki.

Potem Kora przez całą wieczność gryzła się, że nie zażądała
więcej, że nie zwymiotowała mniej.

Ninel stoi przed drzwiami.

Musi przekroczyć próg. Musi wygrzebać z torebki klucze, przekręcić je w zamkach. Musi przywitać się z rodzicielką.

Ręka jej drży, klucz obraca się gładko, skrzydło drzwi
uchyla się bez skrzypnięcia, nigdy nie miała szczęścia do ślu-
sarzy ni zbiegów okoliczności. Teraz jeden krok.

Jeden jedyny krok.

Ninel widzi, że życie przed drzwiami, jakkolwiek
skomplikowane by się wydawało lub nie, jest samą jasnością
w porównaniu do życia za drzwiami, tej tutaj innej świetlis-
tości bądź swoistej rybiej fluorescencji.

Ninel przekracza bramę. Nie może dłużej zwlekać, bogini już się bowiem niecierpliwi, już pyta „kto tam?", już szura w głębi lokum, już się zamartwia, czy to nie złodziej jakiś, już gotowa dostać wylewu, udaru, zawału albo nagłej opryszczki.

Ninel zamyka bramę, składa z siebie ofiarę:

– To ja, mamo!

– Kuba? – upewnia się matczyny głos.

– Kuba – potwierdza Ninel, usiłując przełknąć ślinę; ślina staje kamieniem w przełyku, nie chce stoczyć się do żołądka, między inne kamienie i wrzody, zapiera się tuż za podniebieniem. Ninel wyjmuje z kieszeni chusteczkę higieniczną i wypluwa ślinę: – Już do ciebie biegnę, mamusiu.

Ninel momentalnie czerwienieje. To, co wypełzło na policzki, nie zasługuje na miano rumieńców. To są raczej ślady po uderzeniu. Gdyby wyciągnęła lusterko i przyjrzała się swojej twarzy, prawdopodobnie dostrzegłaby odbicie ręki. Krew w jej ciele cyrkuluje niby w urządzeniu pod wysokim ciśnieniem. Nic się jeszcze nie wydarzyło, lecz ona już czuje się jak tania dziwka. (Zaksięgowała opłatę przed usługą, choć przecież może się zdarzyć, że tylko dostanie po pysku). Czuje się dokładnie tak, tanio i w jakości bez HD, choć to z kolei brzmi melodramatycznie, tandetnie. To diamenty są najlepszymi przyjaciółmi kobiety, nie ich matki. Jest wściekła i upokorzona, pohańbiona i rozdygotana. „Już do ciebie biegnę, mamusiu", obraca w głowie własne zdanie. Nienawidzi siebie za tę niezwykłą zdolność mówienia dwugłosem: głosem posłusznej córci i dorosłej kobiety. Te dwa głosy dopasowane do jednego zdania wchodzą ze sobą w rezonans, fałszują.

Opiera walizkę o ścianę. Walizka musi poczekać na sekcję, nerwowe rozpakowanie ubrań i drobnych, przypadkowych przedmiotów; teraz nadszedł czas pocałunku, teraz wypada szybko udać się do pokoju matki.

Idzie.

Przypomina sobie zasady obowiązujące w świecie po przekroczeniu bramy, w tym świecie. Przede wszystkim każda najdrobniejsza czynność urasta do rangi zadania heroicznego, niemal niewykonalnego dla śmiertelnika. Każda najdrobniejsza czynność mieni się znaczeniami: zbyt mocno podgrzana zupa przestaje być zbyt mocno podgrzaną zupą; zupa migocze, jeszcze nie wiadomo, czym będzie, jaką ambrozją czy cykutą, jeszcze oczekuje na matczyny wyrok, łaskawą złośliwość, pokrętne nawiązanie do zdarzenia z przeszłości lub marzenia z przy-. „Pewnie musiałaś znaleźć kogoś na zastępstwo w pracy", powie matka znad talerza, ponieważ matka rozumie, tyle lat żyje, że zbyt mocno podgrzana zupa nie jest po prostu zbyt mocno podgrzaną zupą, lecz subtelnym córczynym komentarzem, dowodem niechęci do matki albo nawet – córka bywa przewrotna – matki do córki. „Ryzykownie jest podawać gorące", rzeknie matka chłodno ku przestrodze, ponieważ córka jakaś taka nie taka urosła, ponieważ w świecie za drzwiami, w tym świecie, jej świecie, kamienie szlachetne i jedenaście strun wymiarów grają i oświetlają każdą czynność, kształtują przedmiot i podmiot, wydobywają to, co ukryte, odrzucają brak znaczenia. W świecie za bramą, przypomina sobie Ninel, w świecie strun i drgnień, nic nie jest tym, za co było (lub bywa) brane. W takim świecie nie można nawet zetrzeć plamy ze stołu, zmyć talerza, otworzyć okna na oścież, uchylić lufcika, żeby głęboko nie urazić czyichś uczuć, nie dotknąć do żywego mięsa, nie nadziać się na genealogię albo wojnę.

Idzie.

Matka siedzi na brzegu ogromnego małżeńskiego łóżka, sięgając już po kule, ustawione zdecydowanie za daleko. Z pewnością stoją tak daleko, za daleko, nie bez przyczyny. W świecie za bramą także przedmioty znaczą, one również czekają czujnie, aby matka wydała rozkaz. Ten rozkaz będzie jednoznaczny z opisaniem przyczyny, niekiedy skutku. W świecie za bramą każde za daleko odmierza się z precyzją milimetrów. W świecie za bramą jabłko nie odważy się upaść za blisko od jabłoni. Tutaj jabłka są zdyscyplinowane.

Ninel nachyla siebie, staje się trzciną na wietrze, samodzielną galaktyką zakrzywioną przez czarną dziurę, jej policzek dotyka policzka matki, potem drugi drugiego. Pocałunek przebiegł bez zakłóceń. Żadne ciało nie wypadło z elipsy. Katastrof nie zarejestrowano ani sygnałów z obcych cywilizacji, ani nieprzyjemnego zapachu. Kule stoją tam, gdzie stoją, po to, żeby matka nie miała szansy ich dosięgnąć. Żeby to Ninel musiała je podać. Żeby matka mogła wyrazić wdzięczność. Żeby...

Ninel rozgląda się po sypialni. Nic się nie zmieniło. Stare, dostojne, ciężkie meble, brak pajęczyn i kurzu. Brawo, mamo.

– Może wypijmy herbatę, Kubuś?

– Jak sobie życzysz, mamo.

Podaje matce kule i nie oglądając się za siebie, idzie do kuchni. Nastawia czajnik na gaz. Wyjmuje kubki i dwie torebki herbaty Lipton.

Ma ochotę rozszlochać się. Nie płakać, lecz szlochać.

Woda się zagotowuje. Herbata zaparza. Zaraz minie dziewiąta wieczór. Może pierwszą rozmowę uda się odłożyć na jutro?

– Pewnie musiałaś znaleźć kogoś na zastępstwo w pracy...

– Mamo, błagam...

– Kuba – matka powtarza zaklęcie.

Kajdany dźwięczą, Ninel posłusznieje.

Kuba.

Dziecięcy upór, na granicy obsesji i histerii, zrobił swoje. Nie tylko ona, mała dziewczynka, utraciła imię, także jej najbliżsi. Nie tylko ją utrata powinna boleć, także ich: babcię, dziadka, rodziców. Oni łgali w żywe oczy, sączyli fałszywe dane osobowe, podając cukierki ślazowe, żebrząc o okruch miłości, jakieś daj-całusa lub przytul-mamę, potrzymaj-babcię-za-rękę lub znajdź-dziadkowi-okulary.

Z żelazną konsekwencją plewiła Kubę z codziennych zdarzeń i zdań. Kuba umarła. Niech żyje Ninel. Póki żyje.

Przez długie dekady Kuba nie przyczepiał się do Ninel, wygasł i skurczył się do rozmiaru bolesnego powidoku, założycielskiego kłamstwa, na którym buduje się dorosłość, osobność, samoświadomość. (Każdy ukrywa takie kłamstwo). Ninel przedzierzgnęła się w teflonową milady, żaden Kuba do niej nie przywierał.

Kuba wrócił pięć lat temu, po śmierci ojca.

Ninel, wstyd przyznać, spóźniła się na pogrzeb własnego ojca. Nie pamięta ceremonii i późniejszej stypy. To znaczy nie pamięta szczegółów. Albo nie. Przecież do dziś widzi plastry tłustego wrześniowego słońca, które przeświecało przez liście kasztanowca i układało się na kopcu ziemi z dołu wydrążonego na trumnę. Pamięta też liszaje blasku na czarnoziemie, okrągławe oka, pływające niczym tłuszcz na lustrze wiejskiego rosołu. Pamięta punktowe strumienie, filtrowane chmurami, wydobywające z lepkich czarnych grudek spektakle niegodne pamiętania: różowawe ciała dżdżownic, wykopane z dostatnich głębin na powierzchnię siatkówki widza, jakieś latające formy, muchy lub pszczoły. (Alergeny?) Pamięta sygnał karetki pogotowia, przejeżdżającej pewnie obok cmentarza i mimo zgonu. Sygnał zapisał się w pamięci Ninel nie dźwiękiem, lecz kleksem: pomarańczową smugą powietrza z małymi stroboskopowymi rozbłyskami rażącej niebieskości, lekko czerwonawym śladem, który zostawia na ścianie zabity i pociągnięty konduktem palca zewłok komara; jeszcze niedawno pił obiad, śniadanie lub kolację, może ze mnie, może z ciebie.

Skoro więc tyle pamięta, to czego nie zapamiętała z pogrzebu ojca? Emocji? To ich nie pamięta? Przecież pamięta tamtą dżdżownicę, pamięta wstyd. Pamięta konstrukcję tego wstydu, żałośnie prostą, prostacką. Choreografia zaróżowionej jakby po zdrowym biegu, w istocie pozbawionej barwników i nóg, okaleczonej dżdżownicy uświadomiła Ninel, że jej ojciec, aktualnie i na zawsze martwy, był posiadaczem penisa. Że ów penis służył również rozkoszy, jako wąska, nabrzmiała krwią ścieżka, pozwalająca uciec przed historią. (Teraz brzmi to śmiesznie i redukcyjnie, wtedy też tak brzmiało, sądziła jednak, iż poza śmiesznością zawiera się w tym jeszcze konieczność lub prawda). Że ona sama, Ninel, mogła powstać jako wpadka przy ucieczce w zapomnienie i zmysłową przyjemność, jako żaden tam zamiar i plan, lecz porzucony tobołek, jako coś (ktoś?) na podobieństwo pozostawionego rannego żołnierza na polu bitwy, kompana, do rany człowieka przyłóż, który pojawił się pobocznie, jako nieoczekiwany produkt, zawalidroga, pechowo dla siebie odnaleziony (i stworzony) po to, żeby nie dało się go uratować.

Wstyd drążący Ninel nie wynikał z rażącego faktu, że jej aktualnie (ówcześnie) martwy ojciec okazał się posiadaczem penisa lub – korzystając z mniej kategorycznych i ciut więcej impotentnych sformułowań – mężczyzną. Wstyd brał się z tego, że na pogrzebie pomyślała coś tak prostackiego i żałośnie przewidywalnego, jakby zdawała egzamin z pierwszego semestru psychoanalizy. Że patrząc na dżdżownicę, myślała o tym, iż – w pewnych okolicznościach – mogłaby zostać kochanką ojca. Że to tak straszliwie przewidywalne, głupie, przerobione przez freudy: córcia lat pięćdziesiąt plus, dzidzia-piernik wpadła na to, że ojciec to nie wyłącznie majestat, ale również priapizm.

Wstyd. I poruszająca się dżdżownica.

Drugie pasmo wstydu opuszczało zamkniętego trumiennym wiekiem ojca, skupiało się na dżdżownicy. Gdyby tę wijącą się nitkę przeciętą szpadlem grabarza podzielić na mniejsze pierścienie, poprzecinać? Gdyby udało się z tej cierpiącej dżdżownicy wyprodukować wąskie paski ciała i życia, takie, dajmy na to, cienkie obrączki, to przecież wtedy powstałoby szczęście. Wystarczy pociąć agonię na plastry, na obrączki, żeby otrzymać złudzenie szczęścia.

Skoro Ninel tyle pamięta, dlaczego hoduje w sobie (pielęgnuje?) iluzję niepamiętania? Ponieważ wyraźniej niż pogrzeb zapamiętała ekshumację przeprowadzoną następnego dnia, w kuchni do śniadania.

Matka prawdopodobnie wstała o jakiejś niemożliwej godzinie, mrocznej czwartej, szarej piątej, szóstej z nasilającym się zapachem samochodowych spalin. Wstawszy, prawdopodobnie zeszła do sklepu, kupiła świeże pieczywo, mleko do kawy, kilka innych produktów.

Ninel z kolei źle spała. Obudziły ją jakieś odgłosy, dalekie nucenie. Śniła wiersz. Jest pobudzona, może nawet podniecona.

Dokładnie za dwa miesiące i cztery dni znajdzie przypadkiem w pożółkłej antologii strofy, niedokładnie odpowiadające tym ze snu, jednak im bliskie, bliźniacze, podobnej postury, wyprężone jak po rażeniu prądem.

Czuję, jak targnął
jej karkiem zaciśnięty
stryczek, jak wiatr
zmroził jej nagość.

W jego podmuchach sutki
kurczą się w bursztynowe
paciorki, dygocze krucha
klatka jej żeber.
Seamus Heaney

Czy to możliwe? Czy matka coś nuci pod nosem? Piosenkę lub melodię z międzywojnia?

Ninel, zaintrygowana i zauroczona, i – jednak! – podniecona, zarzuca szlafrok, celuje stopami w papucie, zabiera siebie korytarzem do kuchni.

Matka stoi odwrócona twarzą do okna, rzeczywiście nuci, krojąc pieczywo; skórka chleba odpryskuje na boki, wypieczone, kruche jak łupki kawałeczki spadają na podłogę, strzelają na blat, jeden zatrzymuje się na rękawie matczynej podomki.

Matka nuci i kroi, przy odkrawaniu każdej kolejnej pajdy chleba, przy trzasku skórki okruszki rozsypują się w powietrzu niby konfetti na sylwestrowym balu w zwartych, zimnych, krzepkich, treściwych frazach – Ninel nadal pozostaje pod wpływem śnionego wiersza.

– Córcia wstała – stwierdza matka, aczkolwiek jeszcze się nie odwraca, jeszcze utrzymuje własny kontur, wczesnoporanny zarys pleców, zadowolenie świeżo upieczonej wdowy na tle pieczywa oraz okna, przez które – jakież to przewidywalne – sączy się bure, przykurzone, lecz przecież n i e odrażające światło.

– Jak się czujesz, mamusiu? – pyta ją Ninel, lekko oszołomiona zupełnie zwyczajną sceną, której jest świadkiem, lekko podniecona (nadal!), lekko zmanipulowana melancholią (chlebowe okruchy, wspomnienie pogrzebu, wiersz ze snu).

Zapamiętuje obraz matczynych pleców, wypłowiały kolor podomki, rude, zdrowe włosy, ściągnięte w porządny koński ogon. Zgubiony błysk złota w płatku ucha, podbity blaskiem rubinu, oszlifowanego przez wileńskiego jubilera. Zapamiętuje rękę matki, uniesioną nagle, zapisaną w górze i bezruchu na kilkanaście sekund. Nie jest to ręka wykonana z marmuru, eleganckiego, żyłkowanego kamienia. Raczej piaskowiec, myśli Ninel. Drobnoziarnista, zwięzła skała szarej barwy, z delikatnym żółto-białawym kontekstem. Piaskowce, pamięta Ninel, są relatywnie miękkie i łatwe w obróbce. Dokładnie jak dłoń matki. Ach, przepiękna martwa natura byłaby z mojej matki, godna ściany w najlepszych muzeach i galeriach; gdyby tylko ktoś ją namalował, tę poranną osiemdziesięcioletnią, pozbawioną twarzy istotę. Gdyby ktoś potrafił przenieść na płótno owo aktualne, tymczasowe wydarzenie i umieścić je w złudzeniu perspektywy oraz historii sztuki.

Matka odsłania twarz, odwraca się.

– Całkiem dobrze. Czuję się... poprawnie – odpowiada.

Ninel nalewa parującej herbaty z dzbanuszka zarezerwowanego na specjalne okazje: urodziny, imieniny, coraz rzadsze i krótsze wizyty gości oraz inne zdarzenia losowe. Dlaczego matka wyciągnęła ten dzbanuszek? Chce świętować pierwszy dzień z nieodwracalnie wymazanym mężem (ojcem)? A może coś złego się z nią dzieje? Nie pamięta, że na co dzień dzbanek ów jest przedmiotem zakazanym, porcelanowym cielcem za szybą serwantki? Może to początek alzheimera bądź czegoś jeszcze gorszego – ekscentryczności z głębokim ukłonem w stronę obłąkania?

Ninel pije malutkimi łyczkami. Herbata jest trochę za gorąca i trochę za słaba. Matka czyta w myślach:

– Nie za gorąca? Nie za słaba?

– Doskonała, mamo.

Matka zastawia stół wstrząsającą liczbą talerzy, talerzyków, słoików, słoiczków, koszem z pieczywem i drugim – z owocami. Jest nabiał w wielu odsłonach, od twarożku i twardej goudy, przez pleśniowe brie i ostrego rokpola, po oscypka i coś zielonego (ser bazyliowy?); są konfitury z malin, wiśnie w syropie, przecier z jabłek, miód lipowy i inny jeszcze, niemal czarny (gryczany?, spadziowy?); są jaja na twardo, obok nich specjalne kieliszki na wysokich nóżkach, podobne do zwariowanych muchomorów z kapeluszami wywróconymi na nice. Ninel obserwuje krzątaninę matki, udając, że w całości skupia się na piciu herbaty, na swoich dłoniach zaplecionych wokół filiżanki. Milczy, ponieważ nie wie, jak zareagować. Już porzuciła wątpliwości, już ich nie ma, matka zwariowała. To nie jest jej matka, praktyczna, oszczędna kobieta, kupująca zawsze nieco mniej jedzenia, niż można było zjeść. (Z głodu nikt nie umarł, córcia, a z przejedzenia niejeden). Ta kobieta w podomce jest alienem, kimś nieznajomym, nieprzewidywalnym, nieobłaskawionym. Nie wiadomo nawet, skąd przyleciała i czy na dłużej zatrzyma się w kuchni. Ninel nie wie, czy ten alien mówi po angielsku, niby powinien.

Choć to doprawdy śmieszne i absurdalne, szuka wzrokiem miotły z klechd, na której ta wiedźma przybyła. Miotły nie znajduje, ów brak jednak jej nie uspokaja. W końcu kto powiedział, że wiedźmy muszą korzystać z uświęconych tradycją środków lokomocji? Nie zdziwiłabym się, gdyby umiały się teleportować z Łysej Góry, czy jak tam zwie się ich ojczyzna (Jasna Góra?), wprost w czyjeś życie.

> *W miejscowości Jarosławiec w grudniu zeszłego roku w kościele spadły korony z głowy Matki Boskiej Bolesnej i Chrystusa w czasie mszy. Zakonnicy, z wodą święconą w mózgu, mówią, że to znak, i Ona, i On starych koron już nie chcą, chcą nowe. I lud nasz płaci, bo wierzy w cud, chociaż ten byłby wtedy, kiedy korony spadłyby w górę.*
>
> Janusz Rudnicki

Ninel spina się w sobie, tak jak zawsze w obecności obcych ludzi. Tym razem nie odczuwa wszak zdenerwowania, prostego, dobrze wytresowanego zdenerwowania, tym razem – co odkrywa z kolejnym już porannym zdumieniem – rodzi się w niej wina, poczucie winy, bursztynowe paciorki sutków, prawie pornograficzny nacisk stryczka na grdykę, wiatr.

Ta wina jednak nie boli, nie przytłacza, ona ma w sobie jakąś świeżą, miętową (cytrusową?) nutę. Otóż Ninel czuje się winna, winą brzemienna, albowiem zamiast wyruszyć na poszukiwanie prawdziwej matki lub chociaż poopłakiwać jej zaginioną osobę w zgodzie z obyczajem (dać ogłoszenie ze zdjęciem do prasy albo od razu nekrolog), zastanawia się, czy to nie lepiej, żeby ta czarownica, nowa świeża staruszka, szafująca odświętnym dzbankiem i nadmiarem serów, pozostała już na stałe w tym mieszkaniu, w tym mieszkaniu za bramą, w Łodzi, będącym, tak czy siak, dzięki Bogu i Logosowi, marginesem życia Ninel?

Nieznajoma kobieta w znajomej twarzy i podomce zasiada za stołem. Ninel obserwuje ją uważnie. Bardzo możliwe, że przedstawiciele jednego gatunku są do siebie niezwykle podobni, myśli. Taki jeden niedźwiedź brunatny jest podobny do drugiego niedźwiedzia brunatnego. Może z matkami jest podobnie? Może jedna matka przypomina drugą? To by się nawet zgadzało, sama jestem matką i w jakimś stopniu jestem podobna do tej pani o rudych włosach.

Jedzą w ciszy.

– Pewnie się zastanawiasz, córcia, dlaczego nie ma wędlin.

Ninel, wyrwana do niespodziewanej tablicy, ratuje się wielkim kęsem kanapki, zanim przeżuje, zdąży wymyślić odpowiedź, która jednak, jak się okazuje, nie jest konieczna, ponieważ osoba z gatunku matki kontynuuje:

– Wyrzuciłam wszystkie mięsa.

Matka Ninel, ta prawdziwa, nigdy nie wyrzuciłaby jedzenia. Widać na Jasnej Górze, czy skądkolwiek pochodzi ta osoba (niedźwiedź brunatny?), obowiązuje inny, mniej nabożny stosunek do jedzenia. Jedzenie nie jest tam fetyszem, który musi zostać połknięty niezależnie od stanu zepsucia. Kęs dobiegł końca. Ugryźć kanapkę po raz drugi byłoby niegrzecznie. Ninel przemawia:

– Dlaczego?

– Mięso mnie brzydzi. Okropność!

Bierze kolejny ogromny kęs kanapki, naśladując głodnego człowieka i dając sobie czas do namysłu. Jak należy porozumiewać się z kosmitami? W *Bliskich spotkaniach trzeciego stopnia*, przypomina sobie, grało się na cymbałkach, każdy dźwięk rozbłyskiwał planszą z kolorem, dzięki temu kosmici nas nie zbombardowali, dzięki temu my, Ziemianie, coś mówiliśmy (choć nie wiadomo co), a oni, ci kosmici, również coś mówili (nadal nie wiadomo co). Ninel nie ma cymbałków, nie ma plansz z kolorowymi światłami, mimo to zdecydowała się udawać, że to, co k o m u n i k u j e, naśladuje sens tak starannie, iż jest od sensu nieodróżnialne. Cudowna, śniadaniowa imitacja. I improwizacja.

– Kiedy żył tata – zaczyna niepewnie – mięso się jadło. Prawie codziennie.

Kosmitka w podomce wzdycha.

– Kiedy żył, jadłam, córcia, jednak zawsze nienawidziłam. Już nie muszę. Nie muszę nienawidzić, mogę po prostu nie jeść. Po jego śmierci wszystko wydaje się prostsze.

Ninel nie jest gotowa rozmawiać o śmierci ojca, szuka tematu zastępczego.

– Po co tyle serów? Przecież jeden by wystarczył. Przecież to się wyrzuci. Nikt tego nie zje.

Czarownica odkłada nożyk umazany malinową konfiturą, lepkim i nierzeczywiście purpurowym śladem po rozcięciu, patrzy nad ramieniem córki w punkt, który, według Ninel, jest blefem. Który nie istnieje.

– Zawsze marzyłam o kupieniu takiej ilości jedzenia, żeby trzeba było wyrzucić. To mi się śniło. Jedzenie, które wyrzucam. Nie mówiłam ci, córeczko, zaczęło mi się śnić już w Wilnie, w czterdziestym trzecim roku. Po takim śnie byłam... – kosmitka milknie, Ninel zaś jest coraz bardziej zainteresowana tą osobą z gatunku matka, tak podobną do niedźwiedzia brunatnego, jak niedźwiedź do samego siebie. – Byłam... no wiesz, jak po miłości. Pobudzona i otępiała. Upokorzona, ale...

Ninel rozważa, w jaki sposób najbezpieczniej rozmawiać z niedźwiedziem brunatnym. Niby to kulka futra, zabawny pluszak, przytulanka, A.A. Milne (1882-1956), lecz niech nas nie zwiedzie miękka faktura ciała, przygarbiona (przyczajona?) sylwetka, taneczne utykanie na prawą nogę, nakremowane zmarszczki, sentymentalne pasmo rudo lśniących włosów, usta, niegdyś pełne i zachwycające, dziś sprowadzone do wdzięcznej podwojonej kreski, jaką stawia się w równaniu pomiędzy działaniami a wynikiem. To jest pozór, powierzchnia postrzegania, koleina oka: naprzeciw Ninel siedzi w istocie mordercza maszyna do zabijania. Z brunatnych łap lada moment wysuną się pazury, pod mokrym węgielkiem czarnego nosa rozbłysną kły, pergamin starczej skóry stanie się nieprzebijalną tarczą, mityczną egidą, odporną na łzy i ciosy. Tak, myśli Ninel, zostałam uwięziona w kuchni ze śmiertelnie niebezpieczną istotą; jak rozmawia się najakuratniej z niedźwiedziem brunatnym? Niby w tej chwili nad śniadaniem porozumiewają się tym samym, podobnym językiem, acz przecież to jest tylko pewien rodzaj konwencji, umowy. Ninel nigdy nie porozumie się z niedźwiedziem, niechby nawet ten niedźwiedź przyszykował tosty i udawał jej matkę. Brak porozumienia między jednostkami, bytami, osobliwościami jest głębszy niż zgoda na wspólne śniadanie i niezgoda na wyrzucanie mięsa.

– Ja pani w ogóle nie wierzę – mówi Ninel. – W ani jedno słowo. Pani jest niedźwiedzicą.

Zapada cisza. Pracowita cisza nad niedokończoną kanapką z serem. Obie strony ciszy, matka i córka, przetwarzają to, co zostało powiedziane, każda podług własnych wyborów i umiejętności.

Ninel nie może uwierzyć, że powiedziała, co powiedziała. Pewnie jeszcze się nie obudziła. Pewnie sen o wierszu był przedpieklem właściwego snu, w który to wkroczyła w papuciach, wchodząc do kuchni i nalewając herbatę.

– Kubuś, nie mów tak – mówi matka, odkorkowując starego, potężnego dżina.

Kuba.

Tyle lat w zamknięciu, teraz imię wydostało się na wolność, zostało ekshumowane, niespełna dobę od humacji ojca.

Ninel trzęsie się jak gdyby z zimna. Powinna zrobić coś, żeby zagnać Kubę z powrotem do butelki, pod ziemię, precz, dżinie! Zerka na matkę trochę tak, jak dziecko szukające ostatniego sojusznika. Matka nie jest wcale sojusznikiem, jest metalową istotą, owdowiałą kobietą, mechanizmem dramatycznie samotnym i zdeterminowanym przez sobie znane cele; matka jest matką, uporczywie kochającą swoją córcię, Kubusia.

Ninel poddaje się.

Nie ma serca protestować.

Nie ma siły walczyć o prawdziwe imię.

– Przepraszam – mówi z przerażającą świadomością, że znowu będzie Kubą, przynajmniej tak długo, jak długo matka będzie żyła. Czyli długo. Znowu. Gdzie te rzeki, do których nie można wejść!?

Siedzą w kuchni, matka i córka, dokładnie tak, jak siedziały pięć lat temu i wiele razy później – niestety chrześcijańska ikonografia nie przewiduje takiego układu – nad herbatą. Matka złamała nogę, to dlatego przyjechałam, napomina siebie Ninel. Staram się być dobrą córką, gram w dobrą córkę, chociaż ta gra ciągnie się od tylu lat. To kolejna z partii, w której przegrana jednej osoby automatycznie staje się przegraną drugiej. Jeżeli ja przegram w córkę, moja matka przegra w matkę.

Och, myśli nagle rozdrażniona Ninel, przecież ona nie będzie żyła wiecznie! Przecież istnieje szansa, że obie wygramy, każda z nas w swoją grę, byle ona, matka, nie przeciągała struny.

Pięć lat temu, w błyskotliwym (tchórzowskim?) ruchu figur na szachownicy pozwoliła matce na przywołanie Kuby. Teraz nie może się wycofać, za późno, nie w sytuacji, w której matka złamała nogę, ona zaś sama dobrowolnie przyjechała do Łodzi.

> Sally stoi z Walterem na skrzyżowaniu ulic Madison i Seventieth. Nie rozmawiają o Oliverze St. Ivesie. Rozumieją, każde na swój sposób, że Walter odniósł sukces, a Sally poniosła porażkę, a także, że to Sally się udało, a Walterowi nie.
>
> Michael Cunningham

Matka pije herbatę. Najwyraźniej postanowiła nie ułatwiać pierwszej rozmowy nad złamaną nogą. Milczy. Ninel próbuje rozpracować milczenie, jego gatunek, podgatunek, odmianę, rasę, sierść, płeć. Czy jest to milczenie z gatunku: zastanów się, dlaczego tak piję? A może jest to milczenie na temat odległy; jakiś wileński przedwojenny zawód lub zachwyt? Albo milczenie o zaległą pieszczotę i prezent? (Nic mi nie przywiozłaś, nawet głupich pomarańczy!) Albo milczenie zwyczajne, takie jakie zapada w rodzinie wieczorem? Ninel ze skupieniem stroiciela fortepianu wsłuchuje się w ciszę. Tę ciszę trzeba bezdźwięcznie opukać, usłyszeć jej rdzeń, dojrzeć barwę i ton, przewidzieć jej rozwój, wpisać ją w harmoniczną zgodność z innymi ciszami. Dopiero poznawszy naturę tej ciszy, Ninel zdoła wyregulować wysokość milczenia wytwarzanego przez matkę, ów stary, szlachetny i delikatny instrument muzyczny, wykonany z białka, ozdobiony rubinowymi kolczykami i przechowywany w futerale podomki.

Dziś wieczór jednak Ninel jest zbyt rozkojarzona i zdenerwowana, myli dźwięki niewybrzmiałe z pustymi, nie słyszy różnicy między tajemnicą a przemilczeniem, ogłuchła na półtony codziennego zmęczenia i ogólnego rozczarowania, zgubiła wewnętrzny kamerton. Nie jest w stanie pokierować sobą tak, aby odczytać te niewypowiedziane miejsca i przestrzenie tkwiące w matce, zapadłe w jej krtani. Nie umie skatalogować matczynego milczenia, nie potrafi nastroić matki ni siebie, tak by mogły milczeć wspólnie i zgodnie; raz pierwsze skrzypce milczałaby matka, raz Ninel, obie dyrygowane batutą czegoś potężniejszego od nich samych, losu, krwi, genów, memów; nie wiadomo.

– Mam nadzieję, że noga nie boli cię nadmiernie – mówi wreszcie; nic lepszego nie przyszło jej do głowy, tylko takie coś, zdanie zombie, ogłuszająca eksplozja braku podmiotowości i wrażliwości w eleganckim świecie spraw absolutnych.

– Biorę tabletki, Kubuś, to mnie nie boli.

– No tak, mogłam się domyślić.

Matka kiwa głową. Kiwa z dołu na górę i z góry na dół, jak oszalała winda jeżdżąca między parterem a najwyższym piętrem albo rtęciowy termometr przenoszony z lata do zimy i na odwrót. Kiwanie również, podobnie jak milczenie, wymyka się Ninel. Czy matka kiwa, bo z wiekiem coraz trudniej utrzymać głowę nieruchomo? Albo kiwa potakująco? („Rzeczywiście, córcia, właśnie tak"). Albo z rozpaczą i rozczarowaniem? („Nie jesteś za bystra, a takie nadzieje w tobie pokładałam").

Ninel marzy, żeby ktoś ją uratował z tego wieczoru i z tej kuchni. Nie musi być rycerzem na białym koniu. Nie ma w końcu do zaoferowania swemu wybawcy kwiatu dziewictwa ani nietkniętej zębem czasu urody. To może być grubawy mężczyzna w średnim wieku, jąkający się krótkowidz, cierpiący na hemoroidy posiadacz dziesięcioletniego audi. Ninel przyjęłaby ratunek z każdych rąk, ba!, nawet proteza by jej nie odstraszyła ani wagina.

Niech mnie ktoś uratuje z tej kuchni!

– Jestem zmęczona. Pójdę już się położyć, Kubuś.

Ninel nie spodziewała się ratunku ze strony matki. Była gotowa spędzić długi, jałowy wieczór, przetykany cierniami gładkich frazesów.

Pomaga matce wstać, eskortuje ją do łazienki. („Gdybyś potrzebowała mojej pomocy, zawołaj, mamusiu, jeszcze nie kładę się spać"). Wraca do kuchni, żeby zaparzyć kolejną herbatę.

Z parującym kubkiem idzie do swego pokoju, to jest, poprawia się z chorobliwym automatyzmem, gościnnego.

Pierwszy wieczór przegrałam, myśli. Jeden zero dla matki. Ona była lepszą matką, niż ja byłam córką. Jutro się odegram. Będę lepsza.

14.

Poprzedniego wieczoru udało mu się uniknąć kłótni tylko dzię-
ki temu, że rozpoczął najdłuższą i najbardziej pomysłową ko-
pulację, jaka zdarzyła im się od początku związku.

J.K. Rowling

Matka leży pod prawdziwą kołdrą z gęsiego pierza. Takich
kołder już się nie robi. Nikt nie oskubuje gęsi. Przyszło nowe;
syntetyczne i przypuszczalnie lepiej dostosowane do potrzeb
codzienności. Kołdra wydaje się cięższa, niż jest w rzeczywistości, także poszwa, połyskująca świeżym krochmalem,
waży w oku obserwatora swoje.

Noga boli. Skłamała córci, że łyka środki przeciwbó-
lowe. Nie łyka, nawet nie wykupiła tych tabletek, oszczędziła

piętnaście złotych, chociaż nie musi oszczędzać na lekach, zwyczajnie kaprys ją naszedł, żeby oszczędzić. Poza tym lubi ten nowy ból, na swój sposób przywraca on jej życie. Lub przytrzymuje przy życiu. Nie jest rwący czy dojmujący. Prawą stroną ciała biegnie wieczny prąd, postrzępione iskry, krzesane tuż pod kolanem, tam gdzie pękła kość. Lena naprawdę lubi ten ból, trzeba tylko uważać, żeby nie oprzeć się na chorej nodze, wtedy ból gwałtownie skacze do głowy, zaprósza się pod czaszką, i trudno ugasić ognisko, w którym spala się to, co zostało, ta resztka osoby, emocji, potrzeb, nadal zakotwiczona w mózgu. Pożar bywa nie do okiełznania. Już dwa razy Lena zemdlała. Fala nieświadomości działa jak kurtyna przeciwpożarowa, zabiera ogniowi tlen, dławi płomień.

Lena wraca do przytomności (raz na dywanie w salonie, raz na podłodze w korytarzu), sprawdza, czy się nie potłukła, czy nie krwawi. Wszystko w porządku, nic się nie stało; szybko odnajduje równy, nieprzekraczający stanów alarmowych ból prawej strony ciała, uspokajające pulsowanie, parzące, ale przecież właśnie tego potrzebuje. Teraz trzeba wstać. Najpierw porządkuje przestrzeń. Tu leżę ja, tu kule, tam pną się ściany, tam stoi krzesło. Szuka punktów zaczepienia, podparcia i pełzania. To są puzzle, musi złożyć te kawałeczki w obrazek siebie stojącej o kulach, wyprostowanej, lekko uśmiechniętej.

Drobiazgowo ocenia odległości, stan własnego ciała, zmęczenie, ryzyko i niewygodę, przedmioty pomocne i przeszkody. Co za szczęście, że straciłam przytomność w korytarzu! Korytarz jest dużo prostszy od salonu. Plan już opracowałam, nie jest ponad moje siły.

Lena pełznie do krzesła. Pełznie na lewym boku, starając się ochronić zagipsowaną strunę przerwanej kości przed kontaktem z klepkami parkietu, woli uniknąć przypadkowych ognistych liźnięć. Dociera do krzesła, łapie ręką za polakierowaną na wysoki połysk, secesyjnie wygiętą nóżkę, odpoczywa. Mogłaby wspiąć się bez odpoczynku, ale odkąd mąż nie żyje, stara się nie spieszyć. Zdobycie krzesła okazuje się dużo bardziej wyczerpujące, niż przypuszczała.

Poprawia pozycję na krześle. Ze stojaka na parasole wyciąga czarny ze złoconą rączką. Operując nim, przyciąga pierwszą kulę. Druga leży znacznie dalej, poza zasięgiem parasola. To wbrew zasadom fizyki, myśli, nie powinna była upaść aż tak daleko. Nie chce ryzykować, nie pójdzie o jednej kuli, nie będzie skakać na zdrowej nodze. Odczuwa irytację. Powinna była to przewidzieć już na ziemi, planując, jak wstać. Nie ma rady. Ostrożnie schodzi na podłogę, pełznie do odległej kuli, podciąga ją na tyle blisko krzesła, żeby parasolem dało się ją wyłowić. Odpoczywa. Po raz drugi zdobywa szczyt krzesła.

Wreszcie staje się posiadaczką pary kul. Triumfalny uśmiech zapala się na jej twarzy. Jest sama, dlatego może sobie pozwolić na tryumf. Nie musi przed nikim wstydzić się sukcesu. Jest z siebie bardzo dumna. Niejedna staruszka dałaby za wygraną, umarłaby w korytarzu albo zrobiła jakieś widowisko, wypełzając na klatkę schodową, wołając: ratunku, złodzieje, lecz nie ona. Jestem całkiem użyteczna, nadal użyteczna, cieszy się.

Do córki zadzwoniła dopiero na trzeci dzień od złamania nogi. Dnia pierwszego zawzięła się, że poradzi sobie sama ze wszystkim (omdlenie w salonie). Dnia drugiego czuła się rozgoryczona (omdlenie w korytarzu). Córka na pewno usłyszałaby w jej głosie cierpki ton. Ona jest taka – szuka słowa – wrażliwa? Nie. Ona jest nadświadoma, ualergiczniona na stereotypy, a przy tym nieustannie czujna. Bardzo trudna kombinacja, zwłaszcza dla matki. Lena czasem żałuje, że nie urodziła zwykłego dziecka: pogodnej sprzątaczki, akuratnego hydraulika, ograniczonej nauczycielki, zadufanego sportowca, słowem – kogoś, kogokolwiek, kto pozwoliłby się kochać. Co za paradoks, myśli, otrzymałam niezwykłe dziecko, a jestem taka niewdzięczna.

Zadzwoniła dopiero trzeciego dnia. Uświadomiła sobie, że Kuba nie na żarty się wścieknie, gdy wyda się (takie tajemnice zawsze się wydają), że ona (matka) złamała nogę i nie poinformowała o tym córki. Lena pojęła instrukcję obsługi córki na tyle, aby rozumieć, że na złości się nie skończy. Córcia poczuje się zraniona, odrzucona; ona zna, matka myśli z nutką jadu, bardzo liczne słowa opisujące skomplikowane stany. Ona potrafi wszystko wytłumaczyć i zrozumieć, biedne dziecko!

– Biedne dziecko! – powtarza, odkładając słuchawkę telefonu.

Za kilka godzin Kubuś pojawi się w domu.

– I jak? Możesz rozmawiać?

– Dobrze, że dzwonisz. Zapomniałam cię poprosić, żebyś nakarmił kota.

– Jakiego kota?

– No, Burego.

– Ty nie masz kota.

Dopiero teraz Ninel uświadamia sobie, że już nie ma kota, że Norbert ma rację. Bury umarł, wypluwając krew z żółcią. To matka tak na nią działa, ten dom, ta Łódź – traci pewność zdarzeń, chronologia kręci się niczym tybetański młynek. W tym mieszkaniu dokonało się tak wielu ekshumacji, któż zauważyłby jeszcze jedną? Małego kotka?

– Przepraszam. Sam widzisz, jestem zdenerwowana i rozkojarzona.

– Jak matka?

– Wulkan, powiedziałabym, energii. Wstała o świcie i klekoce kulasami. Przygotowała piętnaście gołąbków, bo kiedyś lubiłam.

– Lubiłaś?

– Nie pamiętam. Pewnie tak. Coś w końcu lubić musiałam, niech będą gołąbki.

– Gdzie jest teraz?

– W łazience. Układa włosy. Uwierzysz?

– Fryzurę, w sensie?

– Po obiedzie namówiła mnie na pofarbowanie. Moja matka zmienia japońską wiśnię na mroźny kasztan. Brr...

– Źle wygląda?

– Wręcz przeciwnie. Wygląda lepiej ode mnie. Wiesz – Ninel ścisza głos – ona jest chyba wampirem. Wysysa mnie.

Norbert zaczyna się śmiać, niecałe dwieście kilometrów od niej, w Warszawie. Jego poczucie humoru przyjmuje zagadkowe formy, Ninel nigdy nie wie, co go rozbawi. Jego napady śmiechu przypominają ataki agresji.

Kiedyś widziała, jak rozwalił swego laptopa, bo ten nie połączył się z Internetem. (Nie przegrał plików?) Uderzał pięścią w klawiaturę raz po raz, z furią. Poodpadały klawisze, rozbiegły się po stole i podłodze. Przy kapciu Ninel zatrzymał się ALT GR, a nieco dalej PG UP. Spojrzała w górę.

Zniszczywszy laptopa, Norbert wrócił do siebie: odzyskał wzrok, odzyskał twarz.

- Kupiłem go rok temu - powiedział. - Raczej nie przyjmą na
gwarancję. Te uszkodzenia są zbyt mocno mechaniczne. Nie
sądzisz?
- Masz krew na ręce.
- Po co?

Teraz Norbert zanosił się śmiechem w słuchawce. Ślepym jak gniew, skierowanym przeciwko, a nie wybiegającym z gardła.

– Bardzo mnie cieszy, że potrafisz odnaleźć się w mojej sytuacji.

Urwał śmiech. Pewnie w ten sam sposób, pomyślała Ninel, zamyka linie kredytowe klientom w tarapatach. Prosta opozycja: jest–nie ma, bez negocjacji.

– W czym? W jakiej sytuacji?

Ninel stęknęła.

– Przepraszam, Norbert. Jestem zmęczona. Zmęczona miastem, matką i sobą. Przepraszam.

– Chcesz, żebym cię przywiózł do Warszawy?

– Chcę – odpowiedziała.

– Przyjadę dziś wieczorem po pracy, pasuje ci?

– Tak, pasuje – skłamała Ninel. – Muszę kończyć. Matka wydostaje się z łazienki. Zaraz ogłuchnę.

– Trzymaj się. Cmoki-smoki.

– Cmoki.

Matka ze zrozumieniem przyjęła wiadomość o powrocie córki do Warszawy. Okazała również nieco smutku i okruch rozczarowania, za co Ninel była jej wdzięczna. To przydatne uczucie, czuć się potrzebną, dlatego ucieszyła się, że matka dała dowody na przydatność Ninel, okazując cień smutku i drgnienie rozczarowania. I nawet jeśli postąpiła tak przez grzeczność, a nie z miłości, nie usuwało to z niej (ani z kuchni) przyjemnego uczucia, że dla niektórych ludzi, na przykład matki, nadal pozostaje atrakcyjna, ważna i użyteczna.

Obydwie kobiety wiedziały, że każda z nich wie oraz wie, że ta druga też wie, iż matce lepiej jest bez córki, córce bez matki. W jakiś sposób się kochają, na wiele sposobów pozostają splątane, tęsknią za sobą najbardziej, kiedy są ze sobą, ale równocześnie najlepiej dogadują się, gdy chwytają okazję, by milczeć w odległych miastach.

Matka intuicyjnie rozumiała, jak nie przeciągnąć struny. Pobyła smutna i rozczarowana nie dłużej, niż smutek i rozczarowanie wyjazdem córki pięknie brzmiały. Zanim struna emocji zagrała fałszywie, matka ją uciszyła, uśmiechnęła się: potrafiła uśmiechnąć się pełniej i piękniej, lecz taki uśmiech skrzywiłby się w nietakt, w końcu przed chwilą córka powiedziała, że wieczorem wraca do Warszawy, stąd też matka wybrała uśmiech inny, stosowniejszy. Ninel nazywała go: Tyle Przeszłam, ale Zachowałam Pogodę Ducha. (W skrócie nazywała ten gatunek uśmiechu pagodą).

Był to jeden z najtrudniejszych uśmiechów w repertuarze matki. Rzadko go wykonywała, wymagał skupienia i dziennego światła, nie udawał się w ruchu ani zimą. Usta się skracały i wypełniały, kąciki ust zagłębiały w twarzy jak małe haczyki, mięśnie policzkowe się podnosiły. Powieka powinna przesłonić gałkę oczną w jednej trzeciej. Oczy schludne, dobrze utrzymane, przytomne, z kolorem, bez załzawienia, zaszarzenia czy rozmemłania. Najważniejszy jednak był kierunek wzroku. Należało tak spojrzeć, aby widz odniósł wrażenie, że to on pozostaje w centrum perspektywy, a jednocześnie zdał sobie sprawę, że znalazł się w środku przez jakieś niedopatrzenie. Niedogadanie.

Matka wygrała koncertowo swój uśmiech. Tyle Przeszłam, ale Zachowałam Pogodę Ducha. No, dobrze, pomyślała Ninel, pagoda została postawiona. Co teraz?

Przez trzy bite godziny Lena pokazywała córce fotografie, do każdej dołączając legendę. Będzie z pół roku, jak wzięła się za porządkowanie rodzinnego archiwum, i teraz z dumą prezentowała osiągnięcia.

– Jak się dowiadujesz rzeczy, których nie wiedziałaś? Przecież oni wszyscy już nie żyją. Nie żyją oznacza, że nie mówią.

– Córcia – matka pozwoliła sobie na lekko karcące spojrzenie – Internet. Różne fora, archiwa. Internet mówi. Trzeba tylko w nim pogrzebać.

– Pogrzebać zmarłych. Tak, mamo, tak. Idę na balkon zapalić.

W normalnych okolicznościach Lena powiedziałaby, że przecież może palić w kuchni, zamiast przeziębiać się na balkonie, dziś jednak wykazała się krnąbrnością i nic nie rzekła. Zaskoczyło to Ninel tak bardzo, że nie poszła na balkon, lecz do kuchni. Nigdy w tej kuchni nie paliła. Nigdy. Wahała się. Wreszcie pstryknęła zapalniczką.

Paląc, poddawała się narastającemu poczuciu winy, na szczęście podbitemu złością, a nie trudniejszą do opanowania goryczą. Znowu moja matka wygrała w matkę, a ja przegrałam w córkę. Kurwa.

Wróciła do salonu. Lena siedziała tak, jak przed wyjściem Ninel, przeglądając fotografie. Ninel nie potrafiła wyrzucić z głowy kolejnej absurdalnej myśli, która nią owładnęła. Myśl brzmiała: moja matka przypomina matkę.

Coraz częściej śnią mi się królowie bez głów Być może z roztargnienia pokazują mi się w takim stanie być może nie obejmuję wzrokiem całej klatki snu jak się czasem nie może objąć spojrzeniem nadchodzącej chmury

Że to są królowie poznaję po sposobie w jaki omijają ludzi
                                        Tymoteusz Karpowicz

Ninel gotowa byłaby przysiąc, że objawiło się jej rozwiązanie problemu lub zadania, które dręczyły ją przez całe nieomal życie.

Tak przedstawia się adekwatny do sytuacji opis; takie jest rozsupłanie moich szarad i niewygód: moja matka p r z y p o m i n a matkę. To dlatego wszystko. Wszystko.

– Kuba, stało się coś?

Ninel musiała wrócić do świata żywych, acz nadłamanych ludzi.

– Zamyśliłam się. – Ninel ugryzła się w język, za późno. W świecie Demeter zamyślenia nie są w cenie. Tutaj zamyśleń się nie lubi, lecz je gubi. Zamyślenia przynależą do świata pozbawionego działania. Świat pozbawiony czynności jest praktycznie śmiercią. Ninel spróbowała zatrzeć złe wrażenie: – Nie pamiętam, czy zapłaciłam rachunek za gaz.

Za progiem matczynego mieszkania poczuła to, co od lat i do czego przywykła: smutek i ulgę. Kora odzyskała wolność, wolno jej wrócić w mrok Tartaru.

Znalazła samochód Norberta, czerwony i lśniący. Obejrzała się za siebie, nieodrodna córa żony Lota, sprawdzając, czy matka nie stoi w oknie.

Nie stała.

O słup soli mniej.

Norbert ucałował Ninel, załadował walizkę do bagażnika. Wsiedli. Auto ruszyło. Nie odezwali się do siebie słowem, póki nie opuścili granic Łodzi. Wtedy odetchnęła, wydostała się spod jurysdykcji administracyjnej matki.

– Myślisz, że w Internecie da się znaleźć martwych ludzi?

– Nie rozumiem.

– Masz stare zdjęcie i nie wiesz, kto na nim jest. Wrzucasz zdjęcie do sieci i potem ktoś ci mówi: ta pani to jest taka, a ten pan to się nazywa owaki.

– Nie wiem. Chyba nie. Czemu pytasz?

– Moja matka zaczęła porządkować rodzinne archiwum. Teraz każdemu zdjęciu towarzyszy opis.

– To cię dziwi jakoś?

– Raczej niepokoi.

– Co niepokoi?

– Boję się, że matka zmyśla przeszłość, że zmyśla rodzinę. Że... – Ninel zawahała się – że ona zmyśliła również mnie.

Dojechali do Warszawy, Żwirki róg Pruszkowskiej, późnowrześniowa łuna, mimikra kontrolowanego pożaru, ciepło miejskich latarni, czerwony szkielet autobusowego przystanku, leniwe, otłuszczone papierki po snickersach dookoła śmietnika, wstrząsające się wiatrem jakby z zimna.

Wysiadła. Zaczerpnęła w płuca trującego powietrza. Poczuła, że przynajmniej one, jej płuca, znalazły się w swojskim ekosystemie, na miejscu, w odpowiedniej skali.

Weszli do mieszkania.

– Zostaniesz na noc?

– Tak.

Wzięli kąpiel, każde osobno: Ninel pierwsza, z myślą o Burym, tu czasem robił kupę, do wanny, w ramach akcji protestacyjnej, jeśli kupowała mu zbyt tanie jedzenie, whiskas, dajmy na to.

Wielkie łóżko, porządna stolarska robota z początku lat osiemdziesiątych, przypominało Ninel rozpostarte strony historycznego atlasu, pospieszne kartkowanie albumu z fotografiami mężów i kochanków. Dwie kołdry, dwie poduszki. Dwa małżeństwa, jeden syn. W tym łóżku spało wiele osób i przebiegało wiele granic. Wypowiadano wojny i je ignorowano. Godzono się i rozwodzono. Używano ciała na setki sposobów: jako broni, tarczy, piękna, jako miejsca, źródła, znaku.

Ninel ułożyła się z lewej strony, okutała kołdrą. Wyszorowany Norbert zajmie stronę prawą, tę od ściany, i uwije sobie kokon w drugiej kołdrze. Będziemy jak dwa jedwabniki, pomyślała z nużącą powtarzalnością, hodowane na płótno.

– *Dlaczego wolisz spać od ściany?*
– *Ściana się nie rusza.*
– *Pokój też się nie rusza.*
– *Ściana to ściana, a taki pokój to zawsze pokój.*

Norbert przyniósł dwie szklanki i butelkę wody mineralnej. Szklanki najzupełniej zbędne, praktyka pokazała, że nocne pragnienie gasili wprost z butelki. Ustawił je na stoliku, przesunął kilka razy, aż osiągnął satysfakcjonujący stan. Ninel zauważyła, że butelka i dwie szklanki zawsze układają się w literę L, rzut z góry, ruch konia na szachownicy.

Norbert wykonał swoje przesunięcia na stoliku nocnym, osiągnął pata czy szach-mata, zależnie od ambicji, i – oczywiście w piżamie – wczołgał się pod ścianę.

Nigdy nie widziała go w pełni nagiego. Zawsze jakiś sweter, zgaszone światło, slipki, siku, koszulka, pilny telefon, gazeta. Widywała Norberta odsłoniętego, nigdy obnażonego. Widywała rozebranie każdej części jego ciała: pach, uszu, bezwłosych wnętrz dziurek w nosie, penisa, pośladków. Widywała wszystko, każdziutki element człowieka opatrywany klauzulą TAJNE, INTYMNE lub 18+, mimo to nie potrafiła tych puzzli złożyć w prostokątną całość kadru. Weźmy ujęcie od tyłu. Wiele razy Ninel widziała pośladek z zapasem kadru na udo i korpus, widziała udo z zapasem na pośladek i łydkę, a także korpus z zapasem pośladka i szyi, a jednak obrazy te nie składały się w ciągłe ciało. To pewnie wina tych fragmentów naddanych, zachodzących na siebie z ujęcia na ujęcie. Pewnie nie widzę go w ciągłości ciała, ponieważ łatwiej by mi przyszło domalować niewidziane, niż wykluczyć nakładające się.

Norbert opatulił się kołdrą:

– Idziemy spać?

Chyba usłyszała napięcie w jego głosie, tę stłumioną kołdrą nutę erotyzmu i pożądania, tym razem idących w parze. Pierwszy mąż, przypomniała sobie Ninel, to pożądanie, drugi mąż – erotyzm. Skutek – dwa rozwody.

– Tak – odpowiedziała, gasząc światło.

Dlaczego on mi się przydarzył? Ten Norbert? Zastanawiała się, ponieważ nie chciała łykać stilnoksu, licząc na znużenie dniami spędzonymi w świecie greckiej mitologii, z Demeter.

Ponieważ chciałam, byłam gotowa, wypowiedziałam zaklęcie (metafizyka!) i naszykowałam miejsce. Poza tym on różni się od moich mężów i kochanków, tak jak ja różnię się od siebie sprzed dekad. Nie udajemy, że jesteśmy dla siebie stworzeni, jedyni i na zawsze. Tak ekscentryczna myśl nigdy pomiędzy nami nie powstała. Wiemy, że „jesteśmy", wiemy, że „teraz". Te dwa słowa, czy może stany, wykluczają całe bestiarium miłości rozciągniętej w narrację. Romeo i Julia, wyroiła Ninel przed snem, są kompletnie niesatysfakcjonujący. Oboje młodzi, piękni, inteligentni, bogaci. Rozdzieleni przez rodziny. Wzruszająca łatwizna, łatwa klisza, historia ucięta, nim zdołałaby się skomplikować i obrosnąć w dzikie mięso. Gdyby nie Romeo i Julia – myślała Ninel, bardziej już śniąc, niż jawiąc – nie powstałby kicz holocaustowy; nie nakręcono by *Listy Schindlera* i...

15.

Ciotka zarechotała niesamowicie i zapytała go, czy zna się na instalacjach wodno-kanalizacyjnych.

– Proszę?

– Wszystko spływa w dół, ale nie chce tam zostać.

Jonathan Franzen

Norbert przygotował śniadanie. Ninel spała. Odsypiała Łódź i matkę. Ponieważ nie umiał bezczynnie siedzieć, umył podłogę. Ponieważ umył podłogę, a Ninel nadal spała, umył okno w kuchni. Nie był fanatykiem czystości (jeśli już jakiejś był, to rasowej), wolał, co prawda, porządek od chaosu, hierarchię od anarchii, schabowego od sushi, nie przekładało się to jednak w łatwy sposób na jego konstrukcję psychologiczną.

Za najdalej dwie godziny Norbert musi wsiąść do samochodu i ruszyć do sobotnich obowiązków oraz - rykoszetem - przyjemności.

Wreszcie wstała. Pijąc mocną herbatę, zapytała:

– Co dziś robisz?

– Wiozę Maksa do klubu, potem odwożę.

– Ach, no tak. Zapomniałam.

– Może też się wybierzesz?

– Nie, dziękuję. Będę gnić w domu.

– Jak chcesz.

Wpadł do domu nakarmić złotą rybkę. Rybka wabiła się Azor. Za towarzystwo miała pojedynczą roślinę i domek z muszelek, funkcjonalnie - zatopioną budę. Azor tak się spasła, że już się nie mieściła w domku. Azor pływała na łańcuchu wielkiej szklanej kuli. Kula ta ukazywała stabilną i nudną przyszłość, złożoną z milionów okrążeń. Na wewnętrznych jej ściankach pojawiły się zielonkawe zmatowienia. To przypuszczalnie jakieś glony rosły i żyły. Norbert od wielu miesięcy obiecywał rybce dwie rzeczy: większy dom oraz sprzątaczkę, czyli - w środowisku nieodwołalnie mokrym - glonojada.

Norbert nie widział niczego niestosownego w określaniu każdej istoty sprzątającej, czy to na lądzie, czy poza nim - glonojadem lub ukrainką. Rasizm Norberta brał się z i odwoływał do wielkich polskich tradycji, zwanych niekiedy spuścizną lub okolicznością kulturową.

Okoliczność pierwsza to uboga polska małomiasteczkowość z niedouczonym i niechętnym światu proboszczem jako przedkopernikańskim punktem stałym, alfą etyki i omegą kołdry. Okoliczność ta uległa znacznemu osłabieniu po podłączeniu miasteczka czy wsi do Internetu, acz trzeba przyznać, że łatwiej do sieci przyłączyć, niż wmówione odmówić.

Okoliczność druga to tradycyjny stan lękowy towarzyszący pojęciom „polskość" i „patriotyzm". Somatyczne komponenty tego lęku przybierają formę: tężenia mięśni, niechęci do Ukraińców, kołatania i bólu serca, obawy przed Niemcami i Rosjanami, omdleń, pogardy dla Azjatów i Afrykanów, zawrotów głowy, smarkania na myśl o pejsach, a bywa i tak, że anusem ubocznie w skutku biegnie biegunka, tych pedałów to nigdy wcześniej w Polsce przecież nie było, ustalili ich na Okrągłym Stole.

Stan lękowy towarzyszący pojęciom „polskość" i „patriotyzm" można leczyć za pomocą podawania węgla, mocowania pampersów w lędźwiowych odcinkach chorego, lektury tabloidów, malujących świat w barwach obrzydliwszych niż rzeczywiste.

Powyższe okoliczności kulturowe (i inne również) wpłynęły na formę, jaką przybrał Norbert, przeprowadziwszy się z miasteczka do miasta, z małej wspólnoty do zatomizowanej metropolii, gdzie mógł sobie pozwolić na luksus bycia sobą: nie zawsze, lecz często. Luksus ten nie byłby mu dany, gdyby osiadł na ojcowiźnie. Wczesnodwudziestopierwszowieczne miasteczko lubelskie nie przewidywało w swoim rozkładzie toposów, toponimii i ról społecznych połączenia aktywnego geja z aktywnym katolikiem. Mógł zatem pozwolić sobie na luksus częstego bycia sobą, ponieważ zamieszkał w większym świecie, który nieszczególnie się nim interesował czy przejmował. I Norbert skorzystał z tej możliwości, choć po swojemu, wbrew poprawnościowym narracjom.

Przede wszystkim wierzył we wszystko, co się w niego wyuczyło za młodu. Wierzył w rzeczywistość hierarchiczną, wierzył w wyższość katolicyzmu nad innymi poganami, wierzył w wyższość Polaków nad innymi barbarzyńcami, wierzył w rodzinę jako wartość nad wartościami, w małżeństwo jako sakrament łączący mężczyznę i kobietę, w aborcję jako najkrótszą drogę do piekła, w przewagę aut niemieckich nad francuskimi.

– Jedz, Azor, jedz – powtórzył, dosypując karmy. – I pilnuj domu. Dobra rybka. Pan wróci późno.

Jechał, spieszył się, łamał przepisy, przeklinał. Zawsze, prowadząc, przeklinał. (No, chyba że obok siedzieli Ninel albo Patryk, syn Maksa. Albo Maria, Maksa żona). Zawsze znalazł powód, dziurę, kierunkowskaz nie z tej strony, korek nie po myśli, wypadek nie po drodze, za wysoką akcyzę na paliwo, babę za kółkiem; one chyba są jakieś inne, film nawet o tym nakręcono, podobno słaby, za to oparty na faktach.

Spóźnił się pięć minut, wbiegł na drugie piętro, pokonując po dwa stopnie naraz. Maks nigdy nie zamykał mieszkania. Norbert wpadł do środka, krzyknął od progu:

– Gotowy jesteś!? Ile mogę czekać!?

Praskie dwupokojowe mieszkanie służyło Maksowi za garderobę, składzik, szwalnię, scenę do prób i cudzysłów buduaru. Trzymał tu swoje suknie, plakaty, cekiny, kosmetyki, maszynę do szycia. Dziesiątki kartonów, każdy z nalepką podpisaną po wietnamsku, tworzyły atmosferę przechowalni bagażu, jakiegoś miejsca tymczasowego, dynamicznego, anonimowego, w którym można się przy sporej determinacji zatrzymać, ale nie sposób zadomowić.

– Kochany – odpowiedział z okolic łazienki. – Masz pudła z sukniami po prawo od dźwi. Źnieś do auta, zaraz będę gotowy. Nie źnoś pudła po lewo, bo tam śmieci! Ja w śmieci nie będę występował!

Norbert zgarnął dwa wielkie pudła i zszedł do auta. Już na dole upewnił się, czy w kartonach znajdowały się suknie na występ czy śmieci, albowiem Maksa „po prawo" często okazywało się Norbertowym „po lewo". Te wietnamce, pomyślał Norbert, mają coś nie w porządku z kierunkami, zupełnie zresztą jak kobiety z kierunkowskazami.

Zasiadł za kierownicą, włączył radio. Po kwadransie zobaczył w bocznym lusterku sylwetkę Maksa. Szczupły Azjata w dżinsach, koszuli i szarej marynarce, dźwigający sporą walizkę. Sylwetka była podpisana: Obiekty w lusterku są bliżej, niż się wydaje. Norbert czytał ten napis wielokrotnie. Nigdy się nad nim nie zastanawiał. Teraz jednak coś się otworzyło w Norbercie, jakaś dziwna, niepokojąca przestrzeń, w której wybuchło miejsce na skojarzenia obrazów i słów, jakich w stabilnych okolicznościach nigdy by nie połączył. Kierunki tu wyraźne, lecz nie ma dokąd uciec.

Widział maszerującego Maksa, widział czarne litery układające się na lusterku w znajome zdanie, przestraszył się. Momentalnie spociły mu się dłonie, ułożone na kierownicy.

Byli ze sobą od kilku lat. Wiele razy Norbert zrywał z Maksem lub chciał z nim zerwać. Z wielu powodów. Po pierwsze, chyba ciągle kochał Krzysia, a jeśliby i nie kochał, to echo zawiedzionej miłości nadal nie wydostało się z niego i nie wtłumiło w świat. Nadto niespełniona miłość okazała się tak wygodnym alibi na człowieka, że żal się z nią rozstać. Po drugie, kochał Ninel, potrzebował Ninel równie mocno, jak ona jego. Po trzecie, uważał, że przedstawiciele ras niebiałych są podróbkami ludzi, taką tańszą, wykonaną z gorszych materiałów wersją człowieka białego. Dlatego związek z Wietnamczykiem w oczywisty sposób go upokarzał. Kochał Maksa najmocniej, w chwili gdy Maks przestawał być Maksem i stawał się Kim Lee. Po czwarte, nie lubił gejów, gardził nimi, sami zboczeńcy i zwyrodnialcy, jacyś, kurwa, rewolucjoniści i lewacy do pracy, tfu!

Dobry Boże, a co, jeśli Maks jest znacznie bliżej, niż mi się wydaje?! Ten wietnamiec, z którym jestem tylko dlatego, że on ani jego żona, ani ich syn, ani dalsza rodzina by sobie beze mnie nie poradzili?!

Którędy przez te lata spędzone osobno i razem on się do mnie zbliżył i zakradł? Ten anonimowy człowiek w szarej marynarce, którego „cześć" czasem brzmi jak „deszcz"?

Maks dotarł do auta. Wrzucił walizkę do bagażnika, usiadł na przednim fotelu, zapiął pasy.

– Norbert dziś zły? Norbert ma dzień pogłębionej świadomości?

– Skąd ty się, człowieku, wziąłeś?

– Ja z Wietnamu. Piękny kraj, wspaniała kuchnia, całe polany w dźungli z napalmu.

Norbert ruszył. Wyjątkowo nie przeklinał innych uczestników ruchu drogowego. Starał się nie zerkać w boczne lusterko, chociaż w lusterku nie odbijał się Maks: w rzeczy samej był jeszcze bliżej, siedział obok.

Maks wiedział, kiedy milczeć, dlatego zazwyczaj gadał na okrągło. Gdyby nie milczał, nie pozwolono by mu wyjechać z Wietnamu do Polski na studia, ponad dwadzieścia lat temu. Gdyby nie milczał, Maria by się w nim nie zakochała, nie wyszłaby za niego, nie urodziła syna. Gdyby nie milczał, rodzice – sprowadził ich do Polski piętnaście lat temu – pogardzaliby nim. Gdyby nie umiał milczeć, jego życie skończyłoby się bolesnym rozczarowaniem albo po prostu skończyło. Dlatego mówił na okrągło. Ponieważ wiedział, kiedy milczeć.

Dotarli do klubu, weszli tylnym wejściem. Maks milczał przodem, za nim szedł objuczony Norbert, do garderoby, a właściwie klitki, oświetlonej gołą żarówką.

Norbert pomagał Maksowi przebrać się i umalować. Delikatnej budowy, bez wieku (na pytanie o wiek od lat odpowiadał: „trzydzieści osiem"), mąż i ojciec, przykładny, zintegrowany ze społeczeństwem obywatel wykluwał się jako zjawiskowo piękna kobieta, która przesadziła z makijażem i scenicznym strojem, co jednak nie psuło ostatecznego efektu, lecz (wręcz) dodawało jakiegoś pikantnego przedwojennego sznytu. Dlaczego „przedwojennego", Norbert nie wiedział.

– Dzie mam biust? Norbert, dzie mam biust?! Bez biustu wszystko na nić! Suknia klapnie!

To również był rytuał. Ten człowiek szukający biustu przestał już być zaradnym, uporządkowanym biznesmenem i mężem, poprawnie mówiącym po polsku, ale nie stał się jeszcze pewną siebie drag queen. Z jednej strony był Maksem, klatka piersiowa należała do Maksa, twarz jednak, wydobyta mocnym makijażem z przezroczystości, należała do Kim Lee. Gdzieniegdzie Maks zatrzymywał się w pół drogi do Kim Lee, na przykład nogi już w pończochach, choć bez szpilek i złotej bransoletki zapiętej nad kostką. Gdzie indziej Kim Lee osuwała się w Maksa: jej oszałamiająco umalowanej brokatowej twarzy nie wieńczyła peruka, krótkie czarne włosy ściągała siatka. W grze kontrastów gotowej do uśmiechów i przyjmowania hołdów twarzy z prawdziwymi, zepchniętymi na wstydliwy margines włosami było coś uderzającego i bolesnego.

Norbert przeczuwał, że w szczelinie pomiędzy Maksem a Kim Lee, gdy jeden człowiek przechodził w drugiego w sposób niepojęty, w klinie wbitym w postać Wietnamczyka, który to klin rozszczepiał ją na Maksa i Kim Lee, w tej szczelinie on był nareszcie prawdziwy. On, czyli nie Maks i nie Kim Lee. Norbert nie znał jego imienia. Nie znał imienia postaci, z której brali się Maks i Kim Lee, jego chłopak i mąż Marii, biznesmen i drag queen.

Ta postać bez imienia, to krótkotrwałe zaklinowanie w prawdzie, one były uderzające i bolesne. Norbert zawsze na nie czekał. Czuł, jak w nagle naelektryzowanej przestrzeni unoszą mu się włoski na skórze, czuł iskry przeskakujące, i to pomimo jego ciała, pozostającego przecież w swojej zwyczajnej nagości i gładkości, bez jednej rzęsy. Nie znał imienia swojego stanu ani imienia tej rzeczywistości, w której na chwilę dane mu było to, co posiada każda prawie osoba na co dzień – włosy reagujące na otoczenie, nieokaleczone ciało.

Czując niemożliwe i patrząc na postać, która za pół godziny stanie się Kim Lee, a teraz jest, po prostu trwa poza imieniem, ostrożnie usiłował – od kilku lat – opowiedzieć sobie, co się wydarza. Kiedyś przypuszczał, że to miłość, że ona się wydarza, że on przez kilka minut, najczęściej w weekendy (w tygodniu Maks nie bywał Kim Lee; nie bywał nawet Maksem, ale dostojnym Quang Anhiem, czyli Kuanem, Kuankiem dla żony i syna), kocha. Od niedawna jednak, odkąd poznał Ninel, wydawało mu się, że to nie jest takie proste, że to nie wyłącznie ona, ta miłość, się wydarza.

Dziś spróbował dopowiedzieć sobie coś istotnego do niej, do tej miłości, i rzeczywiście znalazł inny wymiar, skręcony wektor. Zdobył się na wysiłek nowego rozwiązania przestrzeni.

Zazdrość.

Zazdrościł tej postaci, że na kwadrans uwalnia się od Maksa, od Kuana i od Kim Lee, ale się ich nie wypiera. Że jest uderzająco i boleśnie prawdziwa, i może nawet nie zdaje sobie z tego sprawy. Skąd zresztą ten pęd do zdawania sobie sprawy? Ninel, tak, to ona. Jej wpływ, jej rady.

– Nie chciałeś nigdy złożyć siebie w jedno?
– Że co?
– No... różnych aspektów twojej osoby z naciskiem na te wykluczające się.
– Po co? Wyrosną mi od tego włosy?

– Nolbelt! Ci ty maś ucha!?
To był rytuał, zanim Maks stanie się Kim Lee, wszystko mu się będzie zawieruszało, ginęło, obrywało, on sam zaś będzie się niecierpliwił i złościł, a Norbert powinien mu zawieruszone przywrócić, zaginione dobić, oberwane doszyć. No i język – Maks potrafił mówić poprawnie, bez wietnamskiego zaśpiewu, kiedy jednak znajdował się na drodze do Kim Lee, wpadał w stereotypowe wyobrażenie lub sceniczną manierę, nakazującą unikać „r” i zmiękczać.
– Wystaje spod rudej peruki.
– Tu się pśed Kim schowało! Niegziećny biust! A fuj!
Norbert westchnął. Szczelina została przekroczona, zasypana. Maks mówi o sobie jako o Kim.
Po występie – Kim Lee wykonała pięć utworów Violetty Villas – odbyła się w garderobie, właściwie klitce, oświetlonej gołą żarówką, podróż w drugą stronę. Kim Lee stopniowo zrzucała z siebie egzotyczną piękność, z motyla redukowała się w gąsienicę, z jedwabiu w kokon. Podróż do Maksa nie wywoływała w Norbercie żywszych emocji, podobnie jak sprzątanie po imprezie nie wywołuje niczego szczególnego: ot, przywrócimy pomieszczenie do stanu sprzed, zirytujemy

się na zbity kieliszek i obrzyganą umywalkę, przebiegnie głową zakłopotanie, jeśli za bardzo sobie pofolgowaliśmy, albo zadowolenie, jeśli przyjęcie się udało.

Pudła z sukniami przeniósł do samochodu. Czekał, aż Maks zainkasuje honorarium, opuści klub i pozwoli odwieźć się do domu. Nigdy nie spędzili ze sobą nocy, to znaczy nie w Warszawie. Maks zawsze, niechby bladym świtem, wracał do domu. Miał żonę i dziecko, rodzinę, nie powinien spędzać nocy poza domem, jest odpowiedzialnym mężczyzną, tak to tłumaczył.

Norbert rozumiał, ba!, szanował jego decyzję i nigdy nie próbował jej podważyć. Rodzina jest najważniejsza, rodzina to podstawa. Widać Wietnam w pryncypiach nie różni się tak bardzo od cywilizowanych krajów, w których podstawą pożywienia są katolickie ziemniaki, a nie pogański ryż. Poza tym żona Maksa była Polką, z dobrego rzymskokatolickiego domu, co musiało odcisnąć na nim pozytywne piętno. Czy aby piętno nie jest czymś złym? Czy istnieje pozytywne piętno? Odkąd poznał Ninel, przestał ufać własnym słowom. Regularnie mu pokazywała, że mówił nie to, co chciał powiedzieć, ponieważ nie znał bądź mylił zakres pojęciowy używanych przez siebie słów.

Maks wsiadł do auta z kwaśną miną.
– Nie zapłacił ci?
– Zapłacił.
– To o co chodzi?
– Chcę poznać twoją kobietę.
– Co?
– Ninel. Ty znasz Marię. Ja nie znam Ninel. W ten sposób jest nierówno. W ten sposób dzieje mi się ksifda.

– Co ci się dzieje, Maks?

– Ksifda!

Norbert nie był pozbawiony poczucia humoru, nieraz bawiły go rzeczy mało oczywiste. Ksifda, pomyślał, to świetny kryptonim jakiejś operacji antyterrorystycznej albo nie, tak powinna nazywać się jakaś jednostka wojenna, ORP „Ksifda", fregata rakietowa tudzież okręt szpitalny.

– Przecież znasz ją. Dała ci nagrodę dla najlepszej polskiej drag queen. Potem byliśmy razem na imprezie u tego polityka. Nie pamiętasz?

– Nie. – Maks najwyraźniej się zaciął w uporze. – Ja znam Ninel Czeczot, postać publićna. Nie znam – kobieta prywatna.

– Weź, mów normalnie! To co niby ja mam zrobić?

– Poznać mnie z ją. Z Ninel.

Zatrzymał się przed domem Maksa, mimowolnie sprawdził, gdzie palą się światła. Maria już chyba spała. Światło paliło się w pokoju Patryka.

– Widzimy się jutro o szóstej – przypomniał Norbert. – Potrzebujesz, żeby ci coś zabrać z mieszkania na Pradze?

– Tak. Znajdź rękawiczki Marii, kolor czerwony. Jesień przyszła i Maria zacznie pytać, czemu ma marznąć, bo ma takiego męża i jej nie pasuje do jesionki? Dziękuję.

Maks wysiadł. Nie pocałował Norberta na pożegnanie. Gdy się poznali, Norbert tępił takie gesty, jak pocałunek przywitalny lub pożegnalny. (Jedynie dopuszczalny to pocałunek funeralny, bo jedyny). A już na pewno nie od mężczyzny, nie od Wietnamczyka. Teraz żałował. Teraz nikt nie widział. Teraz minęło kilka lat. Maks wysiadł i pomachał. Miał dobrą pamięć. Norbert został z samochodem wypełnionym kartonami z Kim Lee.

[Pewien lwowski profesor astrofizyk] na egzaminie potrafił zapytać, gdzie jest bitwa pod Grunwaldem, na co należało odpowiedzieć, że teraz, to pewnie mija Proxima Centauri, bo gdy się powiedziało, że w muzeum, to groził niedostateczny.

Ryszard Sawicki

Pojechał do swojego mieszkania. Ze skrzynki wyjął rachunki i reklamy. Dosypał karmy Azorowi. Nie wierzył informacjom z forum zoologicznego, że złote rybki umierają z przejedzenia. Złote rybki umierają, gdy ego ich właścicieli nie pozwala im spełnić życzeń. Na wszelki wypadek Norbert nie przedstawił dotąd Azorowi żadnych życzeń. Dobrze mu życzył.

Norbert nie potrzebował wiele snu. Nie spał dłużej niż cztery-pięć godzin. Oszacował, że jeśli położy się o czwartej, to wstanie wyspany o dziewiątej. Postanowił zamknąć księgowość z zeszłego miesiąca.

Maks był właścicielem sieci kilkunastu sklepów Dżan hoj. W jego sklepach, niby w dawnych geesach, sprzedawano mydło i powidło. Oferowano kadzidełka, fajki, farfocle, tkaniny, rzeźby, ubrania, meble, naczynia, a nawet – w chłodziarkach – produkty żywnościowe. Trudno określić tożsamość wystawionych na sprzedaż towarów. Takie coś rozpięte w pentagonie między Azją, Afryką, Aborygenami, Afazją a McDonald's. Mimo problemów z identyfikacją etniczną – na szczęście takie problemy, pomyślał, dopadają głównie Ninel, a nie normalnego klienta – sieć świetnie prosperowała. Maks wyczuwał siódmym czy ósmym zmysłem, kiedy skręcać w Azję, kiedy wykręcać na amiszów. Norbert nie był pewien, czy amiszowie to plemię północnoamerykańskie, spokrewnione z Apaczami, czy raczej seksualne przymierze antykatolickie skoligacone z mormonami. Tak czy tak, nowa seria produktów zapachowych na bazie goździka Amish Sex&Fetish cieszyła się ogromnym wzięciem. Sklepy prosperowały wybitnie, Norbert zaś odpowiadał za księgowość, po przyjacielsku i nieodpłatnie. Sumiennie wypełniał papierki i je składał w stosownych urzędach, sumy zaś, które jego przyjaciel zarabiał, nie robiły na nim większego wrażenia, ponieważ w banku zajmował się windykacją długów i dopiero te kwoty potrafiły go przerazić. Różnica między sukcesem a niewypłacalnością – wiedział z praktyki – to różnica rzędu wielkości.

Wklepał cyferki, zapisał Excela, doszła piąta na zegarze. Piąta. Matka wstała przygotować śniadanie. Ojciec udawał, że śpi, póki zapach kawy go oficjalnie nie obudzi. Ninel prawdopodobnie układała się do snu, chyba że wcześniej wybrała stilnox. Maks leniwie przeciągał się w łóżku, Maria już się budziła z listą najbliższych zadań: trzeba śniadanie naszykować, wysłać synka do szkoły, małżonka obudzić, dziś ma spotkanie ze sprzedawcami muszki hiszpańskiej czy innego mleczka kokosowego.

Norbert świetnie zdawał sobie sprawę z faktu, że świat bezproblemowo toczy się poza Norbertem. Że wstaje słońce, zachodzi, że na giełdzie hossa i bessa, że katolicy mają hosanna, że muzułmanie mają habibi, że żydzi mają swój holocaust, a wszyscy wspólnie bawią się w grę o nazwie Palestyna.

Czuł, że jest częścią świata oraz że jest częścią niekonieczną. Ponieważ czytał, czy też oglądał, komiksy o superbohaterach – Supermana, Hulka, Hellboya, Capitana Americę, Batmana – czasem przed snem wyobrażał sobie, że jego doskonała bezwłosość jest supermocą. Że nagle z talibów opadają brody do rosołu, że Lech Wałęsa gubi wąs, że Korze coś wyrasta nad górną wargą i ona nie jest z tego niedumna, że Bono z U2 przestaje być idiotą, ponieważ spotyka Sinéad O'Connor, że Benedykt XVI rozwiązuje wieloletni kontrakt Watykanu z firmą Gillette i zapuszcza coś na kształt owłosienia w – żeby nie drażnić teologów – okolicach krocza. Okolice te, dodajmy, są wyjęte z oceny kontrowersji, acz silnie obecne w kościelnej doktrynie.

Wskazówki zegara wskazywały kwadrans po piątej. Najwyższy czas na sen. Nastawił budzik i natychmiast zasnął. Zazwyczaj robił to, co zaplanował.

Odwożąc Maksa następnego wieczora, poczuł, że się rozchoruje. Chorował rzadko, za to intensywnie. Jego choroby przypominały wybuchy agresji czy wesołości, nagłe i – bywało – nie wiadomo czym sprowokowane.

– Maks – powiedział – jutro będę chory.

– Bardzo chory?

– Nie martw się. Księgowość skończyłem.

– Ja się nie martwię, ja troszczę.

Przed snem wysłał mejla do swego przełożonego. Wytłumaczył, że ze względu na nagłe problemy natury osobistej nie pojawi się w pracy przez dwa-trzy dni. Na każdą chorobę Norbert brał urlop. Wstydził się przyznać przed współpracownikami, że zdarza mu się chorować. Wystarczy, że dziwnie wygląda. Każdy rozsądny człowiek miarkuje siebie pracodawcom.

Rankiem – nieco się przebudziwszy – odniósł wrażenie, że jest pestką, korzeniem mandragory, umoszczonym w śliskiej łusce pomiędzy sobą a pościelą. Wszystko przesiąkło potem. Pościel i prześcieradło wypiorę, poduszkę i kołdrę wyrzucę. Są z Ikei. Co z materacem? Jest ciężki...

Szkoda, że nie ma Ninel. Ona wiedziałaby... wiedziałaby, dlaczego pomyślałem: mandragora. I kim ona jest, korzeniem czy cebulą o ludzkiej twarzy?

Zabrakło mu siły, żeby wstać. Chciał wstać, lecz wyślizgiwał się własnej woli, nie dalej jednak niż granica dopilnowana przez łóżko.

Nie mógł wstać, nie mógł zadzwonić.

Nawet zwykła grypa, pospolita wywrotka kajakiem w leniwym nurcie, stawała się w wypadku Norberta czymś na miarę zderzenia Titanica z lodową górą. Nie kajak, ale transatlantyk, czyli po prostu męski narcyzm plus megalomania, skomentowałaby Ninel Norbertowe porównanie, z odrobiną współczucia i podobną dozą niesmaku: i tak mamy więcej ludzi niż miejsc w szalupach ratunkowych.

Gdyby nie wstał teraz, wstanie za kilka dni, bardzo osłabiony, żeby błyskawicznie odzyskać siły w wybuchu witalności podobnym do tego, który mu odebrał siły. Lecz zanim – utkwił w pościeli niczym tłok w cylindrze.

– Patryk! – krzyknęła Maria. – Ojciec czeka! Do szkoły! Się spóźnisz!

– Mama, minuta! – dobiegł głos z góry.

Maria zbierała naczynia ze stołu i wstawiała je do zlewu. (Ta czerwona salaterka doprowadzała ją do szału). Energiczna, krótko ostrzyżone włosy, pofarbowane na premium blond, pełne usta, prosty nos, Jezus Chrystus w sercu, serce dwukomorowe. Nieco otyła, poruszała się z wdziękiem zasymilowanej w Europie afrykańskiej bogini: kroki stawiała ciężkie, gesty kreśliła skończone, humory cierpiała wyraźne.

Była dosadna, był w niej, w jej zachowaniu, pewien naddatek, który pokrywał mniej uchwytny dla obserwatora niedostatek i niepokój.

Marię opisywał pewien gest lub też natręctwo. Gdy opuszczała ręce wzdłuż ciała, w zgodzie z liniami grawitacji, mały palec zaginał się do środka i gładził wnętrze dłoni; rozmasowywał linie zmarszczek, z których chiromanci czytają przyszłość i prze-. Ten mały palec, zazwyczaj niewidzialny, próbował coś zmienić: wprowadzał interpunkcyjne poprawki do przeszłości lub korygował gramatykę zdań przyszłości. Był ruchliwy, lecz niewiele zdziałał – opuszek małego palca kontra płaszczyzny chiromancji.

Trudno opisać Marię.

Co to takiego Zotyje?
Zotyj był jeden. Już nie żyje.
Edward Gorey

Trudno.

Maria skończyła zbierać naczynia. Wahała się też nad niebieskim kubkiem, nie znosiła go od dwóch miesięcy.

Patryk zbiegł ze schodów.

– Lecę do samochodu, tata!

Odwróciła się od zlewu, od okna nad zlewem, wychodzącego na lepszą wersję teraźniejszości, na ogród i niskie ogrodzenie, za którym stał bliźniaczy dom i bliźniacze w nim okno, za którym z kolei mieszkała bliźniacza rodzina. No, pomyślała z żalem Maria, nieco normalniejsza rodzina od mojej, w końcu widywała męża sąsiadki w kościele, wyglądał on białoskóro, chociaż miał zrośnięte brwi; to się chyba zdarza na Uralu, gdzie Europa styka się z Azją, taki brak czystości rasowej nad czołem.

Patryk zgarnął ze stołu plastikowy pojemnik z kanapką i owocami, wrzucił go płynnym ruchem do plecaka i wybiegł z domu.

Kuan, jak co dzień ubrany w szarą marynarkę i białą koszulę, podchodził do żony. Całował ją w prawy policzek, nim wyszedł do pracy. Kuan zbliżał się, a ona poczuła, jak bezwiednie napinają się w niej mięśnie, nie wszystkie mięśnie, tylko te z prawego policzka. Dawno nic nie stłukła.

Kuan nie pocałował Marii.

Powiedział:

– Norbert jest chory.

– Dopiero teraz mi mówisz! Idź, idź już, bo mały spóźni się do szkoły.

Kuan posłusznie wyszedł. Maria odczekała aż do chrzęstu opon na grysowym podjeździe. Odjechali.

Może jeszcze zdąży kupić, poszła na bazarek. U przekupki, takiej prawdziwej, chytrej baby w kosztownej chustce z cepelii, kupiła wiejskie kurczę, ostatnie. Zdążyła przed innymi. (Kur nie było wiele). Cieszyła się, że ten tłusty kurczak z gęsią skórką należy do niej. Niosła go do domu z dumą. Na sekundę poczuła, że jest kobietą rozsądną i zaradną.

Ugotowała rosół. Receptura tradycyjna, polskonormatywna, przekazywana po kądzieli od czasów mniej więcej wyjścia ssaków na ląd wprost pod niemieckie karabiny. Drażniło ją, że w gotowaniu nie wolno jej pójść na skróty, wymówić się jakimś glutaminianem sodu, jakimś zawieszeniem broni, jakąś mikrofalówką. Gotowała cierpliwie, przecedzała, klarowała, klęła.

Spróbowała.

– Prawie jak u babci – oceniła.

Klucze! Klucze od mieszkania Norberta!

Mogła zadzwonić do męża, postanowiła jednak sama odszukać klucze. Znalazła je we własnej torebce, wizytowej; leżała na wierzchu. Widać Kuan ją pożyczył albo przymierzył, nie pytając, czy mu wolno. Z kluczami wypadła pomadka. Najpierw Maria się spięła, później przypomniała sobie zimę sprzed dwóch lat – to wtedy ją kupiła w kapryśnym odruchu, za karę dla Kuana; kosmicznie kosztowna marka, źle dobrany kolor. Do posmarowanych nią warg przylepiał się nawet wiatr.

Zapakowała troskliwie w reklamówki, co zamierzyła zapakować. Zadzwoniła po taksówkę. Z taksówek korzystała wyłącznie w sytuacjach ostatecznych: pogrzeby, wesela, wypadki, pierwsze komunie, lokalne armagedony.

Zapłaciła. Okropnie drogie są taksówki, pomyślała, to wręcz nieprzyzwoite; te ceny są zboczone nie mniej niż czasy.

Znała kod domofonu.

Otwarłszy drzwi, zawołała:

– To ja! Z rosołkiem!

– Jeśli będziesz potrzebowała pomocy, zaszczekaj jak pies.

– To głupie. Jeśli będę potrzebowała pomocy, zawołam „ratunku".

George R.R. Martin

Maria wiedziała, że jeśli Norbert rzeczywiście jest chory, nie odpowie. Wołała, ponieważ wydawało jej się, że tego wymaga grzeczność. Gdyby ktoś wszedł do jej domu nieumówiony, wolałaby, żeby zawołał. A w ogóle to wolałaby, żeby nie wchodził, najlepiej wyszedł przed wejściem.

Obok grzeczności istniała też przyczyna ogólnopoznawcza wołania u drzwi: Maria nie życzyła sobie dowiadywać się niczego nowego, wystarczało jej to, co wiedziała, a takie wołanie u progu mogło jej (im?) pomóc w niedowiadywaniu się niczego nowego, takie wołanie dawało Norbertowi czas na schowanie tego, co przed nią powinno pozostać schowane. Maria zresztą, tak na marginesie, umiała z wielkim taktem i takimż wdziękiem nie dostrzegać różnych rzeczy.

Taka na przykład paczka prezerwatyw. Paczka tkwiąca w kieszeni marynarki męża okazywała się znacznie łatwiejsza do przymknięcia okiem niż ta sama paczka leżąca obok portfela na stoliku, a przecież były one identyczne. Niemal identyczne.

Tylko głupi człowiek, bardzo głupi człowiek mówi o tym, co widzi, pomyślała. Mądry człowiek mówi, żeby nie widzieć.

– Rosołek! – wykrzyknęła raz jeszcze i postanowiła długo i dokładnie zdjąć płaszcz.

Jeżeli jest chory, będzie leżeć w sypialni. Pod tą wiedzą, niczym ości pod mięśniami, rozciągała się inna: jeżeli jest chory, nie zdołał niczego schować. Pokonała korytarz ostrożnie, jak gdyby ze strony białej ściany zagrażała jej jakaś niespodzianka, gotowa wyskoczyć, gdyby Maria straciła czujność. Czuła się niepewnie, chociaż znała to mieszkanie dość dobrze. W rzeczy samej rzeczy istotne – wiedziała – dzielą się na dwie kategorie. Kategoria pierwsza to te, na które można, a czasem trzeba przymknąć oko. Takie rzeczy Maria nawet lubiła, nie sprawiały one poważniejszych trudności w codziennym życiu. Kategoria druga to rzeczy, na które trzeba zamknąć dwoje oczu. Takich panicznie się bała, one były wbrew naturze. Nikt Marii nie przekona, że rzecz, która nie znika po zatrzaśnięciu powiek, jest czymś naturalnym i dobrym. Nieznikająca rzecz pochodzi od Szatana. Jest zła i przebiegła. Śni się pod snem.

Norbert leżał w sypialni, drzemał. Uderzyła ją woń potu. Ten pot był inny niż pot mężczyzny, nie zawierał hałaśliwej, cuchnącej nuty, która tak ją brzydziła, ale też nie przypominał potu dziecka. Jego partytura została oczyszczona z mlecznych tonów, zmiękczających serca i rozcinających twarze w uśmiechu. Pot Norberta nie pachniał. On raczej brzmiał, biegł do jej nozdrzy bez jakichkolwiek ozdobników czy kontekstów, skrzętnie omijając ryzykowne miejsca w Marii, czyli miejsca, gdzie w Marii i wbrew Marii powstawały niebezpieczne sieci skojarzeń. Nie znosiła skojarzeń. Skojarzenia są równie złe, jak rzeczy drugiej kategorii. Potrafią zepsuć najprzyjemniejszą chwilę: moment nieuwagi, jakaś piosenka, jakiś nieba kolor, jakaś pierdolona pora roku, i już – najprzyjemniejsza chwila wyślizgnęła się, lód pękł, wpadła w kompot śliwka.

Podeszła do łóżka i położyła dłoń na rozmoczonym i rozgorączkowanym czole Norberta.

– Moje biedactwo – tak o nim mówiła w czasie eksplozji jego chorób; biedactwo; rzeczownik rodzaju nijakiego, uniwersalny i rześki, ciut protekcjonalny, zwalniający z gier płci, lecz nie z sądów. – Biedactwo. Moje.

Otworzył nieprzytomnie oczy.

– Ninel? – wypowiedział imię bardzo niewyraźnie, tak niewyraźnie, że słuchacz zdołałby ten dźwięk połączyć z dowolnym dwusylabowym słowem; sylaby przeciągnięte, desygnat drżący, komizm sytuacyjny w pakiecie.

– Majaczysz. Zaraz odgrzeję rosół. Nie ruszaj się stąd.

Majestatyczny posąg, lśniący i gładki Norbert, siedział w łóżku, podparty kilkoma poduszkami, pocił się niby zmrożony metal przeniesiony do rozgrzanej kuźni, tylko bez tego głuchego stal o stal, bez tego monotonnego stuku-puku. Przysiadła obok. Wmuszała w niego rosół, łyżka po łyżce.

– Za mamę, za tatę – powiedziała, on się skrzywił. – No, to za mnie, za Kuana, za Patryka, za moją mamunię, za siostrę... – Na szczęście jej rodzina była równie rozległa jak zawał, wystarczyłaby na kocioł, a nie miseczkę rosołu. – Jutro przywiozę ci kotleciki ryżowe, takie jak lubisz.

Wmusiła w niego przed- (za stryja Gienka) oraz ostatnią łyżkę (za Biedactwo). Odstawiła naczynie na stolik.

– Dziękuję.

– Jutro będziesz jak nowy. Dobry tłusty rosół przywraca siły.

– Nie wiem, co bym zrobił. Bez ciebie.

Maria zamknęła jedno oko. Wiedziała, co Norbert by bez niej zrobił. Nic, po prostu by żył. Otwartym okiem, jego kątem zerknęła na niego: patrzył przed siebie, nie na nią. Mogła zamknąć drugą powiekę. Nie do końca wiedziała, co chce zamazać, czego nie chce zobaczyć, acz zaciśnięte powieki robiły jej dobrze na psychikę. Czuła wtedy, oślepiona na kilkanaście sekund, że złapała za ogon swoje strachy, uwięziła je w niedostrzeganiu niby w najpilniej strzeżonej celi.

Wpuściła na siatkówkę trochę światła. Niech gra. Niech się przewietrzy.

– Przywiozłam ci jeszcze schabowego. Poczekaj. Przyniosę.

W kuchni odwinęła kotlet z alufolii, pokroiła go na drobniutkie kęsy, namoczyła w mleku (gdzieniegdzie panierka się odkleiła) i wstawiła do mikrofalówki. Jesteś moim przyjacielem, pomyślała, ponieważ już raz przeszłam złą drogą. Nigdy więcej. Raz wystarczy. Ogłuchłam na prawe ucho.

Dawno, dawno temu, tak niewinnie brzmiał początek, za siedmioma religijnymi złudzeniami i tyloma socjologicznymi rzekami, za lasami bez ambon i ambonami bez księży i myśliwych – czyli kiedyś tam gdzieś w Warszawie sprzed pierwszej kompletnej linii metra – Maria posiadała męża, małego syna oraz szczęście. Mąż bywał dziwny. Nie umiała zdefiniować tej dziwności. Zarabiał pieniądze, chodził do pracy, wracał wieczorami, smakowały mu bigos i pierogi, całował dziecko i podrzucał je do góry z uśmiechem, kładł się i poruszał na Marii po zgaszeniu światła, a wcześniej – przed ślubem – został doprowadzony do przyzwoitego lokalnego standardu: ochrzczony, wybierzmowany i poddany oku sakramentów i cnót chrześcijańskich. Był, co prawda, dziwny, ale też był Wietnamczykiem, i Maria z radością schroniła się pod dachem schematu o nazwie: różnice kulturowe. On jest dziwny, bo nie jest z Polski, ma oczy wykrojone inaczej, włosy zbyt czarne, skórę tylko po ciemku identyczną, a imienia mojej teściowej nie umiem wymówić bez sajgonki w ustach, mimo to on jest moim mężem.

To pewnie z powodu tych różnic kulturowych i rasowych źle widziała. A widziała cień niebieskawego cienia na powiekach męża, migały jej przed oczyma błyszczyki do ust, zza paska u spodni wystawał brzeg koronkowych majtek.

Ach, uspokajała się z jednym okiem przymkniętym, drugim z kolei nerwowym i gotowym do nagłego odwrotu w głąb czaszki; ach, to tylko te różnice kulturowe! I czasowe również. (Kuan wracał do domu o dziwnych porach i nieraz bez alibi).

Małżeństwo toczyło się świetnie, równomiernie, z tendencją stale zwyżkową, niby Syzyf stale pod górę, choć bez złośliwych konotacji. Kuan przynosił do domu coraz więcej pieniędzy, a i dom raz na kilka lat powiększał się i przybliżał do zacnych dzielnic. Patryk rósł. Jej rozległa rodzina stopniowo godziła się z faktem, że Maria zbłądziła rasowo i poniekąd religijnie. Pieniądz osłabia poglądy i wrodzone czy nawykowe niechęci. Wiele dobrego da się powiedzieć o polskiej rodzinie katolickiej, aczkolwiek trzeba mocno w tym celu zacisnąć powieki, czasem też zęby.

Maria była naprawdę szczęśliwa. Wydawało jej się, że nie widzi wystarczająco, że powinna w szczęściu się utrzymać. Nie zamierzała wprowadzać w swoje małżeństwo niepotrzebnie przenikliwego wzroku ani arytmetyki grzechów.

Może i nie widziała dokładnie tyle, ile wymaga pozostanie w szczęściu, lecz – niestety – jakiś kutas wynalazł telefon.

Siedziała wtedy w salonie, Patryk dręczył jej matkę na weekendowym wyjeździe, mąż wyjechał do Wrocławia, w interesach. Korzystając z wolnego wieczoru, zamierzała poczytać album ze zdjęciami Ojca Świętego, a także tomik poezji księdza Twardowskiego. Maria w duchu nazywała księdza Twardowskiego księdzem biedronką. Bardzo lubiła biedronki, już od dziecka, urodziła się w lecie pełnym owadów.

Telefon brzmiał jak telefon. Nic jej nie ostrzegło, żaden omen, nomen, wewnętrzny głos. Podniosła słuchawkę, spodziewając się swojej matki albo Kuana. Nic jej nie przygotowało na niespodziankę. Od tamtego telefonu uważała, że niespodzianki powinny być karane z najwyższą surowością i bez zawieszenia. Przyzwoici ludzie nie robią ludziom niespodzianek. Jezus nigdy nikomu nie zrobił niespodzianki.

Coś wskrzesił, coś przemienił, lecz nigdy nie obciążył drugiego człowieka nieprzyjemną niespodzianką.

Nieznajomy głos opowiedział Marii, że jej mąż jest gejem, że miał romans na boku od wielu lat, że kocha przebierać się w damskie ciuszki i malować twarz. Maria słuchała. Po zarysie sytuacji nieznajomy głos uznał za stosowne dorzucić garść szczegółów. Maria słuchała. Odważyła się zabrać głos wyłącznie dlatego, że wyczerpywały się zasoby siły:

– Dlaczego pan mi to wszystko mówi?

– Żeby poznała pani prawdę.

– Nie. Dlaczego pan mi to wszystko mówi?

Po drugiej stronie zapadła długa cisza.

– On mnie rzucił. Po sześciu latach, skośny skurwysyn. Chcę... chcę mu zniszczyć życie. Przez panią jest najkrócej i... i najbardziej go zaboli...

– Dobranoc panu.

Odłożyła słuchawkę. Była zdumiona. Jej zdumienie nabrało rozmiaru piramidy i koloru pawiego ogona. Była zdumiona sobą. W trakcie rozmowy nie zachowywała się jak ona. Jak Maria, którą znała, w której mieszkała; ona przecież emocjonowała się najlżejszą plotką, bała się pięciominutowego spóźnienia, przejmowała do głębi losami bohaterów *Mody na sukces*, dygotała nad przypalonym kotletem, tymczasem Maria, która rozmawiała z nieznajomym, nie dość, że nie płakała, nie dość, że go wysłuchała, to jeszcze zdołała zadać pytanie i wymusić odpowiedź. Maria nie znała dotąd takiej Marii. Teraz ją poznała, lecz jej nie polubiła. A kysz!

W pawim, piramidalnym zdumieniu znalazło się również miejsce na jej męża. Gdyby zdradził ją z kobietą, wiedziałaby, jak zareagować. Odegrałaby swoją rolę w starożytnym spektaklu: zabrałaby Patryka, przeprowadziłaby się do matki, puściłaby w ruch prorodzinnych kurierów pochodzących z cywilizacji życia i poczekała na Canossę, na męża w pokutnej szacie, czołgającego się z zabudowań cywilizacji śmierci. Wszak teraz wytrącono Marię z roli, nie zagra postaci, do której zagrania podprogowo przygotowywano ją przez całe dotychczasowe życie.

Zrozumiała, w jak ciasnym świecie żyła. Jej świat nie przewidywał Wietnamczyków, nie rośli w nim homoseksualiści, a jeśli nawet, to na obrzeżach bezpiecznego niedomówienia. W jej świecie mężczyźni nie kupowali cieni do powiek ani lawendowych rękawiczek po łokieć. Poczuła się oszukana. Oszukana przez – w kolejności alfabetycznej – matkę, męża, religię, rodzinę, telefon, tradycję.

Drugą emocją, która do niej przyszła, była złość, przeradzająca się we wściekłość. Mełła przekleństwa pod nosem.

Trzeci przyleciał strach, zwabiony padliną zdumienia i wściekłości. Czwarta – rozpacz. Po niej – słabość. Po słabości – dekalog.

Już w pięć minut od rozmowy Maria stała się zawirusowanym programem, popsutym człowiekiem, rozbitą urną, losowo zmiennym IP. Przewalały się przez nią sprzeczności, czuła jednocześnie tyle, że owe wszechświaty nierównoległe i niekomplementarne rozrywały ją na drobne kawałeczki, króciutkie historie i hydrolizowane morały, odsądzone od czci i wiary. Bledła i purpurowiała niby szachownica albo jakaś ubrudzona narodowymi barwami wuzetka. Wreszcie do porządku – jakiego takiego – przywołała wszystkie tradycje psychologiczne i kulturowe zapiekła złość. Maria się wściekła. Ba!

Wściekłość uporządkowała jej świat na nowo. Maria podjęła pewne decyzje albo też pewne decyzje się w niej powzięły. Postanowiła niczego nie odgrywać, wzgardziła rolą zdradzonej żony. Postanowiła nikogo nie zadowalać: ani rodziny, która jęczałaby „trzeba było wyjść za Polaka", ani Kuana, który mieszałby „przepraszam" z „nie rozumiem", ani Boga, którego dekalog najwyraźniej okazał się za krótki i zbyt krótkowzroczny. Postanowiła, że ocali swój świat, ten ciasny i wygodny, i najzwyczajniej w świecie nie zgodzi się, żeby pewne sprawy do niej dotarły. Albo inaczej. Pewne rzeczy już do niej – niestety – dotarły. Ona się nie zgodzi, żeby one dotarły do niej po raz kolejny. Dlatego gdy Kuan kilka lat później zaczął przebąkiwać o nowym księgowym, bardzo sumiennym, imieniem Norbert, kazała mężowi zaprosić go na obiad. Nie chciała już słyszeć nieznajomych głosów w telefonie. Nie wtedy, gdy wolny wieczór zamierzała poświęcić czytaniu zdjęć Ojca Świętego lub wierszy księdza biedronki.

Zanim jednak powyższe się w niej ustało, dużo płakała i kompulsywnie milczała; opuściła nawet chrzciny kuzyna, wymawiając się zapaleniem płuc. Nosiła obrzmiałe powieki niby plastry wykrojone z polędwicy wołowej. Pilnowała się, żeby Kuan był dobrym ojcem, przynosił pieniądze do domu i przynajmniej raz w miesiącu się z nią kochał (wtedy wyobrażała sobie bohaterów *Mody na sukces*) oraz spędzał dużo czasu z Patrykiem, najlepiej w świetle dnia i przy jej osobistym nadzorze. Chrześcijaństwo na poziomie ambony nie odróżnia homoseksualizmu od pedofilii, podobnie jak nie odróżnia miłości od powinności.

Kiedyś w torbie męża zauważyła piękny niebiesko-złoty materiał. Wiedziała, że Kuan uszyje sobie suknię. Wspanialszą niż w serialu. Ten materiał ją zafascynował. Nie przypuszczała, że złoto łączy się z błękitem bez szwów. Kuan znalazł ją w półklęknięciu nad torbą.

– Nie zmarnuj tego połączenia kolorów – powiedziała. – Załóż czerwone rękawiczki. Na przykład.

– Schabowy gotowy! – wykrzyknęła.

Zaniosła talerz do sypialni Norberta. Wiedziała, że po rosole nie będzie głodny, wolała jednak, żeby jadł, niż mówił. Gdyby mówił w osłabieniu, mógłby powiedzieć coś, czego jej oko nie chciałoby widzieć, a ucho słyszeć.

WIEM, CO CZUJESZ

16.

Uśmiechnęli się do siebie obaj młodzi radośnie, obaj piękni,
choć odmiennego typu. Na Michale znać było kulturę miej-
ską i nerwowość rasy intelektualniejszej. Stanisław, o kilka lat
starszy, wyrósł, jak Bóg dał, w krainie tej od pierwotnego raju
mało jeszcze odmienionej.

Józef Weyssenhoff

Był w toalecie sam, mimo to wydawało mu się, że ktoś przy-
trzymywał go za włosy – jakaś przyjaciółka lub społeczna
norma – i nie pozwalał unieść głowy znad muszli klozetowej.
Wyrzygał, co zjadł i wypił, teraz wypluwał strzępki żółta-
wej śliny. Ciekła ona stalagmitami, czy też tym odwrotnym

czymś, stalaktytem. Była gęsta i lepka. Z pewnością hobbici wspięliby się po niej, żeby zniszczyć Pierścień.

Wyrzygał więcej, niż myślał, że nie ma.

Spuścił wodę.

Woda szumiała Sopotem. Luksusem przełamanym jodem znad taniego, północnego morza. Nigdy więcej, pomyślał. Albo alkohol, albo narkotyki. Nie wolno łączyć tego, co dobre, z tym, co dobre. To nieszczęścia chodzą parami, nie akcyza z dilerem.

Odczuł pilną potrzebę zwinięcia się w kulkę, przeistoczenia w pana jeża i ułożenia się w wannie. Już się przemieszczał w stronę białej niecki, monstrualnie powiększonej mydelniczki, gdy walenie w drzwi przypomniało mu, że niestety inni również uzurpują sobie prawo do muszli klozetowej oraz że – i to zabolało dotkliwiej – nie pójdzie do domu, ponieważ jest w domu.

Dokąd ludzie idą, gdy są w domu, a chcą trafić do domu? – zastanawiał się. Czy odpowiedzią jest hotel? Tara Scarlett O'Hary?

Walenie powtórzyło się.

– Chwila! – krzyknął.

– Szybko! – odpowiedział głos. – Bo ci nasikam do zlewu w kuchni!

Wyszorował zęby, żeby zmyć gorzki smak pawia. Opłukał twarz zimną wodą. Przezornie nie zerknął w lustro. Wytarł się i wyszedł z łazienki, zapamiętując, żeby jutro koniecznie polać kuchenny zlew domestosem.

Część gości już się ulotniła, naliczył ze dwanaście osób, najwyżej połowę znał z imienia. Zastanawiał się, czy łatwiej wyprasza się nieznajomych, czy znajomych. Obcemu chłopakowi podłoga uciekła spod stóp, zatoczył się; nim upadł, Andrzej go złapał i powiedział na próbę:

– Nie znam cię. Chciałbym, żebyś już sobie wyszedł.

– Tak. Tylko mnie puść, koleś.

Andrzej spełnił prośbę nieznajomego, ten jednak nie wyszedł: postawił kilka chwiejnych kroków i na korytarzu wdał się w braterskie poklepywanie po plecach z innym, równie chwiejnym chłopakiem.

Andrzej nigdy wcześniej nie widział, aby dwóch chłopaków poklepywało się po plecach przez pięć minut. Dziwna jest ta współczesna młodzież, pomyślał, to na pewno przez Facebooka.

– Co robisz? – zapytała Maja.

– Czekam.

– Na co?

– Aż wszyscy sobie pójdą.

Maja podążyła po linii Andrzejowego wzroku.

– Chłopcy klepią się po plecach – oznajmiła. – To w tym sezonie obowiązujący sposób wyrażania emocji?

– Obstawiałbym łagodne upośledzenie. Jak byś je nazwała?

– Hmm... uprzejmy zespół kompulsywnej protekcjonalności? Chciałabym mieć ten zespół. Chyba nie jest groźny i wygląda na tani w leczeniu.

– Jestem zmęczony. Mogę cię przytulić?

– Chcesz się mnie przytrzymać? Proszę bardzo.

Andrzej objął Maję. Wtulił się w nią, choć ona była mniejsza. Tak, tego potrzebował. Dotyku znajomego, przyjaznego ciała. Nie dotykał ani nie obejmował nikogo od wielu tygodni. Ostatni był Krzyś. W piątek, dawno temu, tutaj.

Pomysł na zorganizowanie imprezy wyszedł od Mai. Namawiała Andrzeja tak długo, aż skapitulował.

– *Zobaczysz, poprawią nam się humory. Zgódź się!*
– *Powtarzam ci: ja nie lubię imprez. Nie lubię, gdy wielu ludzi gromadzi się w jednym miejscu. Jakbym chciał takie coś oglądać, tobym jeździł do pracy metrem.*
– *Tu nie chodzi o lubienie. Ponieważ wyczerpały mi się argumenty, powiem wprost: zróbmy tę imprezę i już!*
– *Dlaczego u mnie, a nie u ciebie?*
– *Bo mam nastoletniego syna, który jest punkiem. On straci do mnie szacunek, jeśli zobaczy, że koleguję się z zamożnymi, białymi, czystymi ludźmi, których nie dotknął kryzys finansowy, dzięki czemu mogą solidaryzować się ze społecznie wykluczonymi. Z ludźmi, którzy szanują własność intelektualną i nigdy nie ściągnęli żadnego filmu ani nawet piosenki bez uprzedniego uiszczenia opłaty. Z ludźmi, którzy uważają, że w szczególnych okolicznościach wolno jeść rybę nożem.*
– *I tych okropnych ludzi chcesz zaprosić do mnie?*
– *Uff! Cieszę się, że wreszcie to do ciebie dotarło. Już się bałam, że będę musiała ci wszystko narysować.*

Gdy Krzyś nabrał wody w usta, nie dzwonił już ani nie odbierał, niewykonanych zresztą, telefonów od Andrzeja, i gdy mąż Mai, Szymon, wyjechał na roczne stypendium naukowe do Berlina („Uciekł ode mnie, woli swoje pierdolone języki mlaskane, ciemnoskóre grupy cium-kam rodziny mniam-mniam; mówiłam mu, chcesz opanować wreszcie jakiś przydatny język, to naucz się mnie rozumieć"), Maja i Andrzej zaczęli regularnie się spotykać. Pewnie przyjaźń to przesadzone słowo, coś jednak pomiędzy nimi wydarzyło się lub raczej wydarzało.

Na pierwszy rzut oka wydawali się nieinteresująco niedobrani: homo i hetero, on schludny, ona bałaganiara, on stroniący od innych, ona dusza towarzystwa, on milczący, ona przerażona ciszą; ona ekstrawertyczna, on intro-, ona sinusoidalna w emocjach, on płaski niby linia pulsu po zgonie, ona błyskotliwa, on uważał, że błyskotliwość to tylko cecha klasowo zróżnicowanego społeczeństwa.

Dawało się zauważyć także podobieństwa: oboje ubierali się dobrze i dość drogo, dużo czytali, oglądali i bywali, uważali, że świat może być lepszym miejscem, niż jest, skłaniali się płacić wyższe podatki, pod warunkiem że państwo zajmie się transferem środków i szans do ludzi, którzy mieli pecha i urodzili się w obszarze leżącym poniżej pensji minimalnej lub obok Łodzi. Nie wierzyli w ZUS, PKP i Dekalog. Uważali, że sojusz kibola z komorą gazową jest równie zabójczy, jak sojusz narodu z religią. Dostrzegali potęgę paradoksów: należy chronić ludzkie życie za wszelką cenę, a równocześnie taka fetyszyzacja ludzkiego życia zabija aborcję, eutanazję i eugenikę, trzy autostrady do rzymskokatolickiego piekła.

Maja i Andrzej nie byli swoją drugą połówką jabłka, nie byli przyciągającymi się przeciwieństwami ani własnymi bratnimi duszami – żadna z tych klisz nie została wyświetlona.

Znali się od lat, nigdy, co prawda, nie wykroczyli poza rytuały „dobrych dalekich znajomych", niemniej wieloletnia (nie)zażyłość gwarantowała pewien szczególny rodzaj bezpieczeństwa i anegdotycznej w najgorszym razie niedyskrecji.

Na początku wydawali się niemal ostentacyjnie niezainteresowani i zmęczeni sobą, każde z nich nosiło w głowie kolorowankę na temat drugiej osoby: według niego afektowana histeryczka, według niej nabzdyczona ciota.

Gdy zaczęli się regularnie spotykać, odkryli, że kolorowanki pora wyrzucić do kosza. On nie był nabzdyczony, ona nie była histeryczką. Ona nie była afektowana, on nie ciota.

Przełom – jeśli wolno użyć tak spiczastego słowa – nastąpił, gdy Andrzej zaczął słuchać Mai. Wszyscy jej słuchali, aczkolwiek słuchali obok. Wszyscy zastanawiali się, co ona chce powiedzieć, kiedy mówi te liczne słowa nie na temat. Nikomu nie przeszło przez myśl, że ona chce powiedzieć dokładnie to, co mówi, a nie – że jej słowa są czary-mary parawanem, za którym leżą Treść i Prawda. Andrzej był bodaj drugim mężczyzną, który zrozumiał, że przede wszystkim Maja mówi, co mówi, a dopiero w tle i kontekście jej słowa, jak wszystkie słowa, skaczą pomiędzy znaczeniami niby ryba w przeręblu; pierwszy był kiedyś Szymon.

– Sięganie do szpiku – powiedziała kiedyś Maja – jest niegrzeczne i nawet białaczka tego nie usprawiedliwia. Ignoruje się skórę, mięśnie, całą drogę do odpowiedzi, która ostatecznie okazuje się jedynie martwym spiekiem z wapnia i węgla; wolisz truskawki czy jagody, bo ja najbardziej wiśnie?

Kiedy Andrzej zaczął rozumieć, że Maja mówi dokładnie to, co mówi, zrobiła po swojej stronie dla niego miejsce. Andrzej odważył się do niej mówić, wcześniej mówił tylko do Krzysia. Andrzej nie przypuszczał, że to, co ma do powiedzenia, może zainteresować osobę, z którą nie uprawia miłości ani której nie pożąda. Pożądanie to taki wygodny nawyk myślowy, uznał, za jednym zamachem rozwiązuje wiele problemów, na przykład niechęć do budowania zdań.

Tak czy tak, owak i wspak, coś wydarzało się pomiędzy Mają i Andrzejem, jakiś totem ze słów i śliny, chochoł, jakaś akceptacja i rezygnacja. Jakaś – przesadźmy ostrożnie słowo – przyjaźń. Więź. Węzeł.

Andrzej obejmował Maję. On się w nią wtapiał, opierał niby skrzynki z owocami o stragan. On zmęczony, ona gotowa pełnić obowiązki gospodyni po ostatnią butelkę, ścieżkę i buch. Od miesięcy nie trzymał w ramionach znajomego, przyjaznego i – taka jest cena przyjaźni – w pewien sposób obojętnego ciała.

Wciągał jej zapach. Jej zapach tańczył. Tańczyły apteka, perfumy, blond cień farby do włosów, dym papierosowy, alkohol, kwadranse, rozmowy telefoniczne i komunały z opiniotwórczej prasy – te wszystkie „z najwyższym niepokojem", „jest rzeczą godną potępienia", „z całą stanowczością".

Nie skalkulował ryzyka, kolumn ma i nie ma, po prostu przesunął brodę i pocałował Maję za uchem. Za mało. Och! Mam nie tylko wargi, też język! Początkowo poddawała się pieszczotom Andrzeja w milczeniu, potem go odsunęła bezceremonialnie.

– Czego chcesz?

– Chcę posprzątać mieszkanie. Chcę, żeby oni wszyscy zniknęli. Połowy z nich nie znam – poskarżył się. – Jestem zmęczony. Rzygałem.

Zdecydowanym krokiem podeszła do stacji dokującej ipoda, wyłączyła muzykę, zaklaskała w dłonie. Niemal krzyknęła:

– Koniec imprezy! Wszyscy do domu albo do – spojrzała na poklepujących się nadal po plecach chłopców – poprawczaka! Skądkolwiek wypełzliście, wracajcie pod swój kamień!

Nie minął kwadrans, a mieszkanie opustoszało.

– Chyba muszę ci podziękować – powiedział.

– W jaki sposób? Mogłabym być szczera? Mógłbyś mnie przelecieć. Mówię to, ponieważ wiem, że nie możesz. Zabawne, chociaż to mnie nie bawi.

– Po co mówisz takie rzeczy?

– Czasem potrzebuję komuś zadać ból – rozejrzała się po pokoju – i nie widzę nikogo innego. Padło na ciebie. Nie należało wypraszać gości.

– Liczyłem, że przyjdzie Krzyś.

– Kiedy go zapraszałam SMS-em, wydawało mi się, że przyjdzie. Naprawdę. Tak dokładnie, dokładniuśko czułam, że przyjdzie, jakby Krzyś był moim synem. No bo – spojrzała surowo na Andrzeja – ty tego nie wiesz, ale matki czują inaczej. Matki są maszynami do precyzyjnego czucia i obliczania prawdopodobieństwa zdarzeń. Chociaż z drugiej strony – Maja roześmiała się – nie wiem, czy SMS został wysłany. U mnie w telefonie się nie odznacza.

– Muszę się położyć.

– Położę się z tobą. Dziś nie będę spać sama. Zwróciłeś uwagę, że nie zapytałam cię o zdanie?

– Zwróciłem.

– Bystry chłopiec.

Śniło mu się, że jego mieszkanie przypomina chlew. Sprzątał i sprzątał, lecz ciągle coś wymagało interwencji szmaty i detergentu. We śnie czuł się szczęśliwy. Gonił koty kurzu. Liczył sobie niespełna osiemnaście lat. Wierzył, że ma przed sobą cały świat do wysprzątania.

Sen płynnie przeszedł w jawę. Maja oddychała obok z cudowną miarowością, każde zaczerpnięcie powietrza przypominało malutki łyczek soku pomarańczowego, wypijany w upał. Wstając, ściągnął z niej kołdrę. Wtedy zauważył, że jest naga. Nigdy nie widział nagiej kobiety. To znaczy widywał nagie kobiety w filmach, w Internecie, a także – gdy studiował medycynę – w prosektorium. Widywał też kilkuletnie kuzynki, baraszkujące na trawie podczas rodzinnych zjazdów, one jednak dopiero musiały pokonać długą, mozolną drogę do kobiecości, autostradę, na której czyhały śmiertelne choroby, wypadki samochodowe, religie i ustawodawstwo państwowe; one się nie liczyły. Nagość dorosłej kobiety – dotąd się z nią nie zetknął, nie naocznie.

Kobiece ciało nie wzbudzało w nim pożądania. Umiałby ocenić, czy jakaś kobieta jest piękna, czy szkaradna, znał antyczne posągi, znał obrazy Rubensa, znał bieżące e-kanony piękna – bardzo, notabene, inspirowane mumią, ruchomy szkielet pociągnięty skąpo skórą i animowany minimalną ilością kalorii – mimo to nigdy nie oceniał piękna kobiecego ciała, ponieważ nie pożądał kobiet. Uważał, że o pięknie wolno uczciwie mówić jedynie przez pryzmat pożądania. Andrzej pożądał (czasem) mężczyzn, przedmiotów, krajobrazów. Dlatego – zapytany – stwierdziłby, iż ten mężczyzna, to krzesło, ta dolina są piękni (lub brzydcy). Gdyby powiedział, że ta kobieta jest piękna, przemawiałyby przez niego wzorce i sądy, lecz nie on sam. Piękno, przynajmniej w okolicach czterdziestki, Andrzej przekonał się o tym na własnym przykładzie, definiuje się w kontekście pożądania. Albo posiadania. Piękno jako paralaksa własności.

Nagie kobiece ciało wprawiało go w niepokój, wydawało się opresyjne. Żył w heteromatriksie, domagającym się, ażeby kobiecość doprowadzała do szaleństwa zmysłów lub choćby wzwodu. Nagie kobiece ciało było wiadomością, której nie czytał, tak jak na przykład nigdy nie czytał rubryk poświęconych sportowi; było listem w butelce, wyrzuconym przez fale na brzeg, gdy szansa na ratunek przepadła ze sto razy.

Patrzył na Maję, zdumiony. Przykrył jej ciało troskliwie kołdrą, nie odwracając wzroku.

17.

*Tymczasem psy wystawiły znowu stado pardw, jedno i natych-
miast drugie. Koguty – gargatuny uszły cało, ale siedem młodych legło od strzałów.*

Józef Weyssenhoff

– Maju, jesteś najwspanialszą osobą na świecie.
   – Przepraszam, mówiła pani coś?
   Dopiero teraz Maja uświadomiła sobie, że przeszła
z trybu bezdźwięcznej mantry w tryb dźwiękowy. Zawstydziła się i zarumieniła. Nie wstydziła się mówienia na głos.
Wariatki jeżdżące komunikacją miejską i plotące Bogu a mu-
zom nie robiły na niej negatywnego wrażenia. Im chociaż

o coś chodziło, prędzej milczący pasażerowie powinni się wstydzić. Zawstydziła ją jednak treść wypowiedzianych słów. Chyba ze względów bezpieczeństwa i przez wzgląd na godność własną muszę zmienić mantrę na coś mniej osobistego. Zastanawiała się nad neutralnymi z punktu widzenia ego „pan się nie pcha" i „bilety do kontroli"; zamierzała wypróbować pierwszą pozycję, chociaż nie liczyła, że okaże się ona równie skuteczna w poprawianiu humoru, jak „Maju, jesteś najwspanialszą osobą na świecie".

Nie zdążyła powtórzyć nawet dwakroć nowej terapeutycznej frazy, gdy głos wrócił:

– Słyszałem wyraźnie. Pani coś mówiła.

Poddała się. Podniosła wzrok, aby namierzyć denerwujące, gadające źródło. Niczego się nie spodziewała – może tranzystora – najbardziej jednak nie spodziewała się tego, co zobaczyła. Stał przed nią barczysty mężczyzna, około trzydziestoletni; starannie nażelowane włosy z przedziałkiem z prawej strony, regularne rysy twarzy, skóra bez jednej niedoskonałości, kurzajki czy krosty, gładko ogolone policzki, linia zarostu wyraźna niby granica tolerancji Watykanu dla uznania kobiet za istoty równe mężczyznom. Pod rozpiętym szarym płaszczem nosił idealnie białą koszulę. Nie sprawdziła, jakie miał spodnie, gdyż obawiała się opuścić wzrok – pewnie wyglądałoby to, jakby postanowiła zlustrować mu krocze, jakby zaliczała się w poczet istot wygłodniałych seksualnie; a nawet gdyby wyglądało to zupełnie inaczej, Maja już pomyślała, że wyglądałoby właśnie tak, stąd też całą siłę woli skupiła na utrzymaniu szyi prosto.

Chciała, patrząc nieznajomemu prosto w oczy, zapytać, jakie nosi spodnie, z przyczyn bowiem od niej samej niezależnych i półobiektywnych nie jest w stanie tego stwierdzić samodzielnie i naocznie. Na szczęście zmilczała to. Mężczyzna prezentował się zbyt szczegółowo, czysto i porządnie, jak na gust Mai został wykonany z przesadną, irytującą dokładnością. Oto stał przed nią Przykładny Syn Wspaniałych Rodziców.

Przebiegł ją dreszcz niepokoju: ówże mężczyzna wychował się w patologicznej rodzinie, każdego ranka sadystyczna matka układała mu włosy i rozkazywała nosić ubranie wprost ze swego koszmarnego, modowo spóźnionego o wiek marzenia o doskonałym dziecku, natomiast ojciec, Pan Sztywny Kij, co rano powtarzał: „Pamiętaj, synu, gdy mówisz, zawsze patrz rozmówcy prosto w oczy".

Wyobraźnia Mai rozkręcała się. Widziała, jak mister Proper siedzi za stołem, dojadając obiad; na talerzu tak czystym, jakby niczego na nim nie podano, pozostało jedno jedyne zielone ziarnko grochu. Każdy normalny człowiek uganiałby się widelcem za tym ziarenkiem przez kwadrans, lecz nie pan Dokładnie Wykonany. On jednym precyzyjnym gestem nadział groch na widelec. Widelec uniósł do ust. Maja bała się coraz silniej. Nie padał na nią cień wątpliwości – oto stoi oko w oko z kimś śmiertelnie niebezpiecznym, barrakudą i brunetem. Za wszelką cenę musiała przywołać jakiś przyjemny kontrwizerunek. Pomyślała o swoim synu, o jego irokezie, nonszalanckim stosunku do wody i mydła, jednak obraz syna tylko pogorszył stan Mai. Przeraziła się, że jej ukochany Bruno mógłby kiedyś spotkać tę Bestię w śnieżnym kołnierzyku, że mógłby się zarazić, zgolić irokeza i zaczesać włosy z przedziałkiem. Dobry Boże, błagam, nie Bruno! Powinnam była wziąć taksówkę.

– Powinnam była wziąć taksówkę.

– Słucham?

– W autobusie spotyka się okropnych ludzi.

– Ma pani na myśli na przykład mnie?

– Zaraz będzie przystanek na żądanie – głos jej zadrżał, obniżył się. – Żądam, żeby pan wysiadł.

Uśmiechnął się.

– Wydaje mi się, że moja matka bardzo by panią polubiła.

– Jestem kiepska w matkach. Obawiam się, że nie odwzajemniłabym uczuć pańskiej matki.

Chciała dodać: „koniec końców wyhodowała potwora", jednak zdołała się powstrzymać. Ten drobny sukces – nie zawsze Mai udawało się nie powiedzieć tego, czego mówić nie zamierzała – dodał jej otuchy. Autobus był zatłoczony, nic jej nie groziło, najwyżej złapie grzybicę albo grypę od współpasażerów; gwałt z listy zagrożeń należało wykreślić z ogromną dozą prawdopodobieństwa. Sytuacja przedstawia się niekomfortowo i następująco: rozmawia z grzecznym, wstrząsająco czystym, wysokiej jakości mężczyzną, wybudowanym w manierze hiperrealistycznej.

– Nie musi pan wysiadać na najbliższym przystanku – stwierdziła pojednawczo po bardzo długiej chwili. – Może pan wysiąść, kiedy chce.

Skłonił lekko głowę. Chrząknął niczym człowiek zakłopotany.

– Bardzo chciałbym panią bliżej poznać. Przyznaję, że zrobiła pani na mnie spore wrażenie.

Spojrzała na niego inaczej. Fakt, że okazał jej zainteresowanie, pozwolił Mai ocenić go powtórnie, z większą dozą sympatii lub mniejszą antypatii. Uznała, że dałoby się go trochę przybrudzić, potargać włosy, zasadzić na policzkach ze trzy krosty i zacząłby przypominać inne małpy naczelne.

Mogłaby go nawet zabrać do klubu. Prawdopodobnie nie jest psychopatą, ale tylko osobą opóźnioną umysłowo, cywilizacyjnie lub higienicznie.

– Czy w powstaniu listopadowym, z którego najwyraźniej pan przyjechał, uchodziło podrywać nieznajome panny w środkach komunikacji zbiorowej?

Podczas gdy on zastanawiał się nad odpowiedzią, ona wyobraziła sobie, że pan Sikam Wodą Źródlaną Lekko Gazowaną uzbrojony został w młodsze rodzeństwo. Że cały miot zasiada do stołu i na komendę nabija ziarnko grochu na widelec. Scena wydała się Mai tak rozczulająco komiczna, że nawet nie próbowała ukryć uśmiechu.

– Nie potrafię – przyznał z powagą – wymyślić żadnej inteligentnej i dowcipnej odpowiedzi.

– Ja mam odwrotnie. Inteligentne odpowiedzi przychodzą mi z łatwością. Cóż z tego, skoro nie chce mi się wcześniej wysłuchać pytania!

– Proszę mi pozwolić zaprosić się na kolację.

Maję ogarniało coraz większe zainteresowanie nieznajomym, a zwłaszcza jego nieskazitelnym wyglądem. Czuła się i jak archeolog, i jak pracownik sanepidu, i jak biolog, który odkrył pozaziemską formę życia. Czuła się niczym wynalazca teflonu. Najczystszej substancji na ziemi; no, może ex aequo z hostią.

– Czy pan się poci?

– Hmm. Tak, teraz na przykład, ze zdenerwowania, pocą mi się dłonie. Wnętrze dłoni.

– Czy pan...

– Odpowiem na wszystkie pani pytania pod warunkiem, że się spotkamy.

– Dobrze. W publicznym, dobrze oświetlonym miejscu. Czy pan miewa katar? Taki ze smarkami?

– Zaraz wysiadam, mój przystanek. Proszę podać mi swój numer telefonu.

Maja podyktowała, on zaś z bardzo schludnego, skórzanego portfela wydostał wizytówkę.

– Zadzwonię jutro. A to na wszelki wypadek. Do zobaczenia.

On wysiadł, ona za nim nie spojrzała. Nie wiedziała, co zabolałoby ją bardziej: gdyby stał i patrzył, czy też odwrócił się i pomaszerował w swoim kierunku. Maja nie lubiła patrzeć, gdy nie wiedziała, co chce zobaczyć. Takie niezdefiniowane z góry patrzenie bywało bardzo ryzykowne i wcale nie miała na myśli zapalenia spojówek.

Szumiało jej w głowie, i to nie delikatnymi bąbelkami w szampanie, lecz czymś mocniejszym, zdecydowanie hydraulicznym. Na porównanie nadałoby się przetykanie jacuzzi. Bulb-bulb-bulb. Pilnie oddam hydraulika, pomyślała, który siedzi mi pod czaszką.

Rozmowa w autobusie wydawała się jej raz kompletnie niewiarygodną pochodną antydepresantów, raz czymś żenującym, jak gdyby próbowała podszyć się pod nastolatkę, którą od lat nie była. Przewijana w kółko, rozpoczynająca się zawsze niezręcznym prologiem (Maju, jesteś najwspanialszą osobą na świecie), pobrzmiewała rozpaczliwą pretensjonalnością. Ludziom prawdziwie inteligentnym i dobrze wychowanym nie wypada wypowiadać zdań wprost zaświadczających o inteligencji i dobrym wychowaniu. Ludzie inteligentni i towarzysko obyci wybraliby jakiś kurtuazyjny temat. Pogoda. Podwyższenie wieku emerytalnego. Katastrofa kolejowa. Liczba ofiar.

Kurwa, kurwa, kurwa, myślała Maja, nienawidzę, nienawidzę, kiedy wchodzę w rolę wrażliwej, zdziwionej światem, lekko odklejonej, błyskotliwej, czarującej, tajemniczej kobiety. Nienawidzę tej pizdy, nienawidzę jej w sobie. To ona zmarnowała mi życie. A jednak, kontynuowała z zimnym podziwem, to kurwisko we mnie jest odporne na farmakologię. Nie upija się w sztok, kokaina jej nie przytępia. Ona jest jak... jak jakaś mniejszość we mnie, która zdominowała większość. Bladź jest chytra. Wie, że zawsze staję po stronie mniejszości. Z przekory i z przekonań.

Złość podeszła jej pod gardło i Mai poleciało kilka łez. Zacisnęła zęby; zobaczysz, pogroziła własnemu wnętrzu, jutro nie wypowiem ani jednego zdania, ani jednego, które świadczyłoby o tym, że noszę osobowość. Ani e-, zero inha-.

W domu przygotowała szybki obiad: makaron z pesto. Zjadła wspólnie z synem. Z trudem ukrywała radość z jego irokeza, z poplamionej keczupem i niezmienianej od kilku dni koszulki. Rozpierała ją duma, że syn nie przypominał precyzyjnie wyregulowanego mechanizmu, że makaron spadł mu z widelca na podłogę (gdzie został pochłonięty przez Sławoja).

Gdyby to od niej zależało, wolałaby, żeby był mniej piękny. Już gdy się urodził, gdy po raz pierwszy w szpitalu wzięła go na ręce, widziała, że Bruno jest piękny. Widziała wianuszek pedofilów, wianuszek nastolatek i nastolatków, łamiących mu serce. (Wolała nie wyobrażać sobie innych organów Bruna ani tego, co robią z nimi inne grupy społeczne). Kiedyś gdzieś czytała, że na Haiti kochające matki łamią swoim zbyt pięknym dzieciom nosy, aby nikt nie rzucił na nie złego uroku.

– Matka, o czym myślisz?

– Zastanawiam się, dlaczego nie złamałam ci nosa.

– Aha – odpowiedział, nie okazując zdziwienia. – Muszę zapytać o coś jeszcze. Dzwonił ojciec z Rzeszy?

– Nie.

– Zmieniłaś prochy?

– Nie.

– To czemu wyglądasz żywo?

– Słucham?

– Oczy masz wytrzeszczone, jak przy ostrej niewydolności tarczycy.

– Cieszy mnie niewyobrażalnie, że nadal lubisz czytać w Internecie o chorobach. W twoim jednak wieku raczej zainteresowałabym się stronami porno. Najpierw porno, potem choroby. Tak wygląda rozwój młodego człowieka i schyłek człowieka dojrzałego. W skrócie: cywilizacja.

– Proszę cię! Chciałem być miły!

– A ja użyteczna.

Bruno roześmiał się. Odkąd Szymon wyjechał do Berlina, Bruno śmiał się częściej. Nie musiał radzić sobie z napięciem i zatrutymi ciszami, które zalegały pomiędzy Mają i Szymonem. Być może Szymon miał rację.

– Uciekasz ode mnie, czyli – dopowiem dopowiedziane – żony twej o imieniu Maja, od syna, od obowiązków. Bla-bla-bla-bladź. Nie wierzę, że wygaduję takie pierdoły. Nienawidzę cię za to, że muszę mówić takie rzeczy. A siebie jeszcze bardziej.

– Nie. Wyjeżdżam, żeby dać nam szansę.

– Jedno nie wyklucza drugiego. Uciekasz.

Szymon potrząsał głową.

– Potrzebuję pauzy. Nie zdajesz sobie sprawy, jak bardzo jesteś wymagająca. Także w swoim niemówieniu.

– Jedź. Trzeba zjeść kamienie, żeby poczuć odbyt. To portugalskie przysłowie. Mogłam coś pomylić. Jestem kiepska z geografii i anatomii.

– Wiesz, straszny byłby swąd, gdyby moi ziomale zwąchali, że lubię moją matkę. Spadam, żebyś nie uwolniła pawia z wdzięczności.

Bruno wstał od stołu. Podszedł do rodzicielki i pocałował ją w policzek. Och, jak bardzo kochała syna. Patrząc na niego, prawie zapominała, że na Facebooku jest zwolenniczką podwiązywania jajowodów.

Wstawiła naczynia do zmywarki. Sławoj wlazł na stół. Maja nie zamierzała dziś rozmawiać z tchórzofretką. Nadęła policzki i wyrzuciła z siebie: „Paaaaalestyna". Nie wiedzieć czemu słowo to przerażało Sławoja, który kiedy je słyszał, uciekał do najgłębszej szuflady. Kto wie, zastanowiła się Maja, czy ta fretka nie jest jakaś skrajnie syjonistyczna albo filosemicka? Tak czy owak coś z tą fretką nie gra: w końcu ile znam fretek, z którymi można rozmawiać? Ile? Jedną. Pech chciał, że to mnie się dostała ta jedna, wybrakowana.

Wybrała numer Andrzeja. Odebrał.

– To będzie monolog. Więc lepiej usiądź i postaraj się nic nie mówić, w przeciwnym razie wyjdzie jakiś dialog, a na dialogu mi nie zależy teraz ani w ogóle. W ogóle mi nie zależy – to ściema jest, taki dialog. Zatem w autobusie poznałam kogoś. Zanim go poznałam, myślałam, że jesteś najczystszą osobą na Ziemi. Myliłam się, drogi Andrzeju. Ty jesteś z białka, masz naskórek, a on, ten nieznajomy, został wykonany z teflonu albo hostii. Nic się do niego nie przyczepia, ani kurz, ani potwarz. Umówiłam się z nim na kolację. Prawdopodobnie jest seryjnym mordercą. Myślę, że mógłbyś się w nim zakochać. Chciałabym płytę nagrobną bez krzyża. Nie wiem, czy jest gejem, ale jest bardzo starannie wykonany. Pasowałby ci do salonu. Ma doskonale doskonałą cerę, regularne rysy twarzy, ładne ciało, chyba. To supozycja, głupio mi było zaglądać pod płaszcz. Boję się. Kocham Szymona. Tak bardzo go kocham, gdy jest daleko.

– Chcesz, żebym przyjechał?

– Nie. Muszę sobie radzić z konsekwencjami klasowego podziału społeczeństwa, czyli tego, że nie stać mnie na taksówkę i jeżdżę autobusami, narażona na kontakt z obcymi ludźmi jak jakaś prawie święta.

Zadzwonił do niej. To przerażające, uznała, i podniecające: rozmawiam ze szwajcarskim zegarkiem. Cyk-cyk. Albo szwajcarskim frankiem. On się nie późni. On się nie dewaluuje. Powiedziała:

– Jeden siedem cztery sześć.

– Co to jest? – zapytał.

– Mój PIN do karty kredytowej. Prędzej czy później i tak bym ci go podała.

W końcu przystała na kolację u jego matki (wolała miejsce pełne ludzi i światła od tête-à-tête na uboczu). Przyjęła do wiadomości, że Franek mieszka i pracuje w Niemczech, niedawno wrócił do Polski, na dwa jedynie lata (grant naukowy). Że pewnie dlatego wydaje się taki schludny i dokładny. Że praktycznie nikogo nie zna w Warszawie. Że uczyni mu zaszczyt (czy zaszczyt to wyrafinowana forma prostytucji?), wizytując (dlaczego wizytując, a nie odwiedzając?) jego matkę.

Umówili się w pizzerii, z której obiecał ją zabrać. Mai dotrzymywał towarzystwa Andrzej. Franek pojawił się punktualnie. Wyglądał jak w autobusie. Dokładnie i szczegółowo.

Posiadał tę doskonale regularną twarz, ani jeden włosek nie odłamał się od fryzury. Idealne ubranie, antyczne w proporcjach ciało. Andrzej westchnął w ucho Mai:

– On wygląda jak WC Picker. Jest taki... czysty... Wspaniały! Naprawdę poznałaś go w autobusie? Chyba nie powinienem tyle jeździć na rowerze.

Franek podszedł do stolika. Podał Mai rękę, przedstawił się Andrzejowi.

– Chodźmy do twojej mamy. Obżarłam się pizzą. Mam nadzieję, że twoja matka fatalnie gotuje.

Nie odpowiedział. Zaoferował jej ramię. XIX wiek, choć już z widokami na wąglika, bombę atomową i najgorszą broń masowego rażenia – Wall Street & City.

U drzwi powitała Maję znajoma twarz. W pierwszej chwili nie umiała sobie przypomnieć, skąd ją zna. Dość szybko (przed odwieszeniem płaszcza) zorientowała się, że patrzy w Ninel Czeczot, gadającą głowę z telewizji, czołową feministkę, legendę i wzór, matrycę i obiekt ataków, ołtarzyków i laleczek wudu. Odkrycie wstrząsnęło nią tak bardzo, że ciekawość przeważyła nad konwenansem.

– Przepraszam – bąknęła Maja – pani jest matką tego czystego obiektu, z którym przyszłam?

– Ten czysty obiekt jest moim synem.

– Głęboko współczuję. Przepraszam, chciałam powiedzieć: gratuluję. Gratuluję. I to jak! Mogę pani jutro wysłać kartkę z gratulacjami! Albo taniej – mejla. Jestem nadal bezrobotna.

Przy stole siedziało kilka osób. Maja z żalem stwierdziła, że zna wszystkie i że żadna z nich nie zna jej: wpływowy bloger Qwerty; słynny profesor teologii, który porzucił stan kapłański, zrozumiawszy, że Kościół jest organizacją trwale pogardzającą światem wraz z ludźmi, i w swej arogancji i pogardzie niereformowalną; reżyserka filmowa; prezeska wielkiego wydawnictwa; lewicowy biznesmen, z tych rodzynków, które czytają i rozumieją książki (być może był ostatnim w swoim gatunku), podobno niestosownie zamożny, chociaż to podlegało dyskusji. (Na Cyprze sprawy nie układały się najkorzystniej).

Maja starała się nie zabierać głosu. Nie przypuszczała, aby jej milczenie ozłociło swą mądrością lub skromnością zgromadzonych, lecz dzięki milczeniu unikała ewentualnej gafy. Każda kolacja to pole pełne gaf. Rafa gafowa. Gala banderowa.

– Niewiele mówisz – Ninel zwróciła się do niej bezpośrednio dopiero w okolicach deseru.

– To dlatego, że czasem diagnozuję u siebie łagodną wersję syndromu Aspergera.

– Niezdarności ruchowej nie zanotowałam. Zaburzeń mowy i języka również nie. Kontakt wzrokowy utrzymujesz. Kto mi pomoże? Jakie są inne objawy?

– Chyba zachowania powtarzalne, rutynowe – podrzucił profesor teolog.

– Na to cierpię – zgodziła się Maja. – Codziennie ubieram się, myję, sikam, jem, rozmawiam ze Sławojem, szukam pracy bez sukcesu i tak dalej. Uwierzycie mi? Codziennie!

Wszyscy roześmiali się. Nad deserem. Obok Mai. Z aprobatą. W pewien sposób ten śmiech wydawał się Mai okropny, protekcjonalny. Musiała przyznać, że jej problemy finansowe nie umywały się do problemów finansowych lewicowego biznesmena, który martwił się comiesięczną ratą za apartament, wynoszącą mniej więcej tyle, ile wynosiły Mai półroczne pobory, w czasach, gdy je otrzymywała i myślała, że Mordor to mrok i zło, mimo że etat i ZUS.

Północ minęła, goście wyszli. Ninel przypomniała sobie o zatkanym zlewie w kuchni, Franek natychmiast obiecał się nim zająć. Poszedł do kuchni, Ninel i Maja zostały w salonie same. Ninel opadła na krzesło, zapaliła papierosa.

– Nienawidzę kolacji. Nienawidzę gości. Tęsknię do czasów, kiedy ludzie spotykali się na rżysku i wydłubywali z ziemi ziarna na podpłomyk. Przepraszam – powiedziała Ninel.

– Franek jest twoim adoptowanym synem?

– Czasem też tak myślę. Ale nie. Nie.

– A wiesz, że mój mąż bardzo by cię polubił?

– Dlaczego?

– Tego nie wiem. On mi nic nie mówi, bo wyjechał. Ale ja tak czuję. Tutaj – Maja przycisnęła rękę do lewego policzka.

– Nie rozumiem.

– No, jesteś jakby idealnie dla niego. Starsza, neurotyczna, z dorobkiem. Taka jak ja, tylko później – Maja zamyśliła się. – W sumie ja też mogłabym cię pokochać miłością... – prychnęła z rozbawieniem – narcystyczną. Albo publicystyczną. Dziś to się już chyba nie da odróżnić.

18.

Sądowego ustalenia ojcostwa żądać może matka dziecka, do-
mniemany ojciec (legitymacja czynna została przyznana do-
mniemanemu ojcu nowelizacją Kodeksu rodzinnego i opiekuń-
czego w 2008 r. [Ustawa z dn. 6 listopada 2008 r. o zmianie
ustawy – Kodeks rodzinny i opiekuńczy, oraz niektórych in-
nych ustaw – Dz. U. Nr 220, poz. 1431]) lub samo dziecko, gdy
jednak dziecko osiągnie pełnoletność, z żądaniem wystąpić
może tylko ono.
http://pl.wikipedia.org/wiki/S%C4%85dowe_ustalenie_ojcostwa

Franek urodził się w niekorzystnym kraju (PRL), w niekorzystnym czasie (okolice stanu wojennego), o niekorzystnej porze

roku (zima) i z niekorzystnych rodziców (ojciec matematyk, ponadto zapuścił dyskredytujące go jako człowieka w sensie ludzkim wąsy; matka socjolożka, bez wąsów; niezapisani do PZPR). Niekorzystnie przepchnął się przez ciasną szczelinę w dolno-górnych, kompromisowych okolicach matczynych. Niekorzystnie zapłakał i niekorzystnie okazał się zdrowy.

> *Wąsy; pierwszorzędna cecha kulturowa. Wąsy kulturowo poja-*
> *wiają się u chłopców spożywających mięso ssaków z powodu*
> *stresu związanego z ryzykiem impotencji (por. K. Gloy,* Zarost
> *a metafizyka. Wprowadzenie do filozofii szczeciny, Wyd.*
> *Zamknięte, Kraków 2008). Nastolatkowie płci męskiej obawiają*
> *się, że ich narząd służący do wyrażania ekspresji oraz opresji,*
> *a także oddawania moczu oraz życia, w pewnych sytuacjach*
> *stać się może tkanką trwale miękką (por. impotencja, knedel-*
> *ki), wskutek ww. stresu kulturowego dochodzi do zarośnięcia*
> *przestrzeni nad górną wargą nastolatka płci męskiej. W sta-*
> *dium dojrzałym w. ulegają zgalaniu (por. trawnik, papież).*
> *Niekiedy jednak w. nadal występują u osobników dojrzałych*
> *oraz przejrzałych. W. kojarzone są z tradycją katolicką oraz*
> *wielodzietnymi rodzinami. Ewolucyjna funkcja w. nie została*
> *dotąd jasno wytłumaczona. Najbardziej prawdopodobna teoria*
> *mówi o tym, że na w. zatrzymuje się znaczna liczba bakterii*
> *i resztek pożywienia, dzięki czemu osobnik wyposażony w w.*
> *jest w stanie przeżyć dłużej bez jedzenia niż osobnik pozba-*
> *wiony w. (por. chomik, chomikować). W 2014 r. wąsy zostały*
> *uznane przez Trybunał w Strasburgu za niezgodne z Kartą*
> *Praw Podstawowych. W 2010 r. Stany Zjednoczone AP zarezer-*
> *wowały sobie prawo do niszczenia w. wraz z brodą za pomocą*
> *taktycznej broni jądrowej bez uprzedzenia (por. interwencja*
> *w Afganistanie).*

Nie był dzieckiem niechcianym, nie był też dzieckiem wyczekiwanym. Ojciec ucieszył się z syna; zaraz po tym zamknęli ojca w więzieniu, nazywającym się internowanie. Zanim Franek przestał fajdać w tetrowe pieluchy, zamykali również matkę, zazwyczaj przez pomyłkę. Włodarze poprzedniej Polski cenili symbole, pośród nich szczególnie wysoko wycenili symbol Internowanej Matki. To był właśnie symbol, którego komunistyczna władza zaparła się nie użyć.

Samotna kobieta oraz jej nabrzmiały mlekiem biust oddzielone kratami od bezbronnej, różowej istotki, dopiero mającej wyrosnąć z kompletu objawów alzheimera, żeby do nich dorosnąć z biegiem dekad. Takie obrazki mogą skończyć się końcem Układu Warszawskiego, albowiem nasilają w obywatelach patriotyzm oraz wywołują wzruszenie głębokie jak powstanie styczniowe lub listopadowe. Obywatele są nawet gotowi protestować na ulicach, obalić władzę, dają się postrzelić; zrobią wszystko, aby przywrócić Ziemi centralne miejsce, a kobietę pralce marki Frania.

Franek wszak nie został ani wiecznym oseskiem, ani fundamentem niepodległości, ani kroplą drążącą skałę, ani pierwszym kamyczkiem lawiny. Skupił się bezświadomie na malowaniu plam Rorschacha w pieluchach i na płakaniu nocami i dniami.

Franek zapowiadał się wspaniale na nośny symbol i wybitnego męczennika (najwybitniejszego w swojej kategorii wagowej); cóż z tego, skoro rozwijał się i rósł zgodnie z najlepszymi wzorcami swojego gatunku, a co gorsza, Służba Bezpieczeństwa niezwykle dosłownie potraktowała rzeczownik „bezpieczeństwo". Gdy jakiś ubek aresztował Ninel, ucinano mu premię i wypisywano naganę, ją samą zaś sprawnie zwalniano do domu.

Ninel chętnie naplułaby w zgodzie z etosem i filmem *Przesłuchanie* w ubecką twarz. Była gotowa spaść z krzesła i posikać się lub nawet – w patriotycznym i wolnościowym wzmożeniu – posrać się pod siebie, by ocalić wrażliwość, wartości oraz dobre zdanie o sobie samej na przyszłość. Tymczasem zawsze przydarzała się katastrofa: pojawiał się jakiś oficer, prędzej niż później, różny, lecz jakby przez lata taki sam, klon klonu, odprasowany mundur, zadbana twarz i elegancka, wyzuta z nowomowy polszczyzna; i on zawsze mówił „szanowna pani", „bardzo mi przykro", „doszło do karygodnego nadużycia", „pani synek, pani teściowa...". Ów oficer wykorzystywał pułapkę, którą zastawili na Ninel rodzice – pułapkę dobrego wychowania. Na „proszę mi wybaczyć" Ninel nigdy nie potrafiła odpowiedzieć „won!".

Zatem szło to tak, raz po raz. Najpierw odprasowany mundur, mądra twarz, droga woda kolońska i polszczyzna bez naleciałości systemowych. Pragnęła wydrapać oczy mundurowi, mądrej twarzy i tej polszczyźnie po złej stronie barykady, pragnęła wydrapać pazurami koronę na każdym jednym jebanym guziczku munduru, mimo że nigdy nie widziała, aby ptaki nosiły coś więcej niż jedzenie w szponach albo patyki w dziobach, a jednak potrzask zastawiony przez rodziców nie pozwalał na to.

Na „dzień dobry" istnieje dokładnie jedna odpowiedź, i po jednej, i po drugiej stronie, w rządzie i w opozycji, i nie brzmi ona „precz z komuną", lecz „dzień dobry".

Zawsze ją przepraszano za zatrzymanie, zawsze odprowadzano do milicyjnego pojazdu, czasem nyski, czasem wołgi, i odwożono do domu niczym diwę, której odmówiono pomylenia z kurwą lub opozycyjnym śmieciem.

To ją upokarzało najbardziej. Gdyby miała opowiedzieć o największym horrorze poprzedniego systemu, byłaby to nieprawdziwość sytuacji, w której się co rusz znajdowała. Przecież naprawdę ukrywała, naprawdę narażała się z bibułą, z propagowaniem treści i pełną odpowiedzialnością za ich kolportaż.

Nienawidziła siebie za to, że za każdym razem wpadała w identyczne sidła. Nienawidziła siebie za to, że przygotowano ją na bicie i przesłuchania, lecz nie na nienaganne maniery. Nienawidziła siebie za to, że ubecy pewnie sobie z niej kpią, zwą ją per „dama" albo jeszcze gorzej.

Pokonana dobrymi manierami, skrajnie upokorzona, wołgą dowieziona, lądowała w mieszkaniu z głodnym synem i nie swoją matką, toczoną przez alzheimera.

Wtedy chciała wyć.

Pierwszych lat swego życia Franek nie pamięta. Najwyraźniej rozmył mu się obraz ojca. Następnie z nieco większą świadomością nie pamięta czegoś, co nazywane bywa typową rodziną, w istocie jednak bardziej pasowałoby określenie: rozpad pożycia, także z powodu niezgodności charakterów z systemem politycznym.

Uzyskawszy pełnoletność, zapytał matkę, czy jej małżeństwo rozpadło się z powodu komuny i związanej z nią nie wprost ciągłej nieobecności ojca. Odpowiedź matki zaskoczyła Franka. Gdyby nie komuna, małżeństwo rozpadłoby się znacznie wcześniej. Gdyby nie powtarzalne niczym braki zaopatrzeniowe aresztowania, ukrywanie się, strach, zmęczenie, zniechęcenie, gwałtowne, nieprzytomne szczęście w trakcie chwil spędzanych razem – zyskałaby więcej czasu i czas ten poświęciłaby na przejrzenie na oczy lub też na poważną rozmowę o przyszłości, a dokładniej o jej braku.

– *Twój ojciec był bardzo przystojny, bardzo inteligentny, świetny w łóżku. Był odważny, był w opozycji. Nosił wąsy. Spodobał się mojej matce. Znał Michnika. A Michnik już wtedy był bogiem, tuż przed wniebowzięciem na łono Historii. Był też twój ojciec moją szansą na trwałe wyrwanie się z Łodzi. Poza tym to wieczny chłopiec, samolub, egoista i emocjonalny kaleka. Dam ci przykład.*

Miałeś jakieś siedem czy sześć lat, zachorowałeś na świnkę. Gdy Wiesiek się dowiedział, że jesteś chory, natychmiast spakował się i wyprowadził z domu.

On nie przeszedł w dzieciństwie świnki, więc się przestraszył, że go zarazisz.

Byłam tak tym zdumiona, że nawet nie zareagowałam.

Spakował się i wyszedł bez słowa, w popłochu.

Wiesz, gdybyś zapadł na wzruszającą, wzbudzającą powszechne współczucie chorobę, na białaczkę na przykład, Wiesiek pewnie by został. Ale ty musiałeś zachorować na świnkę. A przy śwince człowiek puchnie i przestaje być przystojny. Myślę, że Wiesiek nie mógł znieść, że utraci swój czar.

Po dwóch tygodniach zadzwonił i oznajmił mi, że w czasie twojej świnki poznał wspaniałą kobietę i że się definitywnie wyprowadza z domu. Żebym go dopakowała *– właśnie takiego słowa użył.*

Widzisz, ani nie powiedział, że mu przykro. Ani nie raczył niczego ze mną ustalić. Najbardziej jednak zabolało mnie, że nie zapytał, co z tobą.

– Ale przecież nie rozwiedliście się wtedy...

– Nie. Bo ta wspaniała kobieta nie okazała się tak wspaniała, jak myślał. Poza tym wspaniałych kobiet spotykał na pęczki. Opozycja to były całe cięte bukiety. Był takim macho, że o każdej kochance mnie informował, i te informacje – w jego *mniemaniu dowody zaufania do mnie – odbierałam jako pa-rodię szczerości. Pamiętaj, synku, kiedy myślisz kutasem, nie udawaj, że kryje się za tym coś więcej.*

Franek identyczne pytanie zadał ojcu. Odpowiedź ojca okazała się komplementarna względem matczynej. Dowiedział się, że matka była ładna, inteligentna, odważna i namiętna. Pośród wielu jej wad jedna okazała się nie do przeskoczenia: ona ciągle coś czuła, analizowała, co czuje, dlaczego tak czuje, co oznaczają jej uczucia, dlaczego analizuje, co zanalizowała, że czuje, i czy na pewno to czuła, co zanalizowała? Zygmunt Freud przy niej nie wymyśliłby psychoanalizy, tylko odleciałby w opium albo faszyzm, obydwa antydepresanty były chyba ówcześnie legalne. Pieprzona neurotyczka, uzależniona od siebie.

– *Każde internowanie to był łyk świeżego powietrza. Znajdowa-łem się po słusznej stronie krat. Z kolegami. Z daleka od tego jej ciągłego jojczenia: czuję to, czuję owo, aj waj.*
– *Też z daleka od twojej matki i ode mnie, tato.*
– *Matki już prawie nie było. Ciebie nie było. Byłeś czterokilo-wą, wrzeszczącą kupką bez świadomości. Potem, co prawda, podrosłeś...*
– *Tato, czy tak jest zawsze?*
– *Zawsze jak?*
– *No... że o wolność walczą ci, którzy nie radzą sobie w domu?*
– *Mówisz jak ona, neurotyczne brednie twojej matki. Masz do mnie o coś żal?*
– *Nie chcę cię oceniać. Jestem w trakcie udanej i całkowicie, między nami mówiąc, zbędnej psychoterapii, jednakże, tato, powiem wprost: wolałbym, żebyś podpisał lojalkę i był przy*

mnie, gdy srałem w pieluchy, niż żebyś siedział w więzieniu. Wybrałeś łatwiejsze rozwiązanie.

– Miesiące za kratami to łatwiejsze rozwiązanie?!

– Przepraszam, tato. Pewnie masz rację, pewnie trudniejsze. Przepraszam. Nie wolno porównywać krat z tetrową pieluchą. To niemęskie, prawda? A ty jesteś stuprocentowym mężczyzną. Matka opowiedziała mi o since. Jak się wyprowadziłeś, kiedy zachorowałem. Przyznaj, że ze strachu narobiłeś w portki.

– To matka poprosiła mnie, żebym się wyprowadził, bo mogłem zachorować. Ona martwiła się o mnie.

– Dobrze, rozumiem. Matka kłamała. Jednego jednak nie rozumiem: tato, dlaczego nie zgolisz wąsów?

Przeprowadziwszy ów swoisty wywiad środowiskowy, Franek upewnił się, że małżeństwu jego rodziców od początku pisano klęskę, niezależnie od ustroju politycznego i liczby potomstwa. Oni się pokochali, nigdy nie polubili. Rozmowy z rodzicami stały się ostatnim elementem rocznej psychoterapii Franka, przeplatającej się z przygotowaniami do egzaminu maturalnego. Co prawda, uważał, że psychoterapii nie potrzebuje, ale matka nalegała, syn uległ.

Przystępując do psychoterapii, kochał swoich rodziców, akceptował ich wybory, dostrzegał złożoność sytuacji, nie oślepł na wady i popełnione błędy.

POPEŁNIONO BŁĘDY
Autobiografia Patty Berglund
autorstwa Patty Berglund
(spisana za radą jej terapeuty)
Jonathan Franzen

Psychoterapeutka wysłuchała wstępnego CV z ust Franka i uznała, że oto trafił się jej prawdziwie wymagający przypadek. Dobrze ułożony, otwarcie wypowiadający się nawet w bolesnych kwestiach, nieunikający żadnego tematu. Po prostu koszmar.

Psychoterapeutka nie potrafiła ocenić, czy jej nowy pacjent jest przystojny. (Nie wpływało to na skuteczność terapii ani na wysokość godzinowej stawki; zawsze mogła patrzeć w kąt). On był doskonale symetryczny. Doskonała symetria nie jest tym, co odnajdujemy na co dzień w ludzkich twarzach. Symetria raczej niepokoi. Niepokój przybiera rozmaite odcienie. Na przykład odcień, który padł na psychoterapeutkę, ciemniał groźbą zawodowej kompromitacji.

– Właściwie już teraz mogę zdiagnozować – rozpoczęła, pociągając zakatarzonym nosem – pański kłopot. To się nazywa nadnormalność. Niekiedy, bardzo rzadko, jest pan pierwszym przypadkiem w mojej trzydziestoletniej praktyce, dzieci z trudnych, skomplikowanych rodzin nie absorbują problemów, wątpliwości i niepewności na rozsądnym, głębszym poziomie. Postanawiają toczyć ekstremalnie normalne życie, bez żalu i obwiniania rodziców. Wręcz wbrew swoim rodzicom i wbrew faktom, gwałcąc prawdopodobieństwo psychologiczne. Potrafi pan nazwać po imieniu nieobecność ojca, niedostateczną miłość matki, mimo to nie obwinia ich pan o nieobecność czy niedostateczną miłość. W standardowych okolicznościach byłby pan okazem udanej psychoterapii. Jednak w pańskim przypadku jest to ledwie punktem wyjścia. Marzyłabym o tym, żeby po rocznej pracy ze mną zaczął pan brać psychotropy albo wciągnął się w alkohol lub narkotyki. Obawiam się jednak, że aż taki sukces nie jest nam pisany. Sukcesem będzie, jeśli zdołamy uzbroić pana w odrobinę żalu do rodziców, jeśli nauczy się pan choć trochę nieakceptacji, odrzucenia, drwiny, pogardy, pretensji. Długa droga przed nami.

– Zrobię, co w mojej mocy, żeby zacząć źle myśleć o matce i ojcu – obiecał szczerze. – Zastosuję się do wszystkich pani rad. Moja matka płaci za tę terapię. Nie chciałbym jej rozczarować.

Psychoterapeutka westchnęła.

– Chyba najpierw spróbuję wzbudzić w panu poczucie winy. Czy pan zdaje sobie sprawę, jakim obciążeniem stał się dla matki? Ona liczyła na syna zaburzonego stosownie do jej pozycji, syna, w którym spotkałyby się nieszczęścia i stanu wojennego, i samotnego macierzyństwa, i inne jeszcze. Ona potrzebuje czuć się winna. Tymczasem pan jej to odebrał. Pan ją upodlił i uprzedmiotowił. Pan ukradł jej prawo do słowa „przepraszam" i słowa „wybacz".

– Przypuszcza pani, że matka się mnie wstydzi przed swoimi przyjaciółmi i znajomymi?

– Obawiam się, że tak. Pani Ninel jest osobą publiczną, walczyła z komunizmem, bywała zatrzymywana, szykanowana i tak dalej. Pańska nadnormalność podważa jej zasługi dla kraju.

– Nie do końca rozumiem...

– Poznał pan może dzieci innych znanych opozycjonistów? – Psychoterapeutka nie czekała na zaprzeczenie czy potaknięcie z jego strony, podjęła wątek niezwłocznie po znaku zapytania. – Dzieci znanych opozycjonistów, wszystkie, które poznałam, są cudownie zaburzone. Mogłabym je leczyć latami. Źle sypiają, mają niską samoocenę, problemy z budowaniem trwałych relacji emocjonalnych z innymi ludźmi. Częste są problemy z tożsamością, nienawiść do rodziców występuje powszechnie, choć w rozmaitym natężeniu. Wiele dzieci znanych opozycjonistów zapuściło brody i zostało żydami, co wrażliwsi obwiniają się o Holocaust. Wazektomia to prawdziwa plaga. Jak pan prezentuje się na tym tle? Jak odmieniec, jak, przepraszam za słowo, żart. Nieudany żart.

– Zawsze mogę nauczyć się jąkać albo opanuję jakiś tik. Nie wiem: otwarte usta? Pocieranie palcami o kciuk? – wypowiadał słowa ze śmiertelną powagą. Zerknął na psychoterapeutkę, ta się skrzywiła. – No, tak. To za mało. Wiem.

Podobne do powyższej rozmowy toczył przez okrągły rok w dawce dwóch godzin na tydzień. Po półroczu nauczył się mówić: „Byłaś złą matką". Ćwiczyli to zdanie na każdej sesji, aż wreszcie doszedł do wniosku, że jest gotów zaadresować te słowa do Ninel. Starannie wybrał miejsce i czas (salon w rodzinnym mieszkaniu, brak osób trzecich). Dobrał również garderobę: uważał, że zwykły podkoszulek odpada, marynarka zaś to pewna przesada. (Skończyło się na białej koszuli). Chrząknął, ze zdenerwowania spociły mu się dłonie. Wydusił z siebie głośno i wyraźnie:

– Byłaś złą matką – a potem głęboko odetchnął.

Ninel spojrzała na syna. W regularną twarz i orzechowe oczy. Stał przed nią jak na akademii, ręce opuszczone wzdłuż tułowia, wnętrze dłoni wciśnięte w uda. Z niepokoju zaciskał usta. Wpatrywał się z pilnością w matkę, jak gdyby zdawał jakiś test, egzamin z syna, i aktualnie komisja szykowała się do ogłoszenia wyników.

Bardzo rzadko Ninel udawało się znaleźć nić, która przędłaby się od niej do niego, dla niej od niego. Teraz jednak, w tej szczególnej chwili, poczuła, że Franek naprawdę jest jej synem, krwią z krwi, socjalizacją z socjalizacji, że jej syn tak dotkliwie przypomina ją samą z lat nastoletnich. Ona też bywała prymuską, świetnie się uczyła, ponieważ przerażał ją świat. Sądziła, że jeśli przeskoczy te wszystkie poprzeczki, napisze celująco dyktanda i bezbłędnie porachuje na klasówkach, to świat jej nie pożre, wzgardzi nią i pozwoli żyć, tak jak Ninel chce, w ukryciu. Ninel ówcześnie wydawała się sobie taka samotna, osobna; doroślejąc, zauważyła, że poczucie niedopasowania do świata jest powszechne. Teraz, patrząc na Franka, patrzyła na siebie. On również nie pasował. Obecny świat, bardziej niż którykolwiek uprzedni, składał się z ekscentryków i neurotyków (synonimem tych pojęć jest indywidualista) i tolerował rozmaite postawy, co oczywiście bardzo ją cieszyło, Ninel jednak pojęła, jak straszliwie niewygodny mógł się Frankowi zdawać obecny świat. Ta jego uporczywa normalność, potrzeba zaspokojenia wymagań otoczenia, absencja dziwnych hobby, planowanie wszystkiego zawczasu, ta jego wrodzona dobroć połączona ze sporą, acz nie spektakularną inteligencją. Za młodości Ninel tak zwani wariaci nie szukali towarzystwa innych tak zwanych wariatów, nie potrzebowali wymieniać się diagnozami i fobiami. Natomiast Franek pragnie dzielić się swoją normalnością.

Ninel zalała fala czułości, dobre, kochane dziecko, pomyślała. Zwierzątko. Zdenerwowane zwierzątko. Mój synek, który się świetnie sam ułożył do kagańca, schowanego przed nim przeze mnie.

Powinna teraz przytulić swoje syniątko. Zanim jednak uczyniła krok w jego stronę, uderzyła ją absurdalność sytuacji. Oto syn po półrocznej terapii mówi jej, że była złą matką, a mówi to, ponieważ sądzi, iż ona właśnie tego od niego oczekuje.

Ninel nie potrafiła się powstrzymać. Rozpłakała się ze śmiechu. Histerycznie, jak miewała w zwyczaju. Śmiała się i płakała. Franek najpierw patrzył na nią w bezradnym przerażeniu, aż i do niego dotarł chyba absurd sytuacji, koniec końców również się roześmiał. Atak kolki poskromił śmiech i usadził matkę na kanapie. Ocierała łzy.

– Mamo, ja naprawdę się starałem.

– Wiem, wiem. Doceniam to. Bardzo. Tylko że to jest takie śmieszne.

– Chyba nie będę mógł opowiedzieć pani terapeutce, jak zareagowałaś. Gotowa wyskoczyć z rozpaczy oknem.

– Franuś, nie musisz chodzić na terapię. Naprawdę.

– Chcę ją skończyć. Jeszcze pół roku przede mną. Może czegoś się nauczę?

– Niby czego?

Zastanawiał się dłuższą chwilę, po czym z poważną miną rzekł:

– Przypuszczam, że po sześciu kolejnych miesiącach wytężonej pracy będę umiał zastąpić słowo „matka" słowem „suka". Tak. To chyba całkowicie realne. Leży w moim zasięgu.

– I powiesz mi, że byłam złą suką?

Delikatnie się uśmiechnął.

– Masz rację, zabrzmiałoby to nieprecyzyjnie.

Świetnie zdał maturę. Wahał się nad wyborem studiów. Neofilologie wyeliminował w pierwszej selekcji: nauką obcego języka i kultury należy zajmować się w czasie wolnym. Kusiła go medycyna, mimo to się powściągnął: odkąd sięgał pamięcią, dziadkowie leczyli ludzi, matka zaś, najprawdopodobniej wskutek empirycznych obserwacji, twierdziła, że gorsi od lekarzy są jedynie księża. I jedni, i drudzy, mówiła w dydaktycznym zapędzie, udają, że wysłuchują ludzi, później aplikują kurację rozłączną z człowiekiem. Rozmyślał z tydzień nad matematyką, uznał jednak, że po zakończonej sukcesem zbędnej psychoterapii nie powinien iść w ślady taty. Zapadła weń głęboko matczyna opowieść o śwince i pakującym manele ojcu. Bardzo możliwe, że wszyscy matematycy wykorzystują żony oraz świnki. Franek preferował – na razie raczej teoretycznie, bo praktycznie to dwa razy tylko z pewną Agatą – korzystanie z drugiego ciała za pełną jego zgodą, dlatego nie został matematykiem. Wybór rozstrzygnął się między historią i biologią. W umyśle Franka były to pokrewne dziedziny nauki. Wygrała biologia. Biologia wydała mu się mniej uwikłana w religię i politykę, co okazało się zresztą nieprawdą.

Już po drugim roku studiów przeniósł się do Niemiec (Tybinga). Okrągły stół, upadek muru berlińskiego i Układu Warszawskiego – zdarzenia te pozwoliły zachodnim Niemcom swobodnie, pełną piersią odczuwać w zaodrzańską stronę skruchę za drugą wojnę światową oraz wdzięczność za ponowne zjednoczenie swego kraju, które to uczucia, skrucha i wdzięczność, zaowocowały między innymi stosunkowo licznymi miejscami dla polskich studentów na niemieckich uniwersytetach. Franek wyjechał, skończył w Niemczech studia, dostał dobrą pracę (Tybinga).

Na ostatnim roku poznał Katarzynę, stypendystkę z Polski. Zakochał się. Tak jakby ze wzajemnością. Wzajemności starczyło na kilka lat. Zostawiła go. Zapytał o powód. Odpowiedziała, że jeśliby na dno szedł Titanic, to Franek pomagałby ludziom zająć miejsce w szalupach ratunkowych.

– Nie zrozum mnie źle – klarowała Katarzyna podczas rozwodowej sesji w uniwersyteckiej stołówce. – To jest oczywiście wspaniałe. Altruizm i inne dewiacje. Bardzo mnie to kręci. Sama miewam skłonności. No, wiesz, w niedzielę. W weekend. Ale, Franek, to mnie męczy. Zabija. Ja też współczuję menelicy z dworca, tylko że bardziej kocham ciebie, niż jej współczuję. Ty zaś zawsze bierzesz stronę bardziej potrzebującego. A ja nie zawsze jestem najbardziej potrzebująca. Często inni potrzebują bardziej. Ty zaś masz taką maszynę niezawodną w głowie, która oblicza, z kim chujowiej obszedł się los. Maszynka oblicza, Franek potem wie. I wiesz co? Zawsze jestem gdzieś daleko na liście. Jakaś szósta-ósma do przyjęcia pomocy – zaczerpnęła powietrza ciężko, nosowo, jak gdyby zaraz zamierzała wydobyć z siebie basowe tony. – Ja nie chcę być oceniana sprawiedliwie. Jestem na to za młoda.

Przeanalizował rozstanie po swojemu, gdyż nie uwierzył we własną nadmierną dobroć i prawość jako kamienie węgielne klęski swego związku. Zatem dlaczego? Jest raczej przystojny, harmonijnie zbudowany, rozmiar członka nie gwarantuje pewnie kariery w branży porno, ale też nie spycha w stronę miłośników lupy. Ponadto naprawdę podnieca go kobiece ciało, jest uważny, dba o zadowolenie partnerki. Pewnie są w tym lepsi, ocenił, ale też nie jestem najgorszy.

Skoro nie seks i nie ciało, to pewnie emocje, to pewnie one zmusiły Kasię do odejścia. Niestety, w tej materii, mimo uporczywych wysiłków, nie umiał sobie wiele zarzucić. Zawsze zagadywał ją o to, jak minął dzień, przejmował się jej odpowiedziami, o sobie wspominał, dopiero nabrawszy pewności, że wypytał ją o tak zwane wszystko.

Obchodził kolejne poziomy wewnętrznego labiryntu. Dość szybko doszedł do sedna, wyłożonego kiedyś zresztą przez Kasię wprost – jest przewidywalny, on, ten Franek, ja. Jak kocha, to kocha. Jak mu zależy, to zależy. Nie jest dynamiczny. Raczej statyczny, statystyczny wręcz.

Oczywiście potrafiłby zaplanować szaleństwo. Sto tulipanów czy róż bez okazji. Niespodziewany wypad na weekend do Abu Dhabi. Albo mięta. Kasia ubóstwiała miętę. Wyobraził sobie, jak wcierałby kilka doniczek z miętą kupioną w Aldi, rozgniatając listki i rozprowadzając po własnej skórze zielonkawy sok i zapach. Wtedy Kasia pokochałaby go z wydłużoną wzajemnością. Bądź co bądź był modelowym mężczyzną. Mężczyzną w sam raz. Nie za duży, nie za mały. Pachnie miętą. Uniwersalny. Z wyższym wykształceniem i nierozdętym ego.

Jednak te spontaniczne gesty jawiły mu się jako tanie, chociaż od strony praktycznej (weekend w Abu Dhabi) raczej drogie. Franek nie pojmował, dlaczego oczekuje się od niego niespodzianki. Przecież dawał kochanym osobom to, czego sam potrzebował: stabilność bez emocjonalnych zdarzeń losowych.

Katarzyna odeszła. Cierpiał. Przeanalizował. Wyszło mu, abstrahując od jego rzeczywistego cierpienia, że powinien cierpieć. Tak zachowują się ludzie o sercu przetrąconym, rozszczepionym niby zajęcza warga. Okropnie się zirytował. Wydało mu się, że rozumie Kasię. Czyżby po kres swoich dni miał zawsze czuć to, czego inni się po nim spodziewali? Czyżby przewidywalność, na którą najwyraźniej cierpiał, miała podmienić jego życie na jakieś samotne piekiełko?

Następnego dnia złożył aplikację o grant naukowy, który pozwoliłby mu wrócić na pewien czas do Polski i nie stracić przy tym posady na uniwersytecie.

Wieczorem zadzwonił do domu.

– Cześć, mamo. Jak się czujesz?

– Stara i zużyta, dziękuję.

– Dzwonię, bo... bo istnieje ryzyko, że wrócę do Polski. Na dwa lata. Grant naukowy mogą mi przyznać.

– Aha. Rozumiem.

– Nie jesteś zaskoczona?

– Jestem przerażona. Mam ci przygotować stary pokój?

– Oj, nie, nie, nie. Wynajmę jakieś mieszkanie. Nie wytrzymałabyś ze mną dwóch lat.

– Wytrzymałam prawie dwadzieścia. I tak, zgadzam się z tobą. Dwa lata to za długo. Zawsze będziesz mógł wpaść na obiad. Żywię się pierogami. Mrożonymi. Mam nadzieję, że lubisz.

– Mamo, powiedz mi, jesteś zaskoczona czy nie?

Usłyszał w słuchawce pstryknięcie zapalniczki. Matka zapaliła papierosa. Oznaczało to, że się zdenerwowała. Nigdy nie paliła, rozmawiając przez telefon. Franek nie wiedział dlaczego. Nie zapytał jej. Prawdopodobnie to jakiś zabobon wyniesiony z poprzedniej Polski. Coś w rodzaju nowych czerwonych majtek zakładanych na egzamin maturalny.

– Mamo, jesteś tam?

– Tak. Nie rozumiem. Nagła zmiana planów, przeprowadzka. To zupełnie jak nie ty. Nie rozumiem – Ninel spauzowała i zaciągnęła się; Franek niemal widział rozżarzający się koniec papierosa. – Czy masz HIV? Raka?

– Nie mam.

– To dobrze. Jednak nadal nie rozumiem.

– Zrobiłem przecież coś – odezwał się poirytowany – do czego namawiałaś mnie przez całe życie: podjąłem nieracjonalną decyzję. Powinnaś być ze mnie dumna.

– Jestem, Franuś. Jestem. Tylko muszę się pozbierać.

19.

Kiedyś Ralph przyszedł w południe, miał pełno śniegu we wło-
sach. Pochylił się, strzepnął śnieg na pulpit Rose i zapytał:
– Wpadasz w depresję z powodu łupieżu?
– Nie, po prostu mogłabym go jeść łyżkami.

Alice Munro

– Został ci już najwyżej kwadrans, żeby się rozchorować.

Bruno biegał między łazienką, salonem a swoim
pokojem, wrzucając co rusz rozmaite przedmioty do torby
rozbebeszonej na korytarzu. Pomimo zaaferowania znalazł
chwilę, aby się zatrzymać i spiorunować matkę wzrokiem.

– Widziałaś gdzieś mój b a r d z o   i s t o t n y żel do wło-?

– Pod kaloryferem w twoim pokoju. Sławoj go tam ciągnął rano.

Bruno pobiegł do pokoju, zaraz wrócił na korytarz z tubką żelu i oprawionym w ramkę zdjęciem swojej najnowszej dziewczyny. Oba przedmioty wylądowały w torbie.

– Czy to zdjęcie jest niezbędne? W końcu wyjeżdżasz na pięć dni.

– Fakt, że nie aprobujesz mojego związku z Basią...

Maja zaśmiała się.

– Dziecko, jakiego związku?! Znasz ją od dwóch tygodni. Tu nie ma czego ani kogo nie aprobować. Ona nawet nie jest z tobą w ciąży!

Spąsowiał. W taki sposób reagował, gdy Maja przypominała mu albo go przestrzegała, że on również jest istotą seksualną. Zazwyczaj po prostu czerwienił się, spuszczał oczy i milczał, dziś najwyraźniej obrał inną strategię.

– Nie znasz Basi. Ona... ona wcale nie jest taka święta. Ona...

– Czyżby mój syn uprawiał już pierwszy seks?! Oczywiście nie licząc tych orgii w przedszkolu. O, rany!

Bruno napiął się tak strasznie, że dla odmiany krew mu odpłynęła z twarzy.

– Czemu robisz, że... że to jest trudne. Że rozmowa...

Maja podeszła do syna. Objęła go, pogładziła po karku, szukając odpowiedniego zagłębienia pomiędzy kręgami, zagłębienia z epoki, z plejstocenu, gdy był ufnym dzieckiem. Znalazła, nacisnęła. Napięcie mięśni stopniowo słabło, jak w pontonie, z którego schodziło powietrze przez malutką dziurę; za moment młody mężczyzna ulotni się. Zostanie miękki, ufający chłopiec.

– Przepraszam, kochanie. To dlatego, że się okropnie o ciebie martwię. W seksie ludzie przekazują sobie mnóstwo zarazków, a niektóre bywają śmiertelne.

Bruno zachichotał:

– Wiem, że myślisz o rodzinie.

Zadzwonił domofon.

– Chyba pani Cecylia przyjechała – stwierdził.

– Chyba – zgodziła się Maja. Pocałowała syna. – Zaczekaj, przyniosę ci z kuchni kanapki na drogę.

Wepchnęła kanapki do torby i pomogła Brunowi zaciągnąć suwak.

Wyprostowali się.

– To spadam.

– Spadaj, gówniarzu. I pamiętaj, choćby świat się walił, nie słuchaj pani Cecylii.

Bruno otworzył drzwi, zarzucił torbę na ramię, posłał matce całusa, zbiegł po schodach.

Maja zamknęła drzwi i poczłapała do salonu, aby przez okno pomachać pani Cecylii. I synowi.

Przyglądała się, jak syn całuje babcię w policzek, jak upycha torbę w bagażniku taksówki, jak wsiadają do auta, on i pani Cecylia, jak taksówka rusza. Na tle ciemnoszarego asfaltu przez chwilę unosił się jasny kłębek dymu z układu wydechowego samochodu, trochę przypominający komiksową chmurkę, w którą zapomniano wpisać tekst. Rozwiał się, albo może nigdy nie istniał, może tylko w polu widzenia Mai coś się na moment zaciągnęło chmurą, jakaś, powiedzmy, próba opowiedzenia historii innej niż rzeczywistość.

Pani, lm M. – nie, D. pań; rzeczownik odnoszący się do każdej kobiety, której nie znamy (por. matka) lub z którą łączą nas

oficjalne stosunki (por. P. Jasnogórska). P. domu nazywamy ko-
bietę, która poświęca czas rodzinie, ponieważ tego pragnie albo
pragnienie takie wepchnięto jej w gardło, a ona je przełknęła
i już w niej zostało dozgonnie, albowiem pragnienie posiadania
rodziny nie podlega defekacji ani womitacji. P. czegoś nazy-
wamy kobietę, która ma nad tym czymś władzę (por. uczucia,
jadłospis). P. sytuacji nazywamy kobietę, która chwilowo mniej
przegrywa w życie.

Pani występuje również w wersji z dwuznakiem. P. z dwuzna-
kiem przybiera formę panicz. Dwuznak w pani prowadzi do
wyrośnięcia penisa oraz wąsów (por. ludobójstwo), a także do
uzyskania trwałej niedorosłości oraz środków finansowych,
umożliwiających podtrzymanie tejże (por. dokądkolwiek).

Bruno odjechał. Odjechała pani Cecylia. Maja zapomniała, nie teraz, znacznie wcześniej i głębiej, skąd wy-
niknęło „pani" dodawane przed imieniem jej matki. Odkąd
pamiętała, odkąd jej ciało nabrało świadomości języka – co
nastąpiło, taka jest prawda, przed świadomością płci – mó-
wiło się nie „mama", tylko „pani Cecylia". Może to był jeden
z okrutnych żartów ojca? Może jakaś złośliwość starszej siostry? Może niedopatrzenie ze strony matki? Tak czy owak,
„pani" się przyjęła, tym bardziej że matka nie protestowała.
Może pani Cecylia nie chciała być matką? Wolała być panią?

Może to był dla niej sposób na złapanie odrobiny od-
dechu w dusznym katolickim środowisku, w którym została zawekowana i w które pragnęła zawekować najbliższych?
W końcu żaden korniszon nie uzna świeżego ogórka za rów-
nego sobie.

A może nie zwracała uwagi na tytulaturę? Ostatecznie „matka" nie jest w niczym lepsza od „pani". Tak z jednymi,

jak i z drugimi świat obchodzi się bezceremonialnie, a rękawiczki – śnieżnobiałe – pojawiają się dopiero przy trumnie.

O matce Mai per pani Cecylia mówiła nie tylko Maja, również jej starsza siostra, jej ojciec, z biegiem dni także mąż, syn, przyjaciele oraz sama zainteresowana. Matka Mai często mówiła o sobie w trzeciej osobie. Pani Cecylia nie jest zadowolona z zachowania córeczki. Pani Cecylia za dwa miesiące jedzie na pielgrzymkę. Pani Cecylia nie życzy sobie wysłuchiwać takich bezeceństw. Pani Cecylia owo i tamto, a niekiedy, najczęściej po upieczeniu sernika, pani Cesia. Pani Cesia upiekła diabełkom słodkie. W roli diabełków występowali Maja wespół ze starszą siostrą Faustyną, także ojciec (choć on był raczej Diabłem), a w roli słodkiego – sernik.

Maja nie cierpiała katolicyzmu, ponieważ katolicyzm odebrał jej dzieciństwo, albo też tak postanowiła zapamiętać wczesne lata i głównego przeciwnika. Zawsze czuła się gorsza od Matki Boskiej w wariantach Jasnogórskiej, Ostrobramskiej i tysiącu innych. Pani Cecylia zawsze z ochotą porzucała córki, żeby modlić się u stóp jakiejś świętej figurki. Maja zawsze myślała, że katolicyzm i katolicka pobożność to wymówka, pretekst, alibi. Pani Cecylia nałogowo pielgrzymuje nie dlatego, że nałogowo wierzy, ale dlatego że widzi w całym tym pielgrzymowaniu, zresztą najzupełniej zasadnie, szansę na oderwanie się od rodziny. Maja w pełni podzielała matczyne pragnienie lub raczej przypuszczenie co do matczynego pragnienia, acz zdecydowała się w identycznym celu wdrożyć procedury odmienne od wybranych przez rodzicielkę.

Postała przy oknie, za którym nie pozostało nic, co przypominałoby o tym, że za oknem jeszcze niedawno znajdowały się osoby, które Maja kochała. Które kocha. Pani Cecylia i syn. Bruno i matka.

Poszła do kuchni zaparzyć kawę. Kawa powinna rozjaśnić jej umysł, chociaż Maja wiedziała z doświadczenia, że nie ma na Ziemi takiej dawki kofeiny, która pozwoliłaby zrozumieć relację łączącą jej matkę z Brunem.

Bruno, wrażliwy punkowiec anarchista o – Maja nie była pewna, czy nie popełnia oksymoronu – konserwatywnym światopoglądzie. Bruno nie znosił państwa ani szkoły, co jednak ani nie przeszkadzało mu czuć się w szkole dobrze i zbierać więcej niż przyzwoite stopnie, ani wierzyć, że instytucje państwowe są najskuteczniejszą tamą dla nienawiści i przemocy.

Pani Cecylia; matka i żona, dopiero później kobieta, a znacznie wcześniej i przede wszystkim – żarliwa katoliczka. Na co dzień życzliwa, inteligentna, nieco rozdrażniona codziennymi obowiązkami, podczas pielgrzymki przemieniała się w bachantkę. Bruno opowiadał: babcia kwitnie, rozpierają ją energia i dobry humor, nie możesz sobie tego, mamo, wyobrazić; od niej bije szczęście i... miłość, do każdego, nawet nieznajomego, nawet ateisty.

Bruno uważał Kościół i obrzędy z nim związane za niegroźne dziwactwo, natomiast pani Cecylia uważała irokeza i przekonania Bruna za konieczną i wcale zabawną fazę dojrzewania. Gdzieś na styku tych stanowisk musieli się spotkać i w niepojęty dla Mai sposób zaakceptować lub zbagatelizować fakt, że to, co dla każdego z nich było najważniejsze, druga osoba uznawała za kompletnie nieistotne. Być może to miłość babci do wnuka i wnuka do babci usunęła różnice. Żałowała, że nie potrafi kochać obok poglądów. Już kochanie matki, z którą w niczym się nie zgadzała, bywało zadaniem ponad siły, tak wyczerpującym i absorbującym, że na przykład na kochanie Szymona mimo Szymona brakowało Mai energii i godzin.

Tak czy tak, Bruno od lat jeździł z panią Cecylią na pielgrzymki. Początkowo panicznie się bała, że jej matka podmieni Bruna na jakiś oazowy model Bruna. Według widzenia Mai byłby to Bruno nastolatek z krzywymi zębami i ubraniem z lat osiemdziesiątych XX wieku, zapładniający swoją szesnastoletnią partnerkę oraz błyskawicznie żonę każdego roku, aż wreszcie musieliby wszyscy jeździć autobusami, ponieważ przemysł samochodowy nie oferował aut zdolnych pomieścić taką liczbę dziecięcych fotelików. Po kilku wypadach i powrotach strach minął. Syn wracał z dawnymi zębami i ubraniami, wracał taki sam, identyczny, ale zawsze szczęśliwszy. Raz nawet zainstalowała kamerę w jego pokoju, żeby się upewnić, czy nie odmawia zdrowasiek po kryjomu, gdy jednak okazało się, że jej syn zwyczajnie przed snem wali konia, odetchnęła z ulgą i machnęła ręką: chce jeździć z panią Cecylią, niech jeździ. Koniec końców każdy pielęgnuje w sobie jakieś dziwactwo albo hobby.

Z kubkiem stygnącej kawy przeszła do pokoju Bruna. Białe ściany, aluminiowo-szklane meble. Na ścianach mroczne plakaty z zespołami muzycznymi, których członkowie, a przynajmniej ich wygląd, dowodzili według Mai słuszności zakazu spontanicznej ekshumacji. W pewien sposób wystrój pokoju zgrzytał: anarchia, punkowanie, HWDP, ale też przed HWDP ktoś dostawił ortograficzne (C), ale też ślad w kurzu po tubce żelu do włosów (pod kaloryferem), a na podłodze licealne podręczniki, a na biurku wysokiej jakości monitor i komputer. Młodzieńcze odrzucenie zasad rządzących światem, które paradoksalnie i bez problemu zmieściło się w pokoju zawieszonym na drugim piętrze starego budynku w kosztownej dzielnicy miasta. Pokój Bruna przypomniał Mai o tym, że udaje się jedną niekonsekwencję wmontować w drugą, należy tylko uważać, żeby mniejszą niekonsekwencję wradzać w większą, nie na odwrót.

W pokoju Bruna największe wrażenie wywoływała jedna z półek. Trzymał na niej wszystkie pluszaki swego życia. O ile sam pokój w zasadzie był biało-czarny i obojętny, o tyle na półce eksplodowały kolory. Kubusie Puchatki, Kłapouszki, Prosiaczki, Pszczółki Maje, Snoopy Dogi, Miss Piggy. Bezpieczny, barwny świat, włączony w monochromatyczną przestrzeń równie bezpiecznego świata klasy średniej. Mała nadzieja w większym kłamstwie – tak Maja personalizowała czy też abstrahowała pokój syna.

Dopiła kawę, opuściła pokój. Wszystko wskazywało, że to nie będzie dobry dzień, że to będzie zły dzień w całkiem niezłym świecie. Nie miała wątpliwości, kilkadziesiąt lat temu zamknięto by ją w dosłownie zamkniętym zakładzie, a kilkaset lat temu zostałaby zabita. Bez nadwyżek żywności nie można marzyć o tolerancji dla osób z niecodziennie wyregulowanymi uczuciami i emocjami.

Nadwyżka żywności; kluczowy warunek pozwalający na przejście od natury do kultury lub, przy bardziej powściągliwym spojrzeniu, na włączenie elementów kultury w naturę. Przy braku nż. dochodzi do trwałego rozpadu kultury albo też do powstania kultury zgodnej z Darwinem (por. ewolucja, Facebook, kapitalizm). Nż. początkowo kierowano na okiełznanie natury, co doprowadziło do powstania pierwszych systemów religijnych oraz związanego z nimi niszczenia nż. (por. ofiary). W fazie przednowożytnej produkowano już wystarczające nż., ażeby religie rosły w siłę, a ludzie umierali nieco rzadziej, niż umierali przed wynalezieniem religii (por. koincydencja). W fazie nowożytnej doszło do przekształcenia nż. w nadwyżkę

kapitału (nk.). Nk. na zasadzie sedymentacji osadzała się wo-
kół innych nadwyżek, tak religijnych, jak państwowych. Nż./nk.
stały się z czasem tak dojmująco widoczne, że struktury pań-
stwowe i religijne uznały, iż konieczne jest podzielenie się nimi
z nisko uprzywilejowanymi warstwami społeczeństwa w celu
uniknięcia szybkiego powrotu (por. déjà vu) do natury z kul-
tury. Po wynalezieniu kapitału społecznego i Internetu nż./nk.
posłużyły m.in. do ograniczenia procederu eliminowania ludzi,
którzy ośmielili się czuć i żyć tak, jak chcieliby czuć i żyć.
Nż./nk. są obietnicą i w każdej chwili mogą zostać cofnięte,
podobnie jak Boże Narodzenie lub dzień imienin.

Maja oczywiście wiedziała: żyje w niedoskona-
łym świecie, wszak ten bieżący, niedoskonały świat tłumił
jak żaden inny, żaden wcześniejszy, również niedoskonały
świat – agresję.

Świadomość, że jest lepiej, niż było, jest świadomością zbiorową, rozłączną ze świadomością jednostkową: syn
wyjechał na pielgrzymkę z panią Cecylią, mąż mlaska swoje afrykańskie języki w Berlinie, Maja zaś została sama, co
prawda w nieco ulepszonym świecie, porównując obowiązujący model z modelem z czasów młodości pani Cecylii (matka
Mai nie zgodziłaby się z taką diagnozą), jednak tak czy tak –
dzień zapowiadał się okropnie.

Przełknęła resztki kawy, rozważyła dostępne opcje.
Opcja pierwsza, potwornie nudna: podciąć sobie żyły. Opcja
druga: nie ustawać w poszukiwaniu pracy, rozesłać dodatkowe CV, poprzeżywać dodatkowe upokorzenia. Opcja trzecia: zadzwonić do kogoś (Szymon, Andrzej, Franek, pani Cecylia, pogotowie ratunkowe). Opcja czwarta: góra popcornu

z mikrofalówki i komedie romantyczne. Opcja piąta: obranie ziemniaka albo mandarynki i rozmowa ze Sławojem.

W nieokreślony sposób wymykała jej się każda z dostępnych opcji. Maja potrzebowała ramion: objąć Bruna albo zostać objęta przez Szymona. Potrzebne ramiona znajdowały się setki (Szymon) lub dziesiątki (Bruno) kilometrów stąd.

Czy istnieje ktoś jeszcze, kogo znam, a kto mógłby potrzebować moich ramion? Mojego uścisku? Teraz?

Nikt rozsądny nie postawiłby takiego pytania. Ludzie boją się usłyszeć „nie" albo „nikt", w zasadzie całkiem słusznie. Łatwiej pogodzić się ze „spadaj" lub „wypierdalaj", niż nie usłyszeć nic. Akustyka psychologii, tak właśnie ona brzmi.

W sklepie próbowała sobie przypomnieć, co lubił jej tata, gdy mieszkali razem: Maja i Faustyna, matka i ojciec, Betlejem i Darwin. Na sklepowych półkach nie znalazła ani jogurtu z hasłem „karczemna awantura przełamana kulturą osobistą", ani płatków śniadaniowych „moje córki będą dziwkami", ani wina „pij więcej, alkohol to zawsze jakieś wyjście". Nie wystawiono na sprzedaż niczego, na co jej ojciec skusiłby się z ochotą. W tej sytuacji kupiła wodę mineralną i czekoladę – drobne upominki dla jakby obcego człowieka.

Autobus utknął w korku. Zaschło jej w gardle; zanim wysiadła, opróżniła całą butelkę. Zastanawiała się, czy zwyczajnie nie przejść na drugą stronę ulicy i na przystanku nie poczekać na autobus powrotny. W istocie już otrzymała to, po co przyjechała do ojca: jakieś nic i jakąś gorycz, nieusuwalne objawy po spotkaniu. Nie musiała się z nim widzieć, żeby czuć się dokładnie tak, jakby się widzieli. Mimo to przyspieszyła kroku. Zadała sobie przecież tyle trudu, docierając na skraj Bielan, że postanowiła doprowadzić sprawę do końca. Po prostu tam pójdę, wypiję herbatę, wyjdę. A może ojca nie będzie? Świetnie by się złożyło.

Ojciec wyprowadził się z domu dokładnie w dniu osiemnastych urodzin młodszej córki. Chciał wcześniej, ale nie zgodziła się na to żona. Chciał rozwodu, ale na to również się nie zgodziła, on zaś nie naciskał. Najwyraźniej odpowiadały mu sytuacje równocześnie jasne (nie mieszkał z żoną i właściwie nie utrzymywał z nią kontaktu) oraz niedokończone (nigdy nie zalegalizowali stanu faktycznego, jak gdyby zostawiając jakąś furtkę, jakiś plan B, którego w rzeczy samej nikt nigdy nie zamierzał wprowadzić w czyn ani nawet głośno nazwać). Przeprowadził się do starej jednopiętrowej willi, spadku po matce.

Maja pchnęła przerdzewiałą furtkę i przeszła przez chaszcze zaniedbanego ogrodu na tył domu, gdzie – w odurzającym kontraście – wszystko prezentowało się starannie: przycięte krzewy, wypielęgnowane rabatki, a w sercu ogrodu na cokole stała pomniejszona nieco replika Wenus z Milo. Maja zwalczyła pokusę opadnięcia na wiklinowe krzesło i przyglądania się jesieni. Zbliżyła się do drewnianych, prowizorycznych schodów albo raczej do chaotycznej, drabinopodobnej konstrukcji, noszącej ślady niezliczonych napraw i przeróbek, pomimo których całość sprawiała wysoce niestabilne i niebezpieczne wrażenie. Niestety, tędy biegła jedyna droga na piętro, na którym urzędował jej ojciec.

Stan domu wynikał ze stanu emocji jego lokatorów. Ojciec Mai nie był jedynym spadkobiercą, połowa majątku przypadła jego bratu Wiktorowi. A ponieważ bracia szczerze się nienawidzili, od niemal dwudziestu lat walczyli ze sobą w sądach i na posesji, usiłując wyeksmitować się nawzajem. Przez te dwie dekady ciągłej wojny krok po kroku docierał się model współżycia i nienawiści. Wiktor wylosował (bracia rzucali monetą) parter, ojciec Mai pierwsze piętro. Ponieważ parter zdawał się wygodniejszy, w ramach rekompensaty ojcu dostała się większa część ogrodu, za domem. Podzielili się również ścianami. Wiktor odpowiadał za front i jedną ścianę boczną, ojciec za tylną i drugą boczną. Okna piętra wychodzące na ulicę pozostawały zawsze zaciągnięte zasłonami, podobnie jak okna parteru wychodzące na tył domu – bracia nie życzyli sobie popatrywać na wrogie terytoria. Gdy ojciec postanowił zadbać o własny kawałek ogrodu, Wiktor zdecydował się swój zapuścić. Gdy ojciec odnowił elewację i przywrócił oryginalny biały kolor, Wiktor, aby brat odczuwał trwałą estetyczną rozpacz, uważając chyba, że zwyczajne zaniedbanie to za mało, wybrał absolutnie najokropniejszy kolor na świecie, żarówkowo jaskrawą mutację wrzosu z różem, której ohydę przypieczętował intensywnie pistacjowymi drzwiami wejściowymi i framugami okien. I tryumfował, albowiem jego brat niezwłocznie podał go do sądu (nawet dwukrotnie). Pierwsza sprawa, jeśli Maja sobie przypominała, dotyczyła „wandalizmu estetycznego", z kolei w sprawie drugiej ojciec wnosił o ubezwłasnowolnienie i zamknięcie Wiktora w zakładzie psychiatrycznym, na co kategorycznym dowodem stać się miały liczne zdjęcia wrzosowo-pistacjowej ściany czołowej. Oczywiście ojciec obie sprawy przegrał, pogrążył się w depresji, z której wyszedł, dopiero gdy Wiktor złamał biodro, co zapewniało – jak się okazało, kompletnie bezzasadnie – nadzieję na komplikacje i śmierć. W tym miejscu należy wspomnieć, że bracia zawarli pewien układ: otóż w wypadku śmierci jednego z nich połowa domu przechodziła na tego z braci, który by przeżył.

Bracia gardzili sobą od tak dawna i tak silnie, że obecnie utrzymywali dość poprawne stosunki. Euforyczna faza nienawiści skończyła się dawno temu. Teraz potrafili w milczeniu jechać jedną taksówką do sądu, jako powód i pozwany. Najwyraźniej prawdziwej, stabilnej, kwitnącej nienawiści nie przynosi ujmy ograniczenie kosztów transportu.

Maja wspinała się na balkon, uważnie stawiając kroki i przyglądając się każdej desce, jak gdyby ukryto w niej wnyki albo inne pułapki. Zapytała kiedyś ojca, dlaczego nie wzniesie prawdziwych stopni, lecz naraża się na upadek z tego rozklekotanego, zbitego byle jak z desek czegoś. Ojciec odparł, że nie widzi konieczności inwestowania w nowe schody, skoro z pewnością Wiktor zostanie już niedługo eksmitowany lub umrze. („Poza tym, dodał ojciec, nie potrafię dać mu satysfakcji. Gdybym wybudował porządną klatkę schodową, Wiktor pomyślałby, że się pogodziłem z sytuacją. A ja jestem i pozostanę nie-po-go-dzo-ny!”)

Drzwi balkonowe uchylone. Na krzesełku spoczywał skomplikowany zestaw łańcuchów i kłódek, którymi ojciec zabezpieczał swoje królestwo, gdy wychodził. Maja zapukała w szybę i nie czekając na odpowiedź, weszła do środka:

– Tato? Tato, jesteś tam?

Znalazła ojca, emerytowanego profesora, w gabinecie. Siedział pochylony nad ekranem komputera, pewnie pracował. Po wycofaniu się z aktywnego życia naukowego odnalazł się jako autor podręczników. Wydał *Krótką historię sztuki dla najmłodszych*, a po niej kolejne części, adresowane do młodzieży gimnazjalnej i licealnej, a także do studentów i zainteresowanych historią sztuki laików, którzy studia dawno już zostawili za sobą, natomiast wieczorami nadal lubili fundować sobie uczucie z czasów studenckich: że oto jak w latach młodości nabywają niepotrzebną wiedzę, niepotrzebną, lecz przecież pięknie wydaną, kolorową i luksusową. Książki ojca sprzedawały się naprawdę dobrze. Gdyby nie sukces wydawniczy, a co za tym idzie, także finansowy, nie zdołałby z emerytury opłacić znacznej liczby procesów, wytaczanych Wiktorowi oraz rozmaitym firmom i organizacjom.

– Tato?

Dopiero teraz zareagował. Obrotowy fotel zabrał twarz emerytowanego profesora sprzed komputera i dostarczył ją przed oczy Mai.

Nigdy nie nauczyła się deszyfrować zmarszczek na ojcowskiej twarzy. Kamienne oblicze Sfinksa albo raczej martwy zegar, który za chwilę zostanie podłączony do prądu i wyświetli zupełnie nieoczekiwaną godzinę. Pamiętała sytuacje z przeszłości, gdy jeszcze tworzyli rodzinę, a ojciec urządzał straszne awantury, wypowiadając najbardziej raniące słowa z uśmiechem i lekkim tonem. Większość jadu kierował przeciwko żonie, niekiedy jakaś jego część dostawała się córkom. Może jad wytrąca mięśnie mimiczne ze zrozumiałych dla widza kolein?

Nie wiedziała, jak się zachować, więc po prostu powtórzyła:

– Tato.

– Tak, tak. Wiem, co czujesz.

Wygrzebała z torby czekoladę, podeszła do biurka, położyła ją na stosie książek.

– Przechodziłam obok przypadkiem i pomyślałam, że do ciebie zajrzę.

To było ewidentne kłamstwo. W tym zakątku Bielan nikt nie przechodził obok przypadkiem, a już na pewno nikt z czekoladą.

– Szkoda, że nie zadzwoniłaś wcześniej. Powiedziałbym ci, że mnie nie ma.

To było drugie ewidentne kłamstwo. Ojciec nigdy nie odbierał telefonu stacjonarnego, Maja natomiast nie odebrała tych słów jako wrogie. Prawdopodobnie ciągle sprawny i błyskotliwy umysł ojca uznał, że na ewidentne kłamstwo odpowie ewidentnym kłamstwem, ponieważ tak będzie dowcipnie, na przykład.

– Prawdę mówiąc, liczyłam, że już nie żyjesz.

– Przykro mi, że cię rozczarowałem.

Kłamstwo numer trzy i cztery, pora na piąte i szóste:

– Tato, nigdy mnie nie rozczarowałeś.

– Ty mnie też nie.

Powyższa wymiana zdań sprawiała wrażenie wymiany uszczypliwości, jednak dla córki i ojca oznaczała, między innymi, potwierdzenie więzi. Maja była córeczką tatusia, Faustyna córeczką mamusi. Ojciec nigdy chyba nie powiedział swoim córkom nic miłego, nawet gdy zbierało mu się na czułości, przemawiał na przykład tak: „Tata potrzyma córkę w ramionach. Chodź do taty. Nie, nie ta gruba, niech przyjdzie ta brzydka". I Maja (albo Faustyna) posłusznie szła. Cieszyła się, że ojciec bierze ją na ręce, wcale jej nie przeszkadzały te słowa, ponieważ one oznaczały coś innego, choć Maja nie wiedziała co; wiedziała tylko, że nie to, co oznaczałyby chłodno przelane na papier i przetłumaczone za pomocą słownika. Ojciec nauczył Maję, że każdy język, zwłaszcza język ojczysty, składa się wyłącznie z wyrazów obcych.

Jej ojciec bywał potworem, i to potworem najtrudniejszego do opisania gatunku. Nie nadużywał alkoholu, nie bił żony ni dzieci, pracował na etacie i zapewniał środki finansowe na to i tamto, czyli w skrócie na życie. Maja dawno temu zrezygnowała z prób opisania ojcowskiej potworności osobom trzecim. Osoby trzecie widziały nieszkodliwego, uroczego starszego pana, widziały cacy-cacy maskotkę w sam raz na uroczyste rodzinne obiady, widziały kruche naczynie przechowujące światło mądrości. Tymczasem ona wiedziała, że naczynie wcale nie jest kruche, lecz wykonane z superwytrzymałego stopu arogancji i upartości, że przytulając tę nobliwą i elegancką maskotkę, należy zachować szczególną ostrożność, ponieważ zawiera ona w sobie kły, język i pazury, z których nie waha się czynić użytku.

Mimo wszystko Maja kochała ojca, przy całej nieadekwatności tego czasownika w jej, w ich sytuacji. Chyba najwięcej kochała za to, że ojciec nigdy nie powiedział jej albo o niej jednoznacznie dobrego słowa, a wypowiadając zdania krzywdzące lub bolesne, czynił to w taki sposób, jak gdyby puszczał do niej oko, jak gdyby ofiarowywał skomplikowany anagram do rozwiązania, w którym ironie, szpile i kpiące niesmaki należało rozłożyć na czynniki pierwsze, następnie złożyć ponownie w czułość, sentymentalizm i bliskość. Wyłącznie od Mai, od jej determinacji i sprawności zależało, czy operacja na języku i emocjach się powiedzie. Ojciec otworzył przed Mają szczelinę: z jednej strony treść, z drugiej znaczenie, a pomiędzy – wiara lub przekonanie, że ludzie zawsze są lepsi, niż skłonni jesteśmy to przyznać albo dosłyszeć.

– Jeden jeden napije się z ojcem herbaty?
– Napije.

Ojciec nazywał Maję (oraz Faustynę) „jeden jeden". Według ojca jego małżeństwo z panią Cecylią należało ujmować w kontekście epickiego starcia rozsądku z zabobonem, światła z ciemnością, a nade wszystko ateizmu z religią. Wynik tego starcia to właśnie jeden do jednego. Faustynę pochłonęły ciemne moce, bierzmowania, chrzciny i transsubstancjacje, pośród których ojciec najwyżej sobie cenił piwny brzuch swego zięcia, Faustyna zaś – przemianę krwi w wino, ex aequo z chleba w ciało. Maja, choć nie uniknęła potknięć (Bruno), zdołała uchronić światło swego umysłu i utrzymać je z daleka od kadzideł i rytuałów. W niezmiernie rzadkich sytuacjach, gdy widział równocześnie dwie córki, czerpał dziką satysfakcję, wołając „jeden jeden". Reagowały obie, i Maja, i Faustyna, nie wiedziały bowiem, czy woła swoją przegraną, czy wygraną; tak jak w dziecięctwie nie umiały rozstrzygnąć, która z nich to ta brzydka, a która gruba.

Ojciec wstał z fotela i poszedł do pomieszczenia służącego przejściowo za kuchnię. Maja wróciła do przejściowego salonu. Usiadła na sofie i czekała na rozwój nieodmiennie przejściowej sytuacji. Wizyta u ojca od prawie dwudziestu lat przypominała wizytę na obcej planecie. Należało siedzieć, obserwować i w stosownym momencie, już za drzwiami, wyprzeć z pamięci jak najwięcej szczegółów.

Wrócił z tacą, a na niej miał czajnik, cukiernicę i dwie filiżanki. Postawił tacę na stoliku.

– Jakie niepomyślne wiatry zagnały cię na moje pierwsze piętro?

– Szymon wyjechał do Berlina. Na długo. Bruno wyjechał z panią Cecylią. Na pięć dni. Moim najbliższym przyjacielem stał się gej. Ponadto poznałam bardzo schludnego mężczyznę oraz jego matkę; ona akurat jest w porządku.

Od kilku miesięcy nie mogę znaleźć pracy. Często rozmawiam z tchórzofretką. A tak naprawdę przyszłam, bo chciałam zobaczyć kogoś bardziej niż ja sama.

– Samotnego i żałosnego?

– Nie wiem.

– Potrzebujesz pieniędzy?

– Jeszcze nie. Szymon przyzwoicie zarabia. To znaczy, dopóki grant się nie skończy.

– Powiedziałaś mu, że straciłaś pracę?

Spojrzała na ojca z gorącą nienawiścią. Jej zdaniem przenikliwość po sześćdziesiątce powinna być karalna.

– Tak. W końcu tak. Dlatego między innymi wyjechał.

– W takim razie – ojciec bezradnie rozłożył ręce – nie rozumiem, dlaczego musimy wspólnie wypić tę herbatę.

– Sama tego nie rozumiem. Jestem zażenowana tym, że z tobą rozmawiam. Jestem rozczarowana tym, że nie umierasz na raka prostaty czy na co tam wy, starcy, powinniście w twoim wieku umierać. Wtedy bym się tobą opiekowała i ogromny ciężar spadłby z moich barków, czyli stąd mniej więcej – Maja zatoczyła dłonią koła wokół ramion, jakby tam wyrastały skrzydła. – Zwłaszcza gdyby wylew odebrał ci mowę. Zresztą, nieważne. Zaraz dopiję i spadam.

– Nie musisz się dramatycznie spieszyć – odpowiedział ojciec.

Maja dopiła herbatę w milczeniu. Bliskie spotkanie trzeciego stopnia (czy stopnie spotkań mierzy się skalą oparzeń? – zastanawiała się) miało się ku końcowi. Wstała z fotela. Ojciec również się podniósł.

– Chyba czas na pożegnalną złośliwość.

– Świetnie wyglądasz, tato.

Rozpłakała się dopiero na przystanku, a i to nie spazmatycznie. Najwyraźniej nawet Ziemianie prędzej czy później godzą się z faktem, że ich rodzice przybyli z obcych światów. Ponadto zawsze pocieszająco wypada myśl, że tak jak rodzice nas nie kochają i nie rozumieją, tak kochali i rozumieli naszych rodziców ich rodzice. Taka świadomość to ulga. Taka ulga to tradycja. Taka tradycja to równia pochyła. Taka równia pochyła to komunikacja zbiorowa. O, przyjechał autobus.

20.

Jesteśmy płodzeni, ale nie wychowywani, ci, którzy nas spło-
dzili, występują przeciwko nam z całą swoją tępotą, z całą tą
niszczącą człowieka bezradnością, i już w ciągu pierwszych
trzech lat życia rujnują wszystko w nowym człowieku, o któ-
rym nic nie wiedzą, a jeśli cokolwiek wiedzą, to tylko tyle, że
zrobili go bezmyślnie i nieodpowiedzialnie, nie mają też pojęcia,
że tym samym popełnili największą zbrodnię.

Thomas Bernhard

Franek uśmiechnął się symetrycznie do pani za kasą, zabrał
tacę z obiadem i zastanawiał się, przy którym stoliku usiąść.
Nie udało mu się z nikim zakumplować, nikim z Instytutu

Genetyki. Nie występował o relację kumpelską wylewnie, jest wysoce prawdopodobne, że w tak stechnicyzowanym i zbiurokratyzowanym środowisku, jakim stał się uniwersytet, najnormalniej w świecie zapomniał wypełnić formularz „Pragnę kolegi/koleżanki do wspólnego spożywania posiłków w zakładowej stołówce". Nie zdziwiłby się, gdyby taki formularz rzeczywiście kurzył się w sekretariacie. Spędził w Niemczech tyle czasu, że wierzył w Formularze, Procedury i Porządek oraz w szacunek do rzeczowników, pisanych zawsze wielką literą. Nie zdziwiłby się, gdyby ktoś kiedyś mimochodem i z zakłopotaniem położył mu pomocną dłoń na ramieniu, następnie stosowny druk przed nim (na blacie); na razie jednak dłoń i druk się nie zmaterializowały.

Na początku sądził, że jada sam, ponieważ nikogo nie zna. Hipoteza ta nie okazała hartu ducha, albowiem czas się toczył, a z jego biegiem Franek poznawał w instytucie więcej i więcej osób. Mimo to jadał osobno, zwykle przy najmniej uczęszczanym stole, tuż obok paprotki. Paprotka prezentowała się wspaniale, w dowolnym momencie sypała zarodnikami do talerza, co urozmaicało fakturę dań przygotowywanych w kuchni, w żadnym jednak razie nie poprawiało ich smaku.

Franek nie złowił zachęcającego spojrzenia swoich potencjalnych, bo dotąd nieujętych w formularzu, kolegów ni koleżanek, zawędrował pod paprotkę, oklapł i postanowił pokonać górę przegotowanych jarzyn i źle doprawionych surówek. Nie jadł mięsa od prawie dwudziestu lat. W istocie to była jego pierwsza świadoma decyzja, już w podstawówce przeszedł na wegetarianizm, choć nie wiedział, że takie słowo jak „wegetarianizm" istnieje i że można nań „przejść".

– Mamo, czy mój obiad – zapytał, patrząc na schabowego – kiedyś oddychał?

– Raczej się dusił, synku – odpowiedziała Ninel.

Franek rozważał matczyne słowa.

– Mamo, czy duszenie się nie jest formą oddychania?

– Raczej manieryzmem, jeśli mnie pytasz.

– Nie wiem, co to znaczy – odsunął talerz od siebie. – Nie chcę jeść kradzionego. Daj mi twarogu.

Przestał jeść mięso, zanim niejedzenie mięsa nabrało zabarwień światopoglądowych, zanim stosunek do wieprzowiny, wołowiny i drobiu, nie wspominając karakułów, stał się paralelny do stosunku względem kapitalizmu czy kibicowania piłce nożnej. Przestał jeść mięso, nim niejedzeniu mięsa zaczęły towarzyszyć konteksty, narracje oraz słuszności. Nie jadł mięsa nie dlatego, że w coś wierzył. Nie jadł mięsa, ponieważ wydawało mu się, że zjadając inne ciało, popełnia kradzież. Bardzo długo zresztą sądził, że siódme przykazanie dotyczy mięsa i że jest najpowszechniej łamane: w kanapkach, na talerzach, w zupach – dosłownie wszędzie tkwiły mniejsze lub większe, szare lub różowe, pieczone i wędzone kawałki lub plastry, dowody kradzieży. Kradzieży czego? Długo nie postawił takiego pytania, ponieważ kradzież zdawała mu się tak oczywista, że nie warto było jej roztrząsać.

Nasamprzód wziął na cel wybrzuszenie w postaci kostek marchewki wymieszanych z groszkiem. Przełknął kilka łyżek. Tak marchewkę, jak groszek zawieszono w jakimś żelowatym, zasmażkowatym czymś. Jeśli istnieje kraj, pomyślał, w którym nie szanuje się warzyw, to bez cienia wątpliwości w nim mieszkam.

Przegnał marchewkę na brzeg talerza i postanowił skupić się na surówce z selera. Zadzwoniła komórka.

– Cześć, pytam szybko, bo się spieszę: co wiesz o bilokacji?

– Człowiek potrafi przebywać w dwóch miejscach jednocześnie – odpowiedział automatycznie.

– Wcale nie! Bilokacja oznacza, że są przynajmniej dwa miejsca, w których mnie nie ma. Chciałam się tylko upewnić. To cześć.

– Zaczekaj!

Maja już się rozłączyła.

Nabrała nowego zwyczaju dzwonienia w raczej nie-oczekiwanym momencie, wyrzucała jedno-dwa pytania i się rozłączała, zanim zdążył ją zapytać, jak się miewa albo kiedy się zobaczą. Trwało to już kilka dni. Pierwszego dnia jej zachowanie wydało mu się dziwaczne, ale już dnia trzeciego – normalne. Franek posiadał niezwykłą zdolność adaptacyjną: zachowania i zdarzenia nietypowe, jeśli tylko powtarzały się przez krótki okres, natychmiast przenosił i włączał w przestrzeń codzienności, zwyczajności i rutyny.

Zaatakował paski z selera, utopione w sosie z grubsza chrzanowym, a przy drugim szturmie na marchewkę z groszkiem postanowił odwiedzić Maję. Wiedział, gdzie mieszka; ze dwa razy odebrał ją sprzed drzwi, gdy szli do kina albo na kolację.

Kupił kwiaty; uznał, że przydałoby się wino, wstąpił do sklepu; już na Mokotowie przyszło mu do głowy, że nie ma pojęcia, jak ona zareaguje na niezapowiedzianą wizytę, dlatego odwiedził aptekę, gdzie nabył podstawowy zestaw dezynfekująco-opatrunkowy oraz pastę do zębów. (Kończyła mu się).

Kiedy stał przed drzwiami, przyszła mu do głowy absurdalna myśl: nikt nie je ze mną obiadów w stołówce, ponieważ stoję teraz przed tymi drzwiami, ponieważ stałem tutaj nawet wtedy, gdy nie wiedziałem, że stanę.

Myśl przegnał, zaniepokoiła go jednak. Ostatnim razem, gdy zdarzyło mu się skojarzyć obrazy leżące poza chronologią i związkiem przyczynowo-skutkowym, złapał zapalenie płuc.

Nacisnął dzwonek. Liczył, że odpowie mu cisza, a jednocześnie, że Maja. Parsknął gniewnie, no proszę, kilka tygodni w Polsce, kilka spotkań z matką i moje porządne i zdrowe odruchy emocjonalne oraz pragnienia zamieniają się w jakąś słowiańską maź, w niezdecydowanie, w – jak to oni nazywają – porywy duszy. Nikt mi nie przypomniał, że tutaj dusza porywa się na dwoje, naraz.

Chyba się przesłyszał. Delikatne skrobanie w drzwi, dochodzące z tamtej strony. Przyłożył ucho. Głucha cisza, zakłócana oddechem Franka i spadającą wodą. Ktoś pewnie spuścił przetrawiony obiad w klozecie albo umył ręce. Rury zamilkły, prawo ciążenia sprawowało się bez zastrzeżeń.

Ułożył na wycieraczce kwiaty, wino i zestaw zakupiony w aptece.

Dotarł już na parter, gdy usłyszał:

– No, chyba nie zamierzasz mi zostawić tych śmieci?!

Wbiegał po schodach, pokonując po kilka stopni. Na ostatnim potknął się, zatoczył i stoczył na półpiętro.

Żadnej trwałej krzywdy sobie nie zrobił, upadek nieco go oszołomił; ostatni raz padał przed zjednoczeniem Niemiec, bez związku zresztą z historią, jeśli już, to z Józefem, kolegą z akademika. Próbował się podnieść, wtedy usłyszał śmiech Mai.

Musiał wyglądać komicznie. Upadek wytrącił go z figuratywnej godności wprost w objęcia Picassa albo nawet gorzej – Warhola. Zbierał części własne do pionu, tu *Guernica*, tam *Zupa Campbell*, a pomiędzy nadal pozostało sporo człowieka. Ona stała u szczytu stopni, teraz dopiero ją zauważył, ponieważ zdołał obrócić głowę (stoczył się z widokiem na ścianę półpiętra, tyłem do klatki schodowej), stała w szlafroku wprost wyjętym z horroru o opiece społecznej i zanosiła się śmiechem.

– Matko Boska! To naprawdę dla mnie?! Dla mnie?! Wspaniały upadek! Wspaniały! Nie musiałeś, wystarczyłyby kwiaty i wino!

Wreszcie się podniósł, otrzepał. Odniósł wrażenie (i ani jednego obrażenia), że został upokorzony, nie tyle przez nią, ile przez siebie albo przez siłę ciążenia.

– Nie martw się. Newton to kurwa.

– Miło mi to słyszeć.

– Wpadniesz na kawę? Oczywiście, możesz poczekać tam, gdzie jesteś. Zaraz zaparzę, wrócę i cię nią obleję. Jeśli jednak chcesz wejść, zapraszam.

– Chętnie. Bardzo chętnie. Po to przyszedłem.

Zebrała rzeczy z wycieraczki, zaniosła do środka, on zaś stał u progu; został, co prawda, zaproszony, ale przed chwilą się stoczył, więc postanowił zaczekać.

Maja wróciła w swoim absurdalnym szlafroku, wspięła się na palce, pocałowała go w policzek, w miejsce, w którym jutro pojawi się okazały siniak, niby po pocałunku, ale jednak przed, ach!, chronologia i przyczyna ze skutkiem!, wzięła go za rękę i poprowadziła do salonu. Usadziła w fotelu.

– Teraz cierpliwie poczekaj. Muszę zmienić strój wdowy na coś leksykalnie współczesnego.

– Podoba mi się twój szlafrok.

– Ukradłam ten całun matce. To praktycznie antyk, a może relikwia. Moja matka to prawie święta osoba i zna bieżącego prymasa. Całuje go w rękę. Przynajmniej tyle mi zdradziła, a ja nie dopytywałam.

Franek nie zastanawiał się, nie miał dość czasu. Póki nie wróciły mu odruchy doskonale zorganizowanego i symetrycznego mężczyzny, wyciągnął rękę, wydawało mu się, że w powietrze, że chybił, jeśli jednak chybił, to wprost w nadgarstek Mai.

Wcześniejszy ich kontakt fizyczny nie wykraczał poza buzi w policzek na dzień dobry/śpij dobrze. Teraz przyciągnął Maję do siebie, posadził na kolanach.

Wzwód, którego obecność sobie uświadomił, nie pojawił się wraz z pojawieniem się Mai na kolanach. Członek odleciał wcześniej, kiedy Franek spadał po schodach. Czy tak oto Syzyf toczy swój kamień? Ze sterczącym penisem? W końcu nie żyje, w końcu bezsens oraz wieczność.

Syzyf; potężny król i władca Koryntu, zapraszany przez bogów na uczty, z których przynosił na Ziemię plotki o życiu nieśmiertelnych oraz ambrozję. Został ukarany za swoją próżność: do końca czasu będzie wtaczać na górę wielki głaz, a gdy już prawie osiągnie sukces, tuż u wierzchołka głaz wymknie mu się z rąk i stoczy do podnóża góry. S. stał się honorowym patronem dwóch istotnych instytucji popkultury: (1) mydlanych oper (w każdym odcinku głaz intrygi i fabularnego napięcia stacza się beznadziejnie, zaś w przypadku gorszych produkcji nikt go nie zamierza nawet tknąć); (2) paparazzich (dokumentują życie wyższych sfer, głównie blondynek w terminalnej fazie rozedmy płuc, atakującej już w sposób ostentacyjny biust,

*oraz szatynów-samców z trzydniowym zarostem i licznymi
tatuażami, wykonanymi w języku, którego nosiciele nie są
w stanie przeczytać).
Powszechnie używany jest związek frazeologiczny: syzyfowe
prace. Początkowo oznaczał on pracę ciężką i z góry skazaną
na niepowodzenie, później stał się synonimem pracy dobrze
opłacanej i pozbawionej jakiegokolwiek celu.*

Maja oczywiście wyczuła jego podniecenie. Chciała
coś powiedzieć, powiedziała:

– Nordic walking z jednym kijkiem, to chyba nie-
zgodne z zasadami...

Nie pozwolił jej dokończyć. Pocałował ją, jego ręce
wpłynęły pod tkaninę relikwii wykradzionej matce.

Nie całował delikatnie. Gryzł ją.

Odgryzała się. Trochę bez wiary, że coś z tego będzie,
raczej tak towarzysko.

Zsunęli się na podłogę. To był Franka drugi w ciągu
kwadransa upadek. Ten jej nie śmieszył.

Wszedł w Maję, poruszał się w niej.

Dotychczas orgazmy wydawały mu się wcześniej
uzgodnione, wpisane w kalendarz i we własną dłoń bądź Kasię. Pamiętał o swoich powinnościach, o wspólnocie i umo-
wie, o zadowoleniu partnerki. Tym razem, z Mają, zapomniał.
Po raz pierwszy skupił się na własnej przyjemności, wyklucza-
jąc uprzednio sytuacje masturbacyjne, chociaż nie wiedział,
że po raz pierwszy się na niej skupia. Doszedł i ejakulował
(termin medyczny) lub wystrzelił (ten z kolei termin przyna-
leży do powieści popularnej lotów nie wyższych od bażancich).

Leżeli obok siebie, głowy na dywanie, tułowia i nogi
na parkiecie.

Nikt nikogo nie objął.

Patrzyli w sufit.

Dreszcz przebiegł i ścisnął mu mięśnie łydki, echo rozkoszy, wtórny wstrząs po orgazmie, prawie przyjemny, prawie usprawiedliwialny niedobór magnezu, gdyby nie to, że zdarzył się w całkowicie świadomym ciele.

Usiadł i zaczął rozmasowywać łydkę.

– Skurcz – powiedział przepraszająco.

Podniosła się, szczelnie osłoniła ciało szlafrokiem.

– Wezmę prysznic. Możesz iść do kuchni i otworzyć wino albo zaparzyć kawę. Możesz też wyjść, kiedy będę w łazience.

Odwróciła się na pięcie, on natomiast wyciągnął się na podłodze.

Uśmiechnął się.

Był szczęśliwy. I przerażony. Na razie jednak postanowił przerażenie odepchnąć. Wydarzyło się to, o czym marzył. Już w autobusie, gdy ją poznał, wiedział, że chce Mai, że pragnie być częścią jej życia. Obawiał się, że zostanie Mai najlepszym przyjacielem, że brak mu jakiejś cechy – egoizmu? testosteronu? nierozsądku? – aby stało się to, hurra!, co się stało. Obawiał się, że matka, tak nieprzewidywalna, zabiła w nim spontaniczność, zmyliła proste odruchy i na stałe wprowadziła je do kojca rutyny, zamknęła – zgódźmy się z oburzeniem na prymitywne uproszczenie – odruchy w nawyku. Nieprzewidywalność Ninel bywała tak bolesna, że jej syn chronił się na odległej wyspie, w zaplanowaniu i rozsądku, i obawiał się, raz mniej, raz więcej, że tam właśnie dokona żywota.

Leżąc na plecach, wpatrywał się w sufit. Wpatrując się w sufit, widział sufit. Mimo to był szczęśliwy.

Wstał i poszedł do kuchni.

Odkorkował wino.

Maja wróciła, bez szlafroka, w bluzce ze sporym dekoltem, w dżinsach; do tego lekko mokre włosy, lekki makijaż.

– Widzę, że wybrałeś wino. Trudno. – Nie odpowiedział, podał kieliszek. Upiła odrobinę. – Powinieneś coś powiedzieć. Przywilej mężczyzny. To kulturowe. Nie biologiczne.

– Dziękuję – powiedział.

– Za co?

Kochali się znowu na podłodze, tym razem w kuchni. Tym razem Franek zadbał o zadowolenie partnerki. Stał się zwyczajnym sobą, uważnym, szczegółowym i otwartym na każdy jęk, ślad, potrzebę.

Leżeli obok siebie, ale nie tak bardzo obok jak w salonie, mniej równolegle, bardziej prostopadle. Złożył głowę na jej brzuchu, sufit, choć inny, nadal bardzo się Frankowi podobał. Zaczynał doceniać przestrzenie zakończone kątem prostym.

– Zawsze zastanawiałam się, jak to jest być królikiem.

– I jak?

Głowa Franka pozostawała pusta; „i jak" wydało mu się szczytowym osiągnięciem intelektualnym, wykraczało wszak ponad poziom „yyyeee".

– Fajnie. Królikom jest fajnie. Zanim pojawią się konsekwencje fajności, lądują w potrawce.

Franek wydostał z siebie dźwięk, wystarczająco nieokreślony, niedopięty, nieuregulowany, aby zagrozić kuchennej bukolice.

– I... – szukał gorączkowo jakiegoś punktu zaczepienia, bezpiecznego sensu, zdania, pytania. – O co chodziło z tą bilokacją?

Milczeli dość długo. Myślał, że Maja go zbyła, lecz nie.

– O nic – stwierdziła. – Po prostu zawsze są dwa miejsca, w których mnie nie ma i w których powinnam być, ale nie jestem.

– A teraz?

– Teraz... teraz powinnam być z Szymonem albo z Brunem. To są moje miejsca, w których mnie nie ma.

– Jesteś ze mną!

– Jestem z tobą – zgodziła się. – A twoja bilokacja? Twoje miejsca?

– Jestem dokładnie tu, gdzie chciałem być. Ja się nie bilokuję. Jestem za mało skomplikowany.

– Franek – powiedziała w sufit – biedny Franek. Jest, gdzie jest.

Potem go pocałowała. Myślała, że muśnie wargami wargi, okruch otuchy, nic wielkiego, nic znaczącego, kawałek niezadanego zdumienia; nic takiego jednakże się nie wydarzyło. Pocałowała go głęboko; całując, uświadomiła sobie, że od dawna nie całowała nikogo, kto jest dokładnie tam, gdzie jest. Przy niej.

21.

Badania prowadzone przez amerykańskich uczonych wykazały, że w piątym pokoleniu farbujących włosy kobiet dzieci mają trwale ten sam odcień blond. Niezależnie od tego, jakiego koloru używała matka.

Inga Iwasiów

– Pomalowałaś włosy?

– To brzmi prawdopodobnie. Prawdopodobnie jakoś musiałam spędzić wczoraj – odparła Maja.

Wstawił do kuchenki mikrofalowej potrawkę z królika, kupioną u Hindusa (na wynos). Andrzej nienawidził kuchenek mikrofalowych – stał na stanowisku, że sprawdzają się wyłącznie jako podbijacz rachunków za prąd. Nienawidził również kuchni z subkontynentu indyjskiego. (Za dużo składników, mieszanek, smaków, kast, reinkarnacji, konfliktów z Pakistanem i Chinami). W związku z tym nie odczuwał dyskomfortu, ba!, odczuwał wprost przeciwnie – pewien rodzaj harmonii, kiedy podgrzewał prawie niejadalne w czymś okropnym.

– Gdzie zjemy hinduską truciznę za trzydzieści pięć złotych? W kuchni?

– Jak sobie życzysz.

Królik nie okazał się tak zły albo też Andrzej zgłodniał bardziej, niż sądził.

– Zupełnie się tego nie spodziewałem – powiedział, acz bez związku z jedzeniem. – Zadzwoniła do mnie jakiś czas temu matka Krzysia. Wyobrażasz sobie?!

– Czy to ta pani, która trzy lata temu łaskawa była zadzwonić do ciebie z życzeniami gwałtownej i bolesnej śmierci? – Andrzej spuścił wzrok. – I co? Postanowiła sprawdzić, czy jej życzenie się spełniło?

– Najwyraźniej moje życie przestało ją interesować. Do tego stopnia... Ten królik jest naprawdę jadalny! ...że zapytała nawet, jak się czuję. Była... miła. I zmartwiona.

– Matki tak mają – prychnęła Maja. – Są zmartwione. To trwały stan. Stan umysłu. Szok pourazowy. Jak tylko przestaje matkom lecieć mleko, przechodzą w tryb zmartwienia. Potem umierają. Wiem, bo jestem matką.

– Maja, przecież nie było jej łatwo zaakceptować...

– Przestań pierdolić. Zaakceptować czego? Że szansę na wnusia będzie miała raczej przy kolejnym obrocie karmy?

Roześmiał się:

– Mnie nie musisz przekonywać. Twoja matka...

– Moja matka? Będziemy się licytować na homofobię matkami? Moja matka bardzo by cię zaskoczyła. Ona przyswaja nauczanie Kościoła jak gąbka, dużo szybciej niż papież. Już umie oddzielić grzech od grzesznika. Daj jej trochę czasu – Maja popiła wody – a oddzieli grzesznika od człowieka. Poza tym – teraz uniosła widelec z nabitym kawałkiem potrawki – wydaje mi się, że moja matka jest lesbą. Gdyby nie była, pielgrzymki nie sprawiałyby jej takiej frajdy. No, a jeszcze kto, jak nie lesbijki rodzi córki? Urodziłbyś córkę? Dwie córki? Ja nie urodziłam. Nie odczuwałam takiej potrzeby światopoglądowej. Albo Chinkę? Urodziłbyś Chinkę, żeby całe życie składała zabawki na plantacji niewolników?

Andrzej poczuł się swobodnie. Jego przyjaciółka kwitła, rozrzucała łaskawie i nieszkodliwie stereotyp za stereotypem. Prawdę mówiąc, bał się, przyjmując nieoczekiwane zaproszenie na opóźniony obiad, który sam musiał naprędce zorganizować, że ona będzie marudzić, rozpaczać, opukiwać dno. Tymczasem – kwitła. Plotła. Bluszcz i róża.

– Cieszę się, że umiesz mówić. Chciałbym zapytać, czy umiesz też słuchać?

– Taka jest cena człowieczeństwa, że czasem trzeba słuchać. Postaraj się powiedzieć to, co muszę usłyszeć, jednym zdaniem. Dam ci za to mandarynkę.

– Matka Krzysia zadzwoniła, żeby zapytać, czy wiem, co się z Krzysiem dzieje. Od dawna nie daje znaków życia.

– I co jej powiedziałeś?

– Skłamałem, że wszystko w porządku. Grypa. Albo angina. Nie pamiętam, co skłamałem. Zdenerwowałem się.

– Albo wcale nie skłamałeś. Nie wiesz. – Maja zatoczyła głową kilka kół. Dodała gwoli wyjaśnienia: – Uszkodziłam sobie mięśnie szyi. No tak, tak. Pojedźmy do Krzysia. Do jego mieszkania.

– Już pojechałem. Pusto.

– Może ci nie otworzył. Nie chciał cię widzieć.

– Mam klucze.

– Och!

– Co „och!"?

Próbowała nawinąć na palec zbyt krótkie włosy.

– No, wiesz. Wpakowałam się dopiero co w wątek romansowy. Nie wiem, czy znajdę czas na wątek detektywistyczny. To mnie przerasta.

– Jaki że co? Romansowy?

– Hmm... Franek przedwczoraj spadł ze schodów. A potem poszliśmy do łóżka. To znaczy skorzystaliśmy z podłogi, ale to nie zmienia postaci rzeczy...

Andrzej zadławił się wodą, rozkaszlał.

Czekała, aż mu przejdzie.

Gdy ocierał wierzchem dłoni łzy, stwierdziła lodowato:

– Wreszcie przerwałeś ten charkot! Bałam się, że zaplujesz śliną całą kuchnię. Albo że bawisz się w OIOM. Ja się w OIOM bawiłam z koleżankami, dziewczynką będąc. Oczywiście wybierałam sobie rolę pacjentki. To jest chyba burżuazyjny wybór, nie sądzisz? Pragnęłam być obsługiwana aż do samego końca. Przez pana rycerza nadordynatora.

Andrzej zignorował wypowiedź Mai.

– Gdy będziesz mówiła o swoim romansie Szymonowi, upewnij się, że akurat niczego nie pije. Chyba że twój cel to wdowieństwo – zerknął na zegarek. – Niestety, muszę znikać. Porozmawiamy kiedy indziej. Wiem, co czujesz, ale zaraz mam spotkanie.

– Jakie spotkanie? Dlaczego nikt mi o niczym nie mówi?! Albo mówi do mnie rzeczy, których nie chcę słyszeć?!

– Szukam Krzysia. Widzę się z jego znajomym. Może on coś wie.

Gdy Andrzej wyszedł, sprzątnęła ze stołu, zmyła naczynia, rezygnując z pomocy zmywarki. Zostało jej już tylko jutro, ostatni dzień na samotność. Pojutrze wraca Bruno z panią Cecylią, ponadto z przerażającą szybkością przybliżało się Boże Narodzenie, a z nim – wizyta Szymona. Gdzieś głęboko liczyła na jakieś kłamstwo, jakiś „nawał pracy", na jakikolwiek pretekst, który pozwoliłby mężowi pozostać w Berlinie aż do przyszłorocznych wakacji. Rozumiała jednak, że on nie odwoła wizyty, choćby ze względu na Bruna. Mai zamajaczył plan: a gdyby tak wysłać Bruna do ojca na święta? Nie. To będzie niczym przypieczętowanie decyzji o rozstaniu. Może gdyby Szymon sam zasugerował... Też nie. Nie odważy się. A może wcale nie chce. Może chce zobaczyć ją i syna? Przecież nie znała aktualnych pragnień i planów swego męża. Od dawna nie rozmawiali przez telefon. Komunikowali się za pomocą mejli. Techniczne kwestie, przelewy, rachunki, Bruno, opis pogody, opis Sławoja, opis Warszawy, opis bezskutecznego poszukiwania pracy, ani słowa o Franku, raz w tygodniu mobilizowała się i w PS-ie dołączała zabawną anegdotkę z życia. A coraz trudniej przychodziło jej opisywanie zabawnych zdarzeń. Większość zabawnych zdarzeń nie mieściła się już w polu mężowskiej wiedzy i wspólnych znajomych.

Niezależnie od ostatnich wypadków, nie podjęła żadnej decyzji. Nie skreśliła Szymona. Od dziecka miała problem z odejmowaniem. Dodawanie – oto jej żywioł. Dodawała jedno do drugiego, a bojąc się wyniku, dodawała zaraz trzecie, następnie czwarte, następnie kolejne, aby tylko odsunąć sytuację, w której arytmetyczne działania przybiorą formę nieodwracalną; zamiast wyniku wolała wyrwę, zadowalała się luką.

Zadzwoniła pani Cecylia. Jakieś opóźnienie wynikło, wkradło się, jakieś trzaski i przerwy przy uchu Mai, co rusz głos pani Cecylii ginie, a przecież nawet w sytuacji wolnej od zakłóceń, gdy głos pani Cecylii płynął od wielkiej litery do kropki czy znaku zapytania, Maja z trudnością pojmowała, o co matce idzie, jakie matka moralne odnowy serwuje. Teraz, słysząc co trzecie słowo lub słowa ułomek, nie rozumiała w ogóle. Większa awaria, przeciążenie sieci, atak hakerów – połączenie się urwało. Spróbowała oddzwonić, bez sukcesu.

Natychmiast uruchomił się w niej tryb zamartwiania się o Bruna. Jakie opóźnienie? A może źle usłyszała? Może to było oskarżenie? Może pani Cecylia namówiła Bruna na narkotyki i policja przymknęła babcię z wnusiem? I czy naprawdę nie padło słowo „wypadek"? Czy to bębnił deszcz w tle? Bo jeśli nie deszcz, to co? Sygnał karetki? I czy to głos pani Cecylii ginął, czy ktoś zginął? O, Matko Święta!

Maja krążyła z telefonem po mieszkaniu, z pokoju do pokoju, obgryzając paznokcie. Uspokoiła się dopiero po SMS-ie. (Autokar się zepsuł. Wracamy dzień później. Nie martw się. pC). Ulga, jaką poczuła, odpowiadała intensywnością niepokojowi; aż musiała nagle usiąść.

22.

Ten czarny wąsik, co w drobnym pierścieniu
Nad różowymi ustami się zwija;
Ten wzrok, co przy brwiach ciemnych tak odbija
Jak blask południa przy północy cieniu;
Ten kształt postawy, co burką opięty,
Tak się wydaje w wspaniałym pochodzie,
Jak marsz bajdaku, gdy żagiel rozdęty
Mknie go z wiatrami po dnieprowej wodzie.

Seweryn Goszczyński

– Mamo, chciałbym, żebyś z nią porozmawiała.

– Dlaczego ja?

– Jesteś moją matką, dlatego. Potrzebuję cię, dlatego. Nie przychodzi mi do głowy żaden inny pomysł, dlatego.

– To ja zrekapituluję. Uwiodłeś matkę i mężatkę w jednej osobie, wyprawialiście dwa dni temu jakieś bara-bara i od tego czasu ona nie odbiera twoich telefonów. I ja mam coś zrobić, żeby ona się do ciebie odezwała, tak? – Franek pokiwał głową. – Czy myślisz, że jestem tak stara, że postradałam rozum?

– Ja w ogóle teraz nie myślę.

– To już udowodniłeś, wracając do Polski, a potem poszło z górki.

Ninel odpaliła nowego papierosa, nim stary dogasł w popielniczce. Przyglądała się Frankowi z zainteresowaniem. Instynkt macierzyński, po prawdzie raczej wątły i ogromnie kłopotliwy, nie stłumił w niej ostrości widzenia. Nigdy nie patrzyła na swoje dziecko jak na najukochańszego i jedynego syncia, ósmy cud świata i jedynego kutasa, którego nie wolno sobie wyobrażać (ach, jest jeszcze drugi jeden – ojcowski). Widziała wady i zalety. Te wady i zalety przez długi czas opierała, ubierała i karmiła. Starała się. Robiła, co w jej mocy, aby jadł zdrowo i ubierał się porządnie; w poprzedniej epoce nie było to wcale takie łatwe. Był taki czas, przez trzy lata, może dłużej, gdy Wiesiek właściwie się nie pojawiał. Została z półtorarocznym dzieckiem i umierającą na alzheimera matką męża, dostępnego jak kubańskie pomarańcze, od święta i w kolejce. Musiała obsługiwać dwie istoty; dopiero zaczynającą życie i dopiero zaczynającą śmierć.

Pamięć krótkotrwała jest już martwa. Pamięć długotrwała słabnie, ale jej fragmenty są jeszcze nienaruszone.

Ninel nie lubiła wracać do tego okresu. Dziś dusił ją
już sam widok zdjęć z tamtych lat; zdjęć, które czasem skądś
wypadały, z pęknięcia w szafie, i kto tak bardzo nie miał
serca, żeby je robić?; lat, które spędziła w ekskrementach,
najzupełniej dosłownie. Rozumiała, że nad rozsądkiem bierze
górę irracjonalna strona natury, lecz była szczerze przekona-
na, iż teściowa z synem urządzają zawody, jej zaś przypadł
wątpliwy i całodobowy zaszczyt zabezpieczenia olimpiady od
strony technicznej. Najważniejsza konkurencja polegała na
nietrzymaniu moczu i stolca. Były też inne. Na przykład syn-
chronicznego niespania. Teściowa z synem nie spali na zmianę. Gdyby jeszcze przerabiali uzus płaczu albo krzyku, lecz
nie – oni nie spali po cichu; nie śpiąc, potrafili zrobić sobie
krzywdę, wszystkim. Albo zawody na kurki kuchenki gazo-
wej – odkręcone na herbatę, bez płomienia i czajnika, a przecież zdrzemnęła się najwyżej kwadrans. Inna konkurencja:
Franek doraczkował do kabla ciężkiej lampy stojącej na biurku i ciągnął za kabel, lampa dotarła do krawędzi, a przecież
Ninel zniknęła na dwie minuty, a może i mniej. Bywały dni,
gdy teściowa z synem domagali się takiej uwagi, że Ninel nie
znajdowała chwili, żeby wykraść się do sklepu po coś do zje-

dzenia. Dopiero wtedy teściowa z synem, dla odmiany zgodnie, przerywali pakt milczenia i wyli z głodu. Wtedy Ninel nienawidziła siebie, nienawidziła Wieśka, nienawidziła kraju.

Niekiedy poddawała się: była tak samo głodna i zmęczona, jak syn i teściowa, traciła kontrolę nad sobą, zaczynała płakać, dołączała się do teściowej i syna. Wyli we troje, często po dziesiątej, o trzeciej rano, w różnych porach, a najbardziej upadlające było chyba to, że milicja w takich chwilach nigdy nie przyjechała. Jakby nie zakłócali porządku. Jakby zakłócenie porządku należało do porządku.

> – *To tutaj. Szafka. Pamiętasz. Trzymamy tu kawę i herbatę. Otwórz i zajrzyj do środka.*
> – *Masz rację. Wszystkie te rzeczy tu są.*
> *Daję jej słoik z kawą.*
> – *Możesz go tam wstawić?*
> *Podnosi słoik w górę i wpycha go, aż natrafia na puszkę z czekoladą w proszku. Znów wyjmuje słoik.*
> – *On się mnie nie słucha.*
>
> *Andrea Gillies*

Gdy czytała o seksualnych fantazjach z synami w roli głównej, jakim oddają się, podobno, niektóre matki, okrywała się rumieńcem. Nie zdarzyło jej się, żeby pragnęła obecności syna w swoim ciele, w którymkolwiek z otworów swego ciała, wręcz przeciwnie – zawsze chciała go mieć jak najdalej, koniec końców tak długo musiała trzymać go tak blisko, między sercem a toaletą.

„Rozczarowanie" to nieodpowiednie słowo, niemniej jednak Franek, chowając się w tak niesprzyjających okolicznościach, powinien tu i ówdzie się zaburzyć, trzymać się neurotycznych zasad savoir-vivre'u, norm, uszanowanych tradycją traum i obciążeń, tymczasem – „rozczarowanie" to nieodpowiednie słowo – wychował się zdrowo, był samodzielny, nie skarżył się nawet, kiedy opanował podstawy języka, wręcz przeciwnie: im więcej słów poznawał, tym mniej płakał i chętniej załatwiał się do sedesu. Ninel, obserwując dojrzałość syna – „nad wiek rozwinięty", tak wtedy mawiano podczas spotkań lub luźnej wymiany zdań w okolicach piaskownicy czy imienin koleżanki – czuła się ograbiona, wyrolowana, oszukana. Już w wieku dziesięciu lat planował, co zrobi, i robił, co zaplanował. Nie takiego syna się spodziewała. Franek był na medal, tyle że nie pasował do klapy, garsonki, szyi. Był jak odznaczenie wspanialsze niż zasługi. Jak pomyłka. Błąd.

Nie pytał. Nie mylił się. Jeśli pytał i błądził, to poza zasięgiem jej pamięci.

Przyzwyczaiła się, że jest właśnie taki. W końcu miała już po kokardę kłopotliwych ludzi, wolała myśleć o emeryturze, o lekturze odkładanych z roku na rok powieści, może o napisaniu czegoś ważnego, ważnego dla niej.

Nie spodziewała się, że przyjdzie jej zobaczyć Franka w wersji, w jakiej wolałaby go widzieć: zagubionego i nierozsądnego.

Ten nowy syn, zagubiony, nierozsądny, niezdolny do planowania naprzód ni w tył, ten nowy syn bardziej odpowiadał jej wyobrażeniom, mniej zgrzytał z biegiem zdarzeń, a jednak – wydając się bliższy i bardziej do kochania, stawał się również bardziej obcy i niezrozumiały. Im bardziej Franek przypominał Ninel ją samą, tym mniej ona go rozumiała i tym bardziej się go obawiała. Jak gdyby poczuła się zagrożona na swoich włościach. Chociaż przecież Franek był człowiekiem i mógł pragnąć dokładnie tego, czego nie pragnął.

– Powiesz coś, czy będziesz palić?

– Zadzwonię do niej. To błąd, ale zadzwonię do niej.

– Mamo, tak bardzo, tak bardzo...

Przerwała mu:

– Nie kończ, bo będziesz się wstydzić.

Obiecać, że zadzwoni, to jedno, zadzwonić – to zupełnie drugie. Ninel nienawidziła rozmów telefonicznych. Przed wprowadzeniem do Polski demokracji i telefonii komórkowej nie było jeszcze tak źle – telefonów było mało, wymagały kabla, często zawodziły, nieraz je kontrolowano. Przyszło jednak nowe, kapitalizm, a z nim coś gorszego od konsumpcjonizmu: bezprzewodowa łączność. Kupiła komórkę dopiero trzy lata temu, wbrew sobie, ale w rytmie i na fali wyrzutów sumienia. Uznała, że musi zapewnić własnej matce komfort psychiczny, czyli możliwość nieskrępowanego, całodobowego dostępu fonicznego do siebie. Prawdę mówiąc, ten rzekomy komfort Ninel zapewniała raczej sobie niż Lenie. Czuła, że lepsze córki wyposażone są w komórki, gorsze zaś – w telefony stacjonarne. Pragnęła być lepszą córką.

Każda rozmowa telefoniczna, najbardziej nawet błaha i nieszkodliwa, niepozostawiająca śladu w psychice, kosztowała ją znacznie więcej niż naście groszy za impuls. Zawsze się spinała, drażniło ją, że nie widzi twarzy rozmówcy, denerwowało ją, że nikt nie odpowiada za słowa. Nie potrafiła pozbyć się wrażenia, że ktoś słyszy nie to, co ona powiedziała, ona zaś nie słyszy tego, co do niej powiedziano – jakiś program symulujący więzy międzyludzkie podmieniał wypowiedzi. Czasem rozmówca modyfikował ton głosu, czasem nadawał odmienną od nadanej intonację. Czasem zamieniał słowa, przekręcał sensy. Rozmowy telefoniczne prowadziły

Ninel w nieznane. Na przykład dzwoniła do operatora kablówki, żeby z niej zrezygnować, a kończyła z nowym, znacznie droższym pakietem, zawierającym jeszcze więcej kanałów tematycznych, których nie zamierzała oglądać. Dlaczego tak się działo? Ponieważ jakiś program zawiadujący każdą rozmową telefoniczną zmieniał intencje; ponieważ każda rozmowa telefoniczna była w istocie grą losową: wylosowany sens rzadko Ninel satysfakcjonował. Wolała nienawidzić rozmów telefonicznych. Nienawidzić i unikać. Nienawiść w epoce postkablowej nie jest wcale trudniejsza, dla odmiany unikanie stało się prawdziwą sztuką.

Franek wyszedł, a ona, odpalając papierosa od papierosa, opracowywała strategie rozmowy z Mają. Każda strategia prowadziła do klęski, albowiem każda rozmowa telefoniczna była według niej klęską i żadna, najbłyskotliwsza nawet taktyka nie potrafiłaby tego zmienić.

Zanim jeszcze wystukała numer, skończyły jej się papierosy. Dobre i to, zawsze pretekst. Ubrała się, w kiosku kupiła cały karton różowych ld, wróciła, zagniewana ceną papierosów: gdy zaczynała palić, kilkadziesiąt lat temu, nikt jej nie ostrzegł, że nadejdą czasy, w których przemysł tytoniowy zderzy się z polityką prozdrowotną państwa. Takie zderzenie nie zabija, za to irytuje. Być może gdyby papierosy kosztowały mniej, odwlekałaby moment rozmowy z raz czy dwa razy widzianą kobietą, „kobietą syna" – tak się chyba teraz mówi w społeczeństwie, pomyślała z narastającą złością.

Nie planowała, wstukała numer, po drugiej stronie „słucham", po stronie Ninel nieprzyjemna obietnica złożona Frankowi. Uwinęła się w kilka zdań – pod jakimś pretekstem zaprosiła do siebie Maję, a ona zaproszenie przyjęła – i odłożyła słuchawkę. Zapaliła papierosa. Próbowała sobie przypomnieć, jak brzmiał ten pretekst; mówiła tak szybko, że nie zapisała w głowie tego, co powiedziała, tak jak wyrzucając kubeł śmieci, raczej nie przypomnimy sobie jego zawartości. Chyba że znalazło się tam coś kompromitującego.

Maja przyniosła butelkę wina. Pięknie wyglądała; każda kobieta, która unika kontaktu z moim synem, pomyślała, wygląda pięknie. Rozmowa się nie kleiła; albo równoważniki zdań, albo dłuższe wypowiedzi, które jednak nie składały się w konwersację.

– No, dobrze – wypaliła wreszcie. – Franek prosił, żebym do ciebie zadzwoniła.

– Przecież wiem.

– Całe szczęście! Uff! Ulżyło mi. On liczy na to, że cię przekonam, żebyś zaczęła odbierać jego telefony.

– I chcesz mnie do tego przekonać?

– Do odbierania telefonów? Nigdy w życiu! Telefony to plaga. Im mniej rozmawiamy przez telefon, tym jesteśmy szczęśliwsi.

Maja pokręciła głową, jakby nieprzekonana.

– Oczywiście to nieprawda. Nadużycie. Zauważyłam jednak pewną prawidłowość: im częściej ludzie kontaktują się w sposób nieosobisty, tym droższe są papierosy.

Maja zaśmiała się, Ninel zdążyła polubić ten śmiech. Pojawiał się i gasł, kompletnie poza ramą kulturalnej rozmowy i z ramą tą związanego nakazu, aby śmiać się wyłącznie w miejscach, w których przewidziano pauzę na bon ton.

– Wiem, co czujesz. Chcesz, żebym zadzwoniła do Franka?

– Ja nic nie chcę. Obiecałam mu, że z tobą porozmawiam. Rozmawiam. Więc spełniłam obietnicę. I tyle.

Znowu się roześmiała, tym razem dłużej.

– Wiesz, jesteśmy do siebie podobne. Przynajmniej trochę, no, ale to już ci chyba mówiłam. Za to na pewno nie powiedziałam ci, co teraz przyszło mi do głowy, że Franek, przesypiając się ze mną, przeleciał ciebie. Jak to się nazywa? Ten kompleks?

– Obstawiałabym samobójstwo.

SŁYSZĘ, CO DO MNIE MÓWISZ

23.

– Czy chcecie posłuchać pewnej strasznej historii? – zapytał
Włóczykij zapalając lampę.

– Czy bardzo straszna? – zapytał Paszczak.

– Mniej więcej jak stąd do drzwi albo nawet jeszcze trochę wię-
cej – odparł Włóczykij. – Jeśli to coś mówi, oczywiście.

Tove Jansson

Dziś pracoholizm Andrzeja nie pociągał, jesień piękniała za
oknami gabinetu, drzewa, na które miał widok z okna, za-
chwycały; powinny. Na wewnętrznym skwerku, czy raczej
patio, otoczonym z czterech stron świata niebieskosiwymi
szybami eleganckiego biurowca, pozostawiono kwadrat nadal

zielonej, mimo listopada, trawy, a w tym kwadracie, obsa-
dzonym po zewnętrznej krawędzi kutymi w żelazie ławkami
dla pracowników korporacji, architekt zaplanował, ogrodnik
zasadził, kilkanaście brzóz. Proste, perłowobiałe pnie, ciemne
gałęzie, na nich burza liści, od złotordzawych przez jaskrawo-
żółte aż po plamki z dziwacznej spóźnionej zieleni przecho-
dzącej w duszny granat. Prawdopodobnie były to jakieś brzozy
genetycznie zmodyfikowane, brzozy wyjęte z lasu i środowiska, wpisane w nowy kontekst lśniącej tafli tła. Odbijały się
one w lustrzanych ścianach budynku niby wizualizacja echa:
niedokładne, zwielokrotnione, rozmyte.

*Żeby uzyskać wrażenie pretensjonalności, nie wystarczy roz-
kwitnięcie w powieści dzielżanu jesiennego, liatry kłosowej czy
pospolitych astrów. Konieczne jest również zmuszenie bohaterów do cytowania wierszy, wyrażających ich domniemaną
duszę. Dopiero wtedy zagwarantowany zostanie odpowiedni
poziom pretensji, tych do świata i literatury. Można również
poddać powieść walkowerem, cytując teksty piosenek.*

Od dłuższej chwili wpatrywał się w brzozy. Przed
nim leżał wydruk *Nowego atlasu chorób dermatologicznych*.
Praca Andrzeja polegała na wyeliminowaniu ewentualnych
błędów przekładu, na poprawieniu składni, wytropieniu
zbędnych przecinków i jadowitych literówek, zamieniają-
cych lek w lak, a uboczny w oboczny, na zaakceptowaniu
książki do druku. Wydruk tekstu otworzył się na stronie po-
święconej rakowi kolczystokomórkowemu skóry. Dwa zdjęcia:
jedno prezentujące postać wrzodziejącą, drugie brodawkują-
cą. Obydwa w kolorze, po jednym na każdej stronie. Andrzej
nie miał wpływu na zdjęcia, zajmował się tekstem, ale mógł

zgłosić grafikowi uwagi. Patrzył na brzozy, na echo drzew, rozwieszone w płachtach ściennych tafli. Potem przeniósł wzrok na wrzodziejącą odmianę raka kolczystokomórkowego; to był zupełnie zwyczajny nos o zdrowej, cielistej barwie i przewidywalnym kształcie. W nosie wypalono, tuż nad czubkiem, znamię w kształcie bumerangu. Znamię wżerało się w tkankę nosa, przy skrzydełkach pęczniało brunatną ropą, w centrum rozszerzało się w lśniącą, jaskrawą jak szminka depresję.

Od tylu już lat pracował w wydawnictwie medycznym, że fotosy chorób nie robiły na nim większego wrażenia. Spojrzał na zaatakowany nos i na drzewa za oknem. Liśćmi poruszał wiaterek, tekst pod zdjęciem prezentował się przyzwoicie, oczyszczony już z niedostatecznej kompetencji taniego tłumacza. Gdyby to od Andrzeja zależało, kazałby grafikowi dodać nieco błękitu lub zieleni. To niesprawiedliwe, że choroby nie zmieniają barw w zależności od pory roku. Nowotwory zimowe – według Andrzeja – winny zabijać bez serdeczności, w bieli i wykrochmalonym prześcieradle, przy obojętnym dotyku pielęgniarki. Nowotwory wiosenne widział jako spontaniczne, pobudzone, bałaganiarskie, z przerzutami bez ładu i składu, z dynamicznymi szansami na życie i śmierć. Nowotwory letnie zaś to były złote, ciężkie, dojrzałe i martwe natury Rubensa, pełne soków, ramion i ud, przesycone światłem. Nowotwory jesienne jakby słabowały, odkrztuszały rdzę, nie nazbierały pieniędzy na nagrobki. Jesienne nowotwory dołowały go najbardziej. Patrzył – przez brzozy – na ściany; klepnął tekst do druku.

Rak kolczystokomórkowy, jakkolwiek nieprzyjemny w odbiorze wizualnym, nie umywał się do broszury, której przygotowanie nadzorował kilka miesięcy temu. Broszurę zatytułowano *Świat bez min*; niestety, nie miała związku z Witoldem Gombrowiczem. Musiał wybrać cztery fotografie silnie uszkodzonych przez działanie min ludzi. Najbardziej na ludzi nieuszkodzonych działają uszkodzone wybuchami min dzieci. Z ogromnej bazy zdjęć wygrzebał chłopca bez nóg, z Iraku, dziewczynkę z byłą ręką z byłej Jugosławii, birmańskie bliźniaki (jedno bez oka, drugie bez tułowia) oraz straszliwie okaleczone dziecko z Afganistanu. Zrobił swoje, urwał się z pracy. Pojechał do domu. Próbował pokonać zatwardzenie, już chyba trzydniowe, nie pokonał. Wziął ekstremalnie gorący prysznic. Poparzył skórę. Spiekł raka. Nie poczuł ulgi.

Cztery okrutne i wzruszające odbiorcę fotografie okaleczonych dzieci, nakład dwieście pięćdziesiąt tysięcy egzemplarzy, bardzo drogi matowy papier, kolportaż za pomocą Poczty Polskiej. Broszura *Świat bez min* wyląduje w skrzynkach razem z gazetką Biedronki i superofertami przecen jesiennych Auchan. Może ktoś ją przejrzy, może ktoś zapisze numer konta i przeleje pieniądze, lecz najmniej dwieście czterdzieści dziewięć tysięcy broszur skończy w kubłach na śmieci, między popsutym jedzeniem a zabrudzonymi opakowaniami. Również sam szczytny cel wyrastał z mniej szczytnych motywacji. Kampania „Świat bez min" pozwalała upiec liczne pieczenie na jednym ogniu lub też złapać niejedną srokę za ogon: szlachetny cel (pomoc ofiarom min), świetny PR, wysokie koszty. Dyrektor finansowy łaskaw był ująć clou z wystarczającą precyzją: „Prognozowane wyniki finansowe spółki w bieżącym roku nie pozostawiają nam wielkiego pola manewru. Jesteśmy zmuszeni zaangażować się w jakąś akcję non profit, niedochodową i korzystną piarowo". To się wydarzyło kilka miesięcy temu. Operacja „Świat bez min" zakończyła się sukcesem: wydawnictwo poniosło straty finansowe i wynikające z nich korzyści, ofiary min, cóż, one do końca swego życia pozostaną ofiarami. Tak działa świat, Andrzej nie miał wątpliwości, pomagamy innym, gdy jesteśmy postawieni pod murem. Pomagamy innym, gdy drożej wypada niepomaganie.

Wrócił do domu po ośmiu godzinach pracy. Poszedł pod prysznic. Nigdy nie wiedział, czy wyjdzie spod prysznica czystszy, niż gdy pod niego wchodził. Niektóre rzeczy nie poddawały się działaniu gorącej wody i mydła.

Zaparzył herbatę. Zazwyczaj wiedział, jaki gatunek parzy. Dziś parzyły ścianki kubka, rozłączne z zawartością, darjeelingiem czy puerhem.

Przedmioty dookoła zachowywały się złośliwie: tkwiły w bezruchu na swoich miejscach, jak na apelu, wyprężone i gotowe odśpiewać hymn albo zakpić z biskupa Berkleya.

Próbował przypomnieć sobie żurawiejki. Zawsze go bawiły. Poprawiały mu humor. Jak to szło? Na przykład 13. Pułk Ułanów Wileńskich. „Chociaż otok ma różowy, to jest jednak pułk bojowy..." A dalej? „Ukraść kury, uciec w zboże, Pułk trzynasty tylko może". I jeszcze: „Weneryczny i pijański, to trzynasty pułk ułański".

Odśpiewał po kolei kuplety. Żaden go nie rozbawił. Herbata wystygła w dłoniach.

Najwyraźniej trzeba zrezygnować z obiektów zastępczych, pomyślał ponuro, nie dla mnie żurawiejki ani przedmioty, nie dla mnie pracoholizm ani ta dobijająco łagodna, jebana złoto jesień, ani zdjęcia raków w stadiach rozmaitych, ani tandetne wspominki świństw, czyli działań charytatywnych, za których oprawę mi zapłacono. Skończył się czas zastępstw. Obchodzi mnie Krzyś.

„Pościelą twoją niech będą gady, lekarzem twoim niech będzie wąż, żebyś ty konał i skonać nie mógł, konającym wzrokiem patrzył na mnie wciąż" – to też taka żurawiejka, tylko chłopska, kobieca i za mało żartobliwa, jak na klasyczną żurawiejkę. W ogóle kobiety kiedyś musiały mieć gdzie indziej poczucie humoru, tak sądził Andrzej.

Po telefonie matki Krzysia odczekał z tydzień, może trochę więcej, a potem starał się kochanka odnaleźć, bardzo nieporadnie. Kilka razy wpadł do jego mieszkania, za każdym razem wyrzucał co bardziej śmierdzące rzeczy, zawsze pustego, bez śladów obecności, jak gdyby przestępca doskonały usunął z miejsca zbrodni wszelkie odciski palców, rzęsy, kawałeczki naskórka, ba!, w swoim zapamiętaniu nieledwie wyczyścił miejsce ze zbrodni. Andrzej chyba nie zdawał sobie sprawy, na pewno nie do końca, że to on odpowiada za zanikanie śladów obecności Krzysia.

„Jasiu kochany, od Boga dany, nie bij mnie u ludzi, a bij mnie doma, bom twoja żona, niech mnie nikt nie widzi. Bież do komory, wisi kańczug nowy, wisi na kółeczku. A bij mnie z góry, do dziesiątej skóry, ach, mój kochaneczku. Biże mnie dobrze po lewym biodrze, żebym nie omdlała, a kopaj nogą, polewaj wodą, żebym nie ostała" – to też żurawiejka; tej akurat Andrzej unikał, oddanie głosu pozbawionym głosu nie poprawia humoru. Nucenie powinno być zakazane.

Później spotkał się z jednym wspólnym znajomym. Znajomy nic nie wiedział, nie widział, nie zapłacił za kawę – zmarnowana godzina z idiotą. W końcu Andrzej postanowił dać sobie spokój. Przecież powołano organy zajmujące się poszukiwaniem zaginionych ludzi, może Krzyś wcale nie zaginął, tylko na przykład gdzieś wyjechał, nikogo nie informując, albo odwrotnie – nie wyjechał, informując kogoś (kogo?), że w ogóle i wcale nie wyjeżdża.

Dał sobie spokój, a mimo to nie potrafił zapomnieć o Krzysiu. Jakoś sobie radził, przekonany, że Krzyś żyje obok, osobno, bez kontaktu, teraz wszak – gdy Krzyś zniknął – Andrzeja ogarnął przymus odszukania, spotkania się z Krzysiem, przymus wyjaśnienia zagadki, tym absurdalniejszy, że prawdopodobnie nie było żadnej zagadki.

W filmach odnalezienie kogokolwiek, nawet jeśli złośliwie komplikowane przez scenarzystów, zajmuje najwyżej dwie godziny. Taki format zaakceptowało społeczeństwo: nieobecność w fabule nigdy nie przekracza dwóch godzin, w przeciwnym razie staje się błędem warsztatowym albo serialem. Nieobecność w życiu nie jest tak ściśle reglamentowana, już prędzej wydzielamy czas na obecność, to ona absorbuje, to ona podlega limitom wygody i potrzeby.

W dwie godziny Andrzej uwinąłby się z trasą Bielany– –Ursus, odnalezienie osoby wymagało dłuższego czasu. Najłatwiej, wiedział z fabuł, byłoby zlokalizować Krzysia, namierzając jego telefon komórkowy lub kartę płatniczą. Andrzej nie miał stosownych uprawnień. Musiał skorzystać z trudniejszego sposobu.

Anachronicznie wypisał na kartce wspólnych znajomych. Powstała lista dwudziestu osób. Wpatrywał się w kartkę, niektórym imionom brakowało nazwisk, a tylko przy Mai i Szymonie widniał numer telefonu, identyczny zresztą. Właśnie w ten sposób ci znajomi byli wspólni: wspólni do momentu, w którym Krzyś nie zniknął, z jego zniknięciem bowiem znikała również owa wspólność, pozostawały imiona bez szans na łatwy kontakt. Przy niektórych Andrzej umiał dodać garść nieistotnych szczegółów. Pamiętał na przykład, że Adrian pracuje w takiej a takiej agencji reklamowej; mógł tam pojechać i porozmawiać, mógł też zadzwonić, licząc na to, że sekretarka nie spuści go na drzewo.

Cóż, Krzyś zaspokajał i obsługiwał potrzeby towarzyskie Andrzeja, doprawdy imponująco niewielkie. Swego czasu sytuacja taka go urządzała, nie musiał dbać o poznawanie ludzi, ponieważ i tak ich poznawał przez Krzysia; teraz jednak brakowało mu powiązań z tymi ludźmi, mejli, numerów telefonu, adresów, czyli tego, co Krzyś przechowywał w swoim notesie i głowie, a czym Andrzej nigdy głowy sobie nie zaprzątał. Nie przypuszczał, że kiedykolwiek zajdzie potrzeba kontaktu z kimkolwiek, bez udziału Krzysia.

Wpatrywał się w listę; raz wydawała mu się listą zaniechań, raz zbiorem podpisów pod petycją w niedookreślonej sprawie; równie niekompletnej, jak niekompletne okazały się jego wypiski.

Dotarcie do osiemnastu osób wydawało się wykonalne, acz mozolne; może Maja zapisała czyjś numer. Mozolne wydawały się również rozmowy, które musiałby przeprowadzić. Krępujące sytuacje – jak zapytać o Krzysia mimochodem, nie zdradzając tajemnicy, jeśli takowa istniała, i nie mówiąc prawdy, jeśli prawda brzmiała: zniknął, martwię się.

Postanowił przejść się po kilku klubach, w których bywali z Krzysiem, pewnie napatoczą się jacyś – wypowiedział w myślach „wspólni", lecz od razu wycofał się, sparzony, z tego słowa – znajomi; clubbing dawno już wyszedł z mody, podobnie jak kino irańskie.

Poszukiwanie człowieka to naprawdę trudne zadanie. Tylko nieco trudniejsze od wyboru garderoby. Andrzej szukał czegoś nieprzykuwającego uwagi, umyślił bowiem przebrać się za nieśmiałego geja w średnim wieku, któremu w klubach przystoi ściana. Wygrzebał szarą koszulę i szare spodnie, uznał po dłuższej chwili zestawienie takie za ryzykowne, jedynie socjopaci, księża i astronauci zakładali na siebie ubrania jednolitego koloru. Aha, i moja matka.

Podmienił spodnie na dżinsy – gej z prowincji, ocenił, nie o to mi chodziło – a w kolejnej próbie dżinsy skomponował z białą koszulą, co zaowocowało gejem urzędnikiem na luzie. Złożył jeszcze kombinacje ubrań dla geja nuworysza (koszulka z napisem PRADA), geja wielbiciela francuskiej nowej fali, geja intelektualistę, dla którego próg aktualności wyznaczają kwartalniki literackie, bo już takie tygodniki to jak kometa lub przeziębienie, fiu i w koszu, nim człowiek przeczytał/zażył pastylki. Przy geju Coming Out Nadal przed Moimi Rodzicami (zwężane spodnie w prążki, koszulka w kratkę, marynarka) Andrzej już się podłamał psychicznie, natomiast przy geju chłopaku z sąsiedztwa (po prostu spodnie, po prostu koszula, irytujący wyraz twarzy oraz obyczaj przyjmowania coniedzielnej komunii) przeżył nieomal załamanie nerwowe. Potoczył wzrokiem po pokoju zawalonym ubraniami, z wybebeszoną szafą, i nie mógł pojąć, dlaczego ze swojej szafy składa wszystkich gejów świata – przy doniczce wylądowało kimono, więc pewnie również gej samuraj znajdował się w zasięgu stylizacji – wszystkich z wyjątkiem tego potrzebnego mu na wizytę w klubie, tego pierdolonego, nierzucającego się w oczy, nieśmiałego geja w średnim wieku.

Chciał zrezygnować z wyjścia do klubów, gdy zadzwonił domofon; okazało się, że był to kurier. Andrzej podpisał blankiet, kurier sobie oddreptał, zły, że musiał wejść z ciężką paczką na piętro, bez windy i napiwku; Andrzej wniósł paczkę do środka. Otworzył. W środku znajdowało się chyba ze dwadzieścia egzemplarzy jednej książki. To była książka Krzysia, jego pierwsza. Nosiła tytuł: *Szafa. Homobiografie polskiej literatury*. Niebieska okładka z karuzelą; każdy koń w tej karuzeli otrzymał zamiast końskiej głowy ludzkie popiersie: centaur-Dąbrowska, centaur-Andrzejewski, centaur--Konopnicka, centaur-Iwaszkiewicz.

Wziął jeden egzemplarz i usiadł na kanapie. Nie zdziwiło go, że paczkę zaadresowano do niego. Krzyś – prowadząc dość ruchliwy i nieuporządkowany tryb życia – często podawał adres Andrzeja jako korespondencyjny. Andrzej zawsze był bardziej statyczny i solidniejszy, z punktu widzenia kurierów i Poczty Polskiej, od Krzysia.

Na czwartej stronie okładki znalazł fotografię partnera – znał to zdjęcie, sam je zrobił kilka lat temu – oraz dwie krótkie notki.

Pierwsza odautorska: „Bohaterowie mojej książki byli w szafie, bo w takich czasach przyszło im żyć, a nie zdobyli się na stworzenie alternatywy. Teraz są w szafie, bo nie pozwala im się stamtąd wyjść".

Druga polecająca, pióra Ninel Czeczot: „Takt i empatia, czy to możliwe w świecie przemilczanym, a teraz – zaryzykowalibyśmy określenie – odkłamywanym? Okazuje się, że tak. Autor *Szafy* przewietrza szafy, pilnując, aby nie wywiało tego, co najważniejsze: kontekstu historycznego i dzieł, które wszyscy znamy i – czasem – kochamy. Teraz, po wyjściu z szafy, taka *Rota* brzmi mocniej. Mogłabym nawet zostać patriotką".

Wielokrotnie przeczytał dwa blurby, przypatrując się własnoręcznie zrobionemu zdjęciu Krzysia. Czuł szczęście; w swoim imieniu i nieco w zastępstwie: Krzyś pewnie nie widział jeszcze swojej pierwszej książki, zatem Andrzej cieszył się podwójnie. Udało się! Jest książka! Ma okładkę, cenę i ISBN.

Przekartkował tuż przed nosem, powąchał; świeża farba drukarska, jeden z najwspanialszych zapachów na Ziemi.

Krzyś jest cudowny. Andrzej zachichotał: „nie zdobyli się na stworzenie alternatywy”; jakiej alternatywy? Konopnicka miała otwarcie powiedzieć, że pochodzi z Lesbos? Z równą mocą Żydzi w obozie koncentracyjnym mogliby zdobyć się na stworzenie alternatywy dla niemieckiego projektu zabijania Żydów. Ale się nie zdobyli i zostali zamordowani.

Krzyś zazwyczaj zagalopowywał się w swoich równościowych chceniach. Chciał tak bardzo, żeby było uczciwie i szczerze, że zapominał, iż uczciwość i szczerość często oznaczają śmierć, cywilną lub fizyczną; kto by się w niuansach śmierci rozeznał.

Taki właśnie był, uczciwy i szczery, skażony końcówką XX wieku, dającą nadzieję, najzupełniej pustą, na poszanowanie prawa do szczęścia każdej istoty ludzkiej, niezależnie od koloru skóry czy innych ingrediencji.

Andrzej poczuł wzwód. Arogancja Krzysia zawsze go podniecała, nie chciał nigdy się do tego przyznać, najlepszy jednak seks wydarzał się pomiędzy nimi, gdy Krzyś stwierdzał coś luksusowego, na przykład: „Powiedziałem rodzicom, że jestem gejem, gdy miałem piętnaście lat. Macie problem, to idźcie do terapeuty. To przez was jestem gejem. Chcecie wesela albo wnusia? To walczcie o prawa gejów i lesbijek”.

Wzwód był tak potężny, jak gotycka katedra; okazało się, że w deszczu. Wbrew sobie – Andrzej nie przepadał za samozadowoleniem – zajął się sobą. Starł krople spermy z czwartej strony okładki wilgotną chusteczką.

Drugi blurb. Ninel Czeczot. Czy to aby nie matka aktualnego kochanka Mai? Może ona, ta pani z telewizora, może ona coś wie? Może ona coś Krzysiowi załatwiła: tajne stypendium, pastylki niewidzialności, celę w nepalskim klasztorze?

Zadzwonił do Mai. Podała mu adres mejlowy Ninel. („Wiesz, ona nie znosi rozmów telefonicznych, lepiej napisz do niej"). Andrzej zapytał Maję, dlaczego Ninel w ogóle miałaby odpisać albo zgodzić się na spotkanie. („Och, obiecaj jej, że umyjesz okna; ona jest strasznie łasa na wszystkich, którzy myją okna albo podłogę. Na wszelki wypadek weź ze sobą detergenty, mogła zapomnieć kupić"). Zanim się rozłączyła, zdążyła jeszcze obiecać Andrzejowi, że osobiście o nim wspomni Ninel oraz że wszystko będzie dobrze. („To znaczy z Krzysiem i z tobą; u mnie na dobrze się nie zanosi, pa, pa, muszę lecieć w bezrobotność").

Zdziwiła go ta nagła zażyłość na linii Ninel–Maja; widać sporo się wydarzyło w ostatnim czasie, gdy Andrzej apatycznie i na swój sposób rozpaczliwie szukał-nie szukał Krzysia.

Wolałby usiąść z książką, przeczytać ją od deski do deski, poczucie obowiązku wzięło jednak górę – zaciskając zęby, niechby i nago, pójdzie do gejowskich klubów.

Zdecydował się na hybrydę geja intelektualisty i geja chłopaka z sąsiedztwa; te ubrania leżały najbliżej, a dość stracił już czasu, łącząc spodnie z koszulami w poszukiwaniu tej idealnej kombinacji, której i tak nie zdołał złożyć.

Od lat nie był w klubie sam, zawsze towarzyszyli mu Krzyś i jego znajomi. Zostawił w szatni kurtkę i czym prędzej skierował się do baru. Może po szybkim piwie uczucie skrępowania zelżeje. Samotni faceci w jego wieku przychodzili właściwie w jednym celu: znaleźć miłość swego życia,

a ponieważ zadanie to okazywało się kompletnie niewykonalne, nie gardzili czymś mniejszym, partnerem na jedną
noc, nawet krócej, na godzinę. Bawili się ci, którzy przyszli
w parach i grupach, reszta, kilkanaście osób, przechadzała
się ze szklanką soku czy alkoholu, omijając roztańczony śro-
dek sali; nawet nie markowali, że dobrze się bawią ani że
chcieliby się bawić. Nie po to tu się pojawili, nie pragnienie
zabawy ich tu przygnało, lecz sprawy daleko poważniejsze:
miłość, przemijanie, smutek, pożądanie.

Andrzej nie zauważył znajomych twarzy; dopiero
w trzecim klubie natknął się na jednego ze znajomych Krzysia, ale się spóźnił: bezwłosy mężczyzna wychodził z lokalu.
Nim Andrzej zebrał się na odwagę, by za nim pójść, ten już
wsiadł do auta i odjechał.

Andrzej stał na lśniącej od deszczu ulicy, prawie
pustej; przejechały ze dwie taksówki i śmieciarka. Szumiało
mu w głowie po czterech piwach, zastanawiał się, jak dotrze
do domu, gdy telefon bipnął; SMS od Mai: „Idioto, wszystko
jest na FB!".

– Facebook – powiedział. – Facebook. Nienawidzę Facebooka – czknął. – Potrzebuję taksówki. Nienawidzę taksówki.

24.

Moja dziewczyna nazywała się Veronica Mary Elizabeth Ford –
uzyskanie tej informacji (przez co rozumiem jej kolejne imiona)
zabrało mi dwa miesiące.

Julian Barnes

To wyglądało jak natarcie, szczegółowo zaplanowane, precyzyjnie realizowane, nadto prowadzone w morderczym tempie, niepozostawiającym przeciwnikowi cienia szansy. Ninel od samego patrzenia kręciło się w głowie. W mniej niż kwadrans okna w kuchni lśniły.

– Podaj mi firanki.

Podała.

– Może odpoczniesz? Zrobić ci herbaty?

– Nie jestem zmęczony.

– Ludzie odpoczywają także, kiedy nie są zmęczeni. Zmęczenie bywa kulturowe, nie fizyczne. – Spojrzał na nią tak, jak gdyby zwariowała. – No, dobrze, dobrze, nic nie mówię. Usta na kłódkę, nos na kwintę.

Po oknach przyszła pora na kuchenne szafki, kafelki nad zlewem, zlew, blaty, stół. Cieszyła się z porządków; gdyby nie Norbert, nigdy nie pozbyłaby się bajzlu, który powstał po śmierci Burego lub raczej po próbach zaprowadzenia ładu po śmierci Burego.

Liczyła, że Norbert zapomni o abażurze, ale nie zapomniał, uwzględnił go w grafiku gruntownych porządków. Poprosił ją o wyniesienie krzeseł. Zamierzał zająć się podłogą.

Wyniosła, przeniosła się z kuchennymi krzesłami do salonu, prędzej czy później, czyli zaraz, i tutaj Norbert dotrze. Gdybym żyła w jego tempie, pomyślała, liczyłabym teraz ze sto dwadzieścia lat i z siedmioro dzieci, statystycznie przynajmniej jedno upośledzone, 3,6:3,4 na korzyść dziewczynek, lub niekorzyść, taka demografia na osiedlu.

Czuła lekkie podenerwowanie, jak zawsze w sytuacji, gdy ktoś wyświadczał jej przysługę. Oczywiście dałaby radę sama osprzątywać mieszkanie, byłoby ją stać na opłacenie ukraińskiej czy białoruskiej gosposi (o polskiej gosposi jakoś nigdy nie pomyślała), mimo to nikogo nie zatrudniła, a osobiście sprzątała wyłącznie wtedy, gdy nikt nie zamierzał jej wyświadczyć tej przysługi. Nie zatrudniła pomocy domowej z powodów nie do końca jasnych, zaplątywała się w tłumaczeniach przed samą sobą, wyzysk, klasowość, podległość, neokolonializm, postimperializm, godność, sumienie, rasizm, pogarda – lista należała do tak niezbornych i długich, że znalazłoby się na niej miejsce dla słowa „marchewka".

Kilka lat temu widziała w telewizorze scenkę, która zrobiła na niej ogromne wrażenie. Limuzyna zatrzymała się przed Pałacem Elizejskim. Młody chłopak w garniturze (liberii?), lewa dłoń obleczona białą rękawiczką, prawa dłoń naga. Urękawicznioną dłonią otwiera drzwi limuzyny; wysiada prezydent Francji, ściska nagą dłoń chłopaka (lokaja?) i udaje się na reprezentacyjne sale. Wspaniała scena, naturalna i mądra. Nie likwidowała ona różnic prestiżu i znaczenia: po jednej stronie uścisku dłoni nadal stał prezydent, po drugiej pracownik wyspecjalizowany w otwieraniu drzwi prezydenckiej limuzyny, a jednak – tak to pragnęła czytać w równościowej malignie – gest ten zrównywał prezydenta z obywatelem. I ty, i ja jesteśmy w pracy, jesteśmy identyczni i równi sobie; chociaż zarabiam więcej, nie jestem więcej człowiekiem, niż jesteś ty.

Zdawała sobie sprawę, że zachowanie takie zostało skodyfikowane, ujęte w ramy protokołu, niespontaniczne, jednak wolała tę niespontaniczność od przejrzystości prezydentów innych krajów, którzy wysiadają ze swoich limuzyn i idą przez powietrze mrowia obsługujących ich ludzi. Ninel nie umiałaby się tak zachować. Obawiała się, że wysiadłszy z limuzyny, uklękłaby i ucałowała dłoń chłopca. Że zatrudniwszy gosposię, dzień przed jej przyjściem sprzątałaby ze wstydu do upadłego, ażeby tylko gosposia nie pomyślała, że ona, Ninel, jest brudaską albo że ona, Ninel, brudzi.

Gdy któryś ze znajomych zaofiarowywał się umyć okna, gdy któryś ze studentów pytał, czy nie potrzebuje pomocy (na przykład w przyniesieniu ze sklepu kilku zgrzewek wody mineralnej), zwykle się zgadzała. To była jedyna chyba zaleta ageizmu. Chociaż mogłaby wszystko zrobić sama, nieraz opłacając owo „wszystko" sporym zmęczeniem, to jednak korzystała z tej łagodnej odmiany dyskryminacji ze względu na wiek. Rozumiała, że teraz może liczyć na pomoc, ponieważ jej tak naprawdę nie potrzebuje. I rozumiała – tak jest ageizm skonstruowany – że nie otrzyma pomocy, gdy bez pomocy nie będzie umiała się obejść.

Norbert nie palił i nie lubił, gdy ona paliła, dlatego starała się wychodzić do innego pomieszczenia – ot, jeszcze jeden z nieistotnych, głupich kompromisów, który w rzeczy samej nie był nawet kompromisem; to ona w końcu postanowiła palić w innym pokoju, niczego takiego wspólnie nie uzgodnili, nie odbyli ani jednej rozmowy na temat palenia.

Hałas zmieniał położenie, korytarzem kierując się do sypialni, gdzie blitzkriegowi Norberta opór stawił rower. Rower upadł, Norbert zaklął, potem krzyknął z sypialni:

– Mogę wyjebać ten okropny stary rower?!

Przeszła do sypialni, oparła się o futrynę drzwi.

Wolała sprzątać per procura, ale do pewnej granicy.

– Możesz, oczywiście, że możesz. A druga w kolejce będę ja. Też stara i okropna, tak? A po nas wyrzucisz wszystko inne, co stare i okropne. Będziesz wyrzucał i wyrzucał, aż dokoła siebie nie zobaczysz nic starego i okropnego, a jedynie młode i ładne. Młode i ładne, ale wtedy ty sam będziesz stary i okropny...

Mówiła to wszystko tonem melancholijnym, nie zamierzała zadać nikomu, jemu ani sobie, bólu. Najzwyczajniej i po ludzku żal się jej zrobiło roweru, od tylu lat na nim nie jeździła, od tylu lat trwał jako przytulisko dla pająków i innych owadów, stając się czymś na kształt terrarium, tylko wywróconym na nice, jedną z tych rzeczy, które zawsze są, i myśl o pozbyciu się tego roweru wydawała jej się równie egzotyczna, jak myśl o wyrzuceniu słońca czy księżyca na śmietnik.

Wszakże Norbert nie odebrał jej słów z melancholią czy pogodnym zrozumieniem. Wypowiedź kochanki kilka miesięcy temu uznałby za najpospoliciej w świecie wkurwiającą, obecnie przedstawiła mu się ona jako kolejna z gier o władzę, toczonych z taką czy owaką subtelnością w każdym związku i relacji, niechby i o otwartej formule. No, dobrze, wiedział więcej, widział szerzej, mimo to wkurzył się po staremu:

– Mogłabyś wyluzować?! Kurwa, ja chcę po prostu wywalić ten jebany rower. Tylko tyle! Nie przychodzi ci do głowy, że stary rower to stary rower?! Stary rower to stary rower. Stary rower to nie dyskryminacja!

Uniosła dłoń w pedagogiczno-retorskim geście. Zaraz pouczy go, że wyrzucanie starych rowerów, historia udowodniła to wielekroć i ponad wszelką wątpliwość, także w przekazach historycznych sprzed wynalezienia koła, i pisma, otóż wyrzucanie starych rowerów zawsze prowadzi do rzezi i morderstw, do łamania słabszych przez silniejszych. Wywód Ninel będzie bardziej skomplikowany i błyskotliwy niż skrót dokonany przez Norberta, niemniej jego sens zgodzi się z sensem przydanym wywodowi przez Norberta.

– Nie próbuj nawet – zagroził. – Już mnie nauczyłaś. Małe prowadzi do dużego. Najpierw jest niechęć, potem Holocaust – przyglądała mu się, nie zaczynając zdania. Zaskoczył ją, nadto zainteresowało ją chyba to, co się wydarzy, pewnie też odrobinę ją rozbawił. – Powtórz za mną: stary rower to stary rower.

Pokręciła głową. Jej odmowa rozsierdziła go; dawny Norbert złapałby za jakiś przedmiot, żeby go zniszczyć, obecny Norbert nauczył się nowej sztuczki, kanalizowania agresji w przyjemność. Nie wypuścił z rąk ścierki ni sprayu do szyb, jak stał, tak już był przy niej, całował ją mocno, zaniósł do łóżka.

Kłócili się dość często, Norbert wybuchał, na przykład tak:

– A dlaczego to ty mówisz poprawnie, a ja nie? Bo moi rodzice są spod Lublina? Bo jestem mężczyzną? Kurwa. A może ja ten pierdolony zakres jebany pojęciowy czy chuj wie rozszerzam, a nie, że mylę, co?!

Gdy wpadał w złość, Ninel reagowała na pięć sposobów. Albo wzdychała z poczuciem ogólnorozwojowej klęski. Albo stosowała psychoterapeutyczny trick i mówiła, żeby go uspokoić: „Słyszę, co do mnie mówisz". Albo podawała mu talerz lub szklankę, żeby mógł je roztrzaskać. Albo zapadała się w sobie i przestawała być obecna, najzwyczajniej opuszczała pokój, w którym doszło do wybuchu, i w pokoju innym, wolnym od Norberta, zaczynała wysmarkiwać nos lub przekładać książki ze stosu na stos. Albo też wzbierał w niej dydaktyczny szał. Tej ostatniej Ninel nienawidził. Odchrząkiwała, krzyżowała ręce – dawniej Norbert powiedziałby: „krzyżowała ręce na krzyż" – przybierała belferski ton i z jakąś jadowitą dla Norbertowego ucha nutą tłumaczyła krok po kroku, dlaczego on się myli, gdzie się myli oraz nad czym powinien się zastanowić, żeby mylić się w sposób mniej pospolity.

Tamtego dnia po jego erupcji w Ninel wstąpiły demony dydaktyki. Przybrała stosowną pozę posągową, ton, krzyż rąk, i zaczęła objaśniać. Jej słowa nie docierały do niego. Wpatrywał się w nią i widział osobę opętaną, osobę z innego porządku, nadkobietę, obokprzyjaciela i przedkochankę. Te dziwaczne określenia przyszły mu do głowy pewnie dlatego, że się pokłócili o zakres pojęciowy wykorzystywanych słów; gdzieś na dnie jego mózgu jakiś złośliwy krasnal sufler szeptał: „Spróbuj, droga twoja Ninel mać, przyczepić się do tych!". Wpatrywał się w nią, nie rozumiał, co mu klaruje, lecz jedno nagle stało się oślepiająco jasne: Ninel wykonano z dokładnie takich samych żył, ścięgien i strzępków, jak Norberta. Kubek w kubek. Toczka w toczkę. Trumna w trumnę.

Ona mówiła, a on musiał się z nią kochać. Natychmiast. Leżeli spoceni w łóżku.

– Wybacz, to konserwatywne, ale muszę zapalić. A tak na przyszłość, zapomnij, że powiedziałam, że feminizm jest konserwatywny.

– Nigdy nie pamiętałem. Pal – odpowiedział, a potem jedną ręką ujął jej łokieć, jednocześnie własne przedramię przykładając do jej przedramienia. Jego skóra była dramatycznie biała, jej lirycznie ciemniejsza, jego epicko bezwłosa, jej kapryśnie porośnięta przejrzystymi włoskami. Jego przedramię potężne i rozsupłane na poszczególne więzadła, kości i mięśnie niby w anatomicznym ćwiczeniu; jej – skromniejsze i krótsze, cieńsze i mniejsze, jak u żyjącej podwodnie istoty, pełnej ości.

– Zobacz – powiedział – wszyscy jesteśmy dokładnie tacy sami.

Seks, jaki uprawiali, dawny Norbert nazwałby dzikim, obecny Norbert został jednak uświadomiony, że określenie „dziki" to określenie okropnie europocentryczne. („No przecież, kurwa, uprawiamy seks w Europie, tak czy nie!? No przecież mi nie wmówisz, że to jakiś Madagaskar jest u ciebie za drzwiami na tym murzyńskim Żwirki i Wigury róg mongolska Pruszkowska?!") Dlatego też na opisanie seksu, jaki teraz uprawiali, zdecydowałby się na któryś z bezpiecznych przymiotników, może „dobry" albo „udany", może z przysłówkiem „bardzo". W każdym słowie, a już o frazeologizmach nie warto wspominać, kryła się sieć pułapek, odniesień do etymologii i historii, ponieważ zaś historia to głównie barbarzyństwa, w każdym słowie niby w wydrążonej i zamieszkanej przez osy tykwie siedziały jakieś szkaradzieństwa.

Leżeli w skotłowanej pościeli. Norbert na wznak, z lewym ramieniem tworzącym kąt niemal prosty z tułowiem, ona na boku, tyłem do Norberta.

Uważała, jak najzasadniej, że nadal posiada piękne plecy i świetną pupę – pupę niczym implant z epoki, gdy sądziła, że jeszcze nie żyje naprawdę.

Wiedziała, że pupa i plecy to są jej bezsprzeczne atuty. Niekiedy żałowała, nagrywając rozmaite programy w telewizji, że musi patrzeć na swoich rozmówców i dziennikarza prowadzącego, zazwyczaj miłego i ładnego, lecz głupawego, co, niestety, utrwalało stereotypy. Gdyby to od niej zależało, wprowadziłaby w dziennikarstwie telewizyjnym kwoty procentowe, tak aby znalazło się miejsce również dla dziennikarzy ładnych i inteligentnych oraz brzydkich i głupich. Wracając do clou, Ninel wolałaby leżeć podczas publicystycznych debat nagim tyłkiem do rozmówców i widowni. Telewizyjna publicystyka od dawna sprowadza się do tego, że nikt nikogo nie słucha i nie szanuje, więc formuła wykoncypowana przez Ninel odświeżyłaby publicystyczne kanony, a z niej samej zdjęłaby odium „gadającej głowy". Stałabym się gadającą dupą, myślała czasem i bardzo się wstydziła, że tak myśli, ale jeszcze bardziej zawstydzające było to, że ją owa myśl bawiła. Nic nie mogła na to poradzić, ta trajektoria życiowa, od gadającej głowy do leżącej dupy, rozśmieszała ją; trudno, nikomu przecież nie pisnęła o swoim pomyśle ani słowa, wstydzi się wyłącznie przed sobą, jednoosobowe zażenowanie, chyba że napiszę o sobie szczerą powieść, taki wywiad-z-rzeką – że żyła, a teraz umiera, no i koniecznie coś o Michniku albo stalinizmie, żeby starczyło na lekarstwa.

– Zrobisz coś dla mnie? – spytał dziwnie rozmarzony Norbert.

– Co?

– Chcę, żebyś coś powtórzyła, nawet jeśli w to kompletnie nie wierzysz…

Wydała z siebie jakiś odgłos, mruknięcie, niebędące odpowiedzią, echem raczej Burego, jego „mrrrr". Gdyby jednak ten brak odpowiedzi interpretować, to bliższy zdałby się zgodzie niż odmowie.

– Powiedz: stary rower to stary rower.

Zachichotała. Wydawało jej się, że wyleczyła się z chichotu mniej więcej wtedy, gdy pokonała trądzik, czyli, tak pragnęła z obronną nonszalancją myśleć, w epoce wynalezienia penicyliny lub tuż przed. Norbert jednak umiał jakimś wytrychem otworzyć w niej zamknięte pudełka z truchłami nastoletnich reakcji.

– Nie. Nie powiem.

Poczuła, że się poruszył, brakowało jej jednak szczegółowej wiedzy o ruchach wojsk przeciwnika (lub sojusznika) z tej przyczyny, iż wyeksponowała przed jego oczyma, przeciwnika lub sojusznika (albo obu w jednym), czwartą stronę okładki, soczyste blurby swoich pleców i pupy, zachęcające – miała nadzieję, że niezbyt natarczywie i raczej w zgodzie ze stanem faktycznym – do przeczytania zawartości, bądź choć sięgnięcia po pierwszą stronę okładki.

Szybko zorientowała się, co kochanek przedsięwziął. Gryzł jej pośladki, równocześnie wymrukując „powiedz". Dostała łaskotek, zaczęła się śmiać. Skapitulowała.

– Stary rower to stary rower, ty potworze – wydusiła słowo po słowie, spomiędzy roześmiania, wcale nie tak wesołego, prędzej fizjologicznego, bo stary rower nigdy nie jest starym rowerem. Nie w jej świecie. W jej świecie jest jeszcze komis i śmietnik.

Norbert wprowadzał ostatnie korekty ustawienia krzeseł przy stole oraz sztućców i zastawy na lnianym obrusie. (Sam go kupił, przyniósł i wyprasował; ona łaskawie wyraziła wcześniej pewność graniczącą z przypuszczeniem, że obrusy, a już na pewno lniane, zostały prawnie zakazane, podobnie jak symbole faszyzmu i komunizmu. Obrusy nie są równościowe w żadnym tego słowa znaczeniu). Ninel tymczasem zmagała się z zupą cytrynową.

Podstawowy problem kulinarny polegał na braku cytryny czy jej syntetycznego zamiennika. Wolała nie wysyłać kochanka do sklepu, wolała uniknąć kompromitacji: od tak dawna opowiadała o zupie cytrynowej, że nabrała przekonania, iż w lodówce zawsze znajdzie się cytryna, a tu proszę, niespodzianka, z mocnym akcentem na pierwszą sylabę. Wybrnęła z kłopotu, dosypując resztkę kwasku cytrynowego, wygrzebanego z samego dna najrzadziej otwieranej szuflady, a do kwasku starła skórkę z pomarańczy, raczej żółtej niż pomarańczowej. Liczyła na światło z bocznych lamp w salonie, słabe i fałszujące kolory; przy odrobinie szczęścia lub taktu nikt z gości nie zorientuje się, że zupa cytrynowa jest cytrusowa. Jak by nie patrzeć, różnica niezbyt istotna: kilka głosek, garstka kubków smakowych i nieznaczne przesunięcie w pryzmacie.

Denerwowała się wydawaną kolacją. Jej inicjatorem był Norbert – po tygodniach wahań, szczegółowo analizowanych przed seksem lub po myciu okien (lub podłogi), w końcu postanowił ulec coraz natarczywszym żądaniom swego chłopaka i doprowadzić do „ważnego spotkania"; tej zbitki właśnie używał – ważne spotkanie. Ważne spotkanie, a według Ninel „kontrolowana katastrofa", polegało na – przynajmniej jego faza wstępna, czy też gra – zderzeniu przy jednym obrusie czterech osób. Norbert i Ninel (kochankowie), Maks i Maria (małżonkowie), Maks i Norbert (kochankowie), Maria i Ninel (kobiety). Aha, był jeszcze Kuan. Nie wiedziała, gdzie go posadzi w całej tej sytuacji.

Im bardziej zupa cytrynowa dojrzewała do podania, tym bardziej Ninel panikowała. Przerobiła i przećwiczyła swoją panikę wielekroć: Maks wie o mnie i Norbercie, ja wiem o Maksie i Norbercie, Maria wie o Norbercie i Kuanie, wie też, prawdopodobnie, o mnie i Norbercie. Mimo że wszyscy wiemy o sobie, nie będziemy rozmawiać o tym w sposób otwarty, ba!, w ogóle nie będziemy o tym rozmawiać, nawet aluzje i napomknięcia obłożono anatemą. Jak to ujął Norbert? „Lepiej nie mówić, co się wie"? Nie. Zatrudnił inną formułę, mniej dosłowną, chyba coś z wilkiem. „Nie wywołuj wilka z lasu"? Też nie. „Nie patrz wilkiem"? Przestała się zastanawiać, bo domofon zapiszczał, czyli goście. Spojrzała na ścienny zegar: obezwładniająco punktualni goście nie w porę.

Otworzył Norbert. Ninel wynurzyła się z kuchni. Za drzwiami stał Maks. Mężczyźni przywitali się zwykłym uściskiem dłoni.

– Maria nie mogła. Coś ją zachorowało. Kobiece sprawy. To nawet dobrze, bo ona straszna niezdara i naczyń natłukłaby co niemiara. – Gość wydawał się bardzo zadowolony z rymu. Po krótkiej pauzie, wymijając Norberta i wręczając Ninel dwie eleganckie papierowe torebki oraz bukiet kwiatów, kontynuował: – A to dla pani z telewizora.

– Nie trzeba było. Dziękuję.

Norbert zaprowadził gościa do salonu. Ona schowała się w kuchni. Wstawiła róże do flakonu. Zajrzała do toreb. W jednej wino, w drugiej smukła figurka z polerowanego drewna. Jakiś ptak. Nikła wiedza ornitologiczna pozwoliła jej wyeliminować kaczkę i jaskółkę, nie przybliżyła jej jednak ani o jotę do określenia gatunku. Pewnie to jakiś azjatycki gatunek. I co to znaczy?

Czy to jakaś aluzja, alegoria, symbol, wiadomość? Któż wie, czy wietnamski Zygmunt Freud nie skorzystał z ptaków zamiast z kwiatów, ażeby wyłożyć seksualną naturę człowieka? Każda kultura ma swego Zygmunta, tego była równie pewna jak faktu, że koło wynaleziono i zapomniano wiele razy. Gdzieś w tle słyszała uporczywy, przebijający się przez tkanki rozmaitych nie-, pod-, nadświadomości, w które została wyposażona przez kulturę, głos: figurka ptaka to figurka ptaka.

– Akurat – wymruczała pod nosem, poprawiając kwiaty. – A stary rower to stary rower. Niedoczekanie!

Wieczór przeszedł bez katastrof. Ninel polubiła Maksa. Okazał się serdecznym, stale dowcipkującym mężczyzną. Był egzotyczny i zwyczajny. Biznesmen i głowa rodziny. Wprost nie mogła uwierzyć, że widziała go na scenie jako Kim Lee, przepiękną, azjatycką kobietę; ani nie mogła uwierzyć, że buduje zdania zaczynające się od „wprost".

Maks nie odczuwał ani grama respektu dla gospodyni, już przy zupie zaczął się do niej zwracać per „moje kochanie". Bawiło ją to, choć w innych okolicznościach potraktowałaby taką błyskawiczną fraternizację jako wyraz impertynencji.

– Moje kochanie, o nogi trzeba dbać. Nogami nie można chodzić bez sensu, stąd i zowąd. Noga nie karaluch. Noga nie chodzi, gdzie chce. Noga chodzi, gdzie warto.

Taka i setki podobnych porad spadły na Ninel podczas kolacji. W pewnym momencie Maks poszedł do toalety, Ninel i Norbert wymienili porozumiewawcze spojrzenia niczym rozkojarzeni spiskowcy, którzy zachowali w pamięci jedynie informację, że w spisku uczestniczą, zapominając, w jakim celu cały ów spisek się zawiązał.

– Chcesz, żebym przyjechał, jak odwiozę Maksa do domu?

– Nie. Muszę sprawdzić prace studentów.

– W porządku.

Wrócił Maks, już z korytarza opowiadając coś o gniazdku. Potrzebowała chwili, żeby zorientować się, w czym rzecz. Otóż w łazience od kilku lat zwisało gniazdko elektryczne, pewnie wyszarpnęła je ze ściany, wyciągając wtyczkę od odkurzacza; okoliczności zdarzenia dawno już się zatarły. Zamiast zaprzątać sobie głowę gniazdkiem, Ninel zasłoniła je koszem na brudne ubrania. Teraz gniazdko, niespodziewanie dla Ninel i Norberta, stanęło na wokandzie.

– Moje kochanie, jutro wieczorem przyjadę i naprawię. Nie ma problemu. Nie musisz dziękować. Nawet nie próbuj! Drobiazg. Przyjaciele naprawiają sobie popsute.

Gdy Maks z Norbertem wyszli, Ninel od razu uprzątnęła stół i zmyła naczynia. Satysfakcjonujący wieczór, każdy dostał, czego chciał, powiedzmy. Norbert zaspokoił oczekiwania Maksa: Maks poznał Ninel, Ninel poznała Maksa. Norbert miał dzięki temu wieczorowi spokój na najbliższe miesiące, jego kochanek zaniecha tortur, w końcu poznał jego kochankę. Co z tego wieczoru miała Ninel? Poza naprawionym gniazdkiem jutro?

Cóż, czuła wdzięczność. Wdzięczność do Marii, że „coś ją zachorowało". Kobiety, myślała, wiedzą, kiedy nie należy się spotykać, kiedy lepiej się unikać. To straszny pech, że nie jestem lesbijką. Straszny pech oraz błędna intuicja.

25.

Kopciuszek może poślubić księcia, albo nie. Trudno sobie jednak wyobrazić, by poślubiła księżniczkę.

Kinga Dunin

Nie korzystał z taksówek, chyba że w stanie wyższej konieczności. Przeszkadzało mu, że kierowca siedzi tak blisko, praktycznie zacierając różnicę między autem a motorem; że wytwarza się quasi-intymna sytuacja. Chcąc nie chcąc, wciągał zapach kierowcy oraz słabsze, rozproszone zapachy wcześniejszych klientów. Atmosfera w taksówce – równie intymistyczna co banalistyczna, gdyby mówić o prądach i inklinacjach, zawierała także nutę konfesyjną, brzmiącą natrętnie, niedającą się puścić mimo uszu. Andrzej siedział spięty na tylnej kanapie, podawał adres i bardzo liczył na to, że taksówkarz pogłośni radio. Niektórzy taksówkarze nie ufali radiu. Opowiadali o życiu i Polsce. W rewanżu Andrzej próbował opowiedzieć coś o swoim życiu i swojej Polsce. Tak życia, jak Polski – choć od strony intymistyczno-banalistycznej zgodne – w dziurawych drogach i aroganckich politykach, czyli w szczegółach, okazywały się najczęściej nieuzgadnialne w paśmie wartości. Trudno tu mówić o różnicy klasowej, definiowanej pieniądzem, prawdopodobnie taksówkarz zarabiał niewiele więcej lub niewiele mniej od Andrzeja. Różnica światopoglądów – nadal w tejże poetyce – zaczynała się w orientacji seksualnej.

Taksówkarz, na którego trafił tym razem, nie ufał radiu, a na pewno nie w stopniu, w jakim ufał własnemu głosowi. Co gorsza, nie ograniczył się do monologu o sobie i wariancie Polski wybranym do zamieszkania i zinterpretowania, ale też zadawał klientowi pytania, i to w taki sposób, jakby rzeczywiście interesowały go odpowiedzi. Sytuacja stawała się coraz bardziej niezręczna; nim się zorientował, już streszczał historię poszukiwań Krzysia. Czwarta nad ranem, kilka piw i taksówka. Powinienem poczekać godzinę, aż ruszą autobusy, pomyślał ponuro, ponieważ ponuractwo dobrze komponuje się z brzaskiem.

Zapłacił, podziękował i wysiadł z ulgą.

Czy to był jakiś omen? Ta taksówka? Jakiś znak? Tylko znak czego?

Nie wierzył w znaki. One bytowały gdzieś na obrzeżach jego świata, sporadycznie docierając do dużego europejskiego miasta, zresztą nawet nie do ścisłego centrum, grzęzły już na jego przedmieściach. Znak, według Andrzeja, przynależał do unieważnionej i przestarzałej kategorii wydarzeń, którym z osamotnienia i przerażenia ludzie nadają szczególne znaczenie. Andrzej bywał i osamotniony, i przerażony, nigdy jednak w stopniu wystarczającym, aby uchwycić się znaku.

Nie położył się do łóżka, zrezygnował z prysznica, od razu usiadł przed monitorem. Facebook okazał się identyczną klapą, jak przebieżka po klubach. Krzyś wykasował konto. Wyczyścił. Żadnych znajomych, żadnych like-itów. Zero zdjęć, zero wiadomości, brak osi czasu. Pozostała jedynie informacja, że ktoś taki jak Krzyś istniał, teraz przeszedł w tryb nieaktywny, a za pół roku nie będzie śladu nawet tej nieaktywności.

Ulatujący porami alkohol dodał mu nieco odwagi, czy też przytłumił dobre maniery. Wysłał mejla do Ninel Czeczot. Tak się zdenerwował, że zasnął kwadrans później, nieumyty.

Obudził się na kacu, nie takim nieskomplikowanym, poalkoholowym, ale – zaryzykujmy słowo – moralnym, z implikacjami do humanizmu, do całości natury człowieczej. Moralny kac jest skutkiem ubocznym zachowań, zdarzeń oraz sumienia, nie łączy się lub łączyć nie musi ze spożytymi substancjami płynnymi, stałymi lub gazowymi. Andrzej wiedział, że zrobił coś niewłaściwego, coś zawstydzającego, nie miał pojęcia co, aż do porannej herbaty.

Sprawdził z nawyku pocztę.

„Drogi Panie! Maja mi wiele o Panu opowiedziała, w tym także o pańskiej skłonności do porządku. Dziękuję za ofertę umycia moich okien, bardzo się wzruszyłam, obecnie jednak moje okna zachowują zadowalający poziom przezroczystości. Gdyby jakiś niespodziewany mat szybom się przydarzył, nie omieszkam skorzystać z pańskiej propozycji. Odpowiadając na pańskie pytanie, muszę jasno powiedzieć, że nie potrafię Panu pomóc. Po pierwsze, uważam, że to wspaniale, że ludzie znikają. Nie wyobraża Pan sobie, ile osób poznałam, którym życzę gorąco zniknięcia! Do tej grupy pozwalam sobie zaliczyć również siebie. Po drugie, widziałam Pana Krzysztofa jedynie trzy razy. Przyniósł mi wydruk tekstu oraz – zupełnym przypadkiem – wyniósł śmieci, chociaż stanowczo protestowałam, najwyraźniej jednak nieskutecznie i kto wie, czy nie był to flirt lub mobbing z mojej strony. Za drugim razem przyjechał, żeby odebrać blurba, chociaż spokojnie mogłam wysłać go mejlem. Za drugim razem – uspokajam Pana – worek ze śmieciami wtargałam do kuchni, chcąc uniknąć recydywy. Po raz trzeci i ostatni spotkaliśmy się przypadkiem na Dworcu Centralnym. Jechałam na spotkanie do Poznania; dokąd i czy w ogóle dokądś udawał się Pan Krzysztof, tego nie wiem. W każdym razie odprowadził mnie na peron i rozmawiał ze mną jakiś kwadrans, póki nie przyjechał mój pociąg. Rozmawialiśmy, jeśli pamięć nie płata mi psikusa, o pogodzie, książce Pana Krzysztofa, sytuacji lewicy w Polsce, sytuacji PKP, Kalinie Jędrusik oraz Marianie Pankowskim i pewnie o czymś jeszcze. Gdy podzieli Pan liczbę tematów przez czas, okaże się, że nasza rozmowa nie należała do istotnie pogłębionych. Pozwalam sobie napisać do Pana tak obszernie, ponieważ i Pan pozwolił sobie napisać w rozmiarze, przy którym słowo «obszernie» wydaje się niedoszacowane. Ponadto zdarza mi się cierpieć na bezsenność, szczególnie teraz, gdy syn mi się zaburzył. Chociaż okazałam się niepomocna, pozdrawiam serdecznie nad ranem.

PS To jest numer komórki Norberta. On pracuje w banku i zna się na windykacji długów, może potrafi Panu pomóc. W końcu, tak to sobie wyobrażam, windykacja polega przede wszystkim na odnalezieniu osoby. Oczywiście, nie chciałam sugerować, że Pan Krzysztof ma cokolwiek wspólnego z zaległymi płatnościami, czy to w złotych polskich, czy w emocjach. W rozmowie z Norbertem proszę powołać się na mnie, uprzedziłam go zresztą, że prawdopodobnie zechce się Pan z nim skontaktować. Poza tym wy się chyba znacie. Aha, byłabym zapomniała, jeśli Pan czegoś z mego mejla nie zrozumiał, to dlatego, że cierpię na dyswokabularię. Od dwudziestu ponad lat tłumaczę, czym jest feminizm. Najczęściej nikt mnie nie rozumie. Komputer nie koryguje błędów ponadortograficznych".

Andrzej osłupiał. Spróbował znaleźć w folderze „wysłane" kopię swego mejla, ale najwyraźniej ją wykasował. Nie miał pojęcia, co napisał, poza tym, że napisał znacznie więcej, niż sądził.

Czytał wiadomość Ninel raz po raz. Wydawała mu się ona to przyjazna, to najeżona złośliwościami. Nie potrafił rozstrzygnąć. Wyguglował „bezsenność objawy". Chciał sprawdzić, czy jednym z objawów bezsenności nie jest przypadkiem złośliwość. Okazało się, że nie. Bezsenność wiąże się ze stresem, nadużywaniem kawy, herbaty, tytoniu i witaminy C. Prowadzi do trwałych uszkodzeń, tak cery, jak psychiki, jednak złośliwość musi być wcześniejsza niż bezsenność, coś na kształt uprzedniości słowa przed dinozaurem (według kreacjonistów).

Grzebanie się w wynikach Google'a pozwoliło Andrzejowi otrzeźwieć.

Napisał, cokolwiek napisał. Otrzymał odpowiedź, cokolwiek ona znaczyła.

Zaparzył kawę, wybił numer podany przez Ninel.

Gdyby był sobą, w pełni sprawnym Andrzejem, nigdy by tego nie zrobił. Nie był jednak stuprocentowym Andrzejem. Był kawałkami różnych Andrzejów, dającymi w sumie wynik ponadstuprocentowy, a to zawsze jest niebezpieczne, jak maj.

– Dzień dobry. Dostałem numer od Ninel Czeczot.

– W niedzielę?!

– Słucham?

– Nic. Nic nie mówiłem.

– Bardzo chciałbym się z panem spotkać i wytłumaczyć.

– Wytłumaczyć co?

– Zaginął mi Krzyś. Chyba.

Od gafy do gafy, od rafy do rafy, doszli w końcu do nieszczególnie słonecznej plaży. Umówili się w hinduskiej knajpie. Na kolację. Za cztery godziny. Nawet nie zdążę nawoskować podłogi, pomyślał jeden. Nawet nie zdążę odebrać Patryka z basenu, pomyślał drugi.

Knajpa nie należała do szczególnie ekskluzywnych, była jednak naprawdę hinduska, jedzenie zaś – musiał to przyznać nawet niechętny idei mieszania wielu składników Andrzej – naprawdę smaczne lub raczej, zwykł mawiać z pokrętnym uznaniem, poprawne.

Prawie wszystkie stoliki były zajęte, pozostały ostatnie dwa tuż przy skarlałym łuku i rozciągającym się za nim krótkim tunelu prowadzącym do toalety. Zajął jeden z nich i czekał. Z uwagą rozszczepioną między kartę dań a wyświetlacz komórki usiłował sobie wyobrazić, jak wygląda stereotypowy windykator bankowych długów. (Bo jak wygląda Norbert, świetnie wiedział; wyglądał wspaniale). Przerzucał się z obrazu potężnie zbudowanego mężczyzny w świetnie skrojonym garniturze na obraz szczupłego człowieczyny w wymiętej marynarce i przetłuszczonych włosach; pomiędzy tymi obrazami wyświetlały się również szczeble pośrednie, warianty do uzgodnienia oraz, niestety, widok własnego mieszkania, z zoomem na nienawoskowaną podłogę.

Niektórzy mężczyźni twierdzą, że regularne dbanie o własne ciało, czyli ćwiczenia na siłowni, zapewniają im lepszą kondycję oraz samopoczucie. Andrzej twierdził podobnie, tylko że ćwiczenia na siłowni zastępowało mu porządne sprzątanie. Teraz czuł się słabawy, ponieważ zaniedbał swoje ćwiczenie.

Norbert nosił adidasy, jeansy i koszulę; po prostu. Strój był pierwszym zaskoczeniem – mniejszym, a większym – własne zdenerwowanie. Andrzej widział Norberta kiedyś w klubie, widział na zdjęciu w komputerze Mai, widział wsiadającego do samochodu i odjeżdżającego, praktycznie dzisiaj. To był mężczyzna, który lśnił, ogromny i bezwłosy, olśniewający i onieśmielający. Zrobił kiedyś piorunujące wrażenie na Andrzeju.

Andrzej podniósł się niezgrabnie. Wyciągnął dłoń:

– To ja. Ten od Krzysia.

– Wiem – odpowiedział. – Widziałem cię już.

Norbert usiadł. Nie zapytał nawet, czy może się dosiąść, pomyślał Andrzej z automatyczną przyganą, żeby natychmiast się zaczerwienić: umówili się na kolację, nie musiał pytać, czy wolno mu się dosiąść.

Podszedł kelner i szczęśliwie ugrzęźli w wyborze dań na dobre pięć minut.

Kelner odszedł.

– Prześlij mi MMS-em jakieś aktualne zdjęcie Krzysia.

Andrzej, otumaniony i nierozgarnięty, wybrał z komórki jedno ze zdjęć swego partnera. Pokazał je Norbertowi:

– To ten Krzyś nam zaginął.

Sam nie wiedział, dlaczego powiedział: „nam".

Norbert wpatrywał się w wyświetlacz. Mięśnie mimiczne ani drgnęły. Andrzej zbierał się do powtórzenia tego „nam". Ów zaimek, łącznik gramatyczny i emocjonalny, wydawał mu się najsilniejszą bronią i zachętą równocześnie. Nic jednak nie powiedział, ponieważ Norbert mu przeszkodził, jak gdyby jego lśniące ciało skrywało mechanizm zdolny wykryć słowa biegnące z mózgu do krtani, jeszcze zanim powietrze wprawiło struny w drgania. Norbert wypalił:

– Przecież świetnie wiem, jak on wygląda! Potrzebuję zdjęcie, żeby ewentualnie komuś pokazać, a nie żeby przekonać się, jak Krzyś wygląda! Rany, kurwa, człowieku!

Andrzej spłonął, z pewną przesadą, Dreznem, zażenowany własną głupotą.

– Przepraszam – bąknął – czasem zdarza mi się nie myśleć.

– Mnie też – zgodził się nagle rozpogodzony Norbert. – I nawet nie próbuję tego ukrywać.

26.

Współczuję pisarzom, kiedy muszą opisać kolor niewieścich oczu: wybór jest bardzo mały, a bez względu na to, jaką się decyzję podejmie, implikacje będą banalne. Ma oczy niebieskie: niewinność i uczciwość. Czarne: namiętność i głębia. Zielone: dzikość i zazdrość. Piwne: solidność i zdrowy rozsądek. Ma oczy fiołkowe: powieść napisał Raymond Chandler.

Julian Barnes

Za każdym razem, gdy go żegnała, nawet jeśli czyniła to z ulgą i nieledwie radością, przytrafiała się identyczna okoliczność. Otóż myślała, że widzą się po raz ostatni, że on będzie miał wypadek (przecież prowadził jak wariat), że jej przydarzy się udar (w końcu posiadała te wszystkie podwyższone ciśnienia i prowadziła również tryb życia podwyższonego ryzyka).

Za każdym razem, gdy ją pocałował lub uścisnął na pożegnanie, gdy wyszedł i zamknął drzwi, zastygała na chwilę z ręką na klamce, walcząc z pokusą wybiegnięcia na klatkę schodową i dalej – przed blok. Nie krzyknęłaby: „Nie jedź, będziesz miał wypadek". Milczałaby. Pragnęła po raz ostatni na niego spojrzeć. Spojrzeć, kiedy na nią nie patrzył i odchodził w niewiedzy, że ona patrzy. Liczyła jednak na to, że coś dostrzeże. Że jakiś ostatni komar przysiądzie mu na ostatniej klatce, na której widać jego kark. Że się potknie jego ostatnia stopa o ostatnią krawędź nierównej chodnikowej ostatniej płyty. Cośkolwiek drobnego i wyraźnego. A nawet zadowoliłoby ją nic. Jej rozpacz nie należała do wybrednych, wytresowana w PRL-u żywiła się czymkolwiek, najskromniejszym ochłapem. Ninel nigdy dotąd nie sztywniała z ręką na klamce, zwalczając pokusę wybiegnięcia przed blok, gdy wychodzili, tysiące razy, Wiesiek albo drugi mąż, albo Franek. To było nowe. Przyszło z wiekiem lub z Norbertem.

Po kilkunastu sekundach godziła się – niepogodzona – z jego śmiercią i własną nieuważnością. Wracała do kuchni, gdzie parzyła herbatę. Przygniatało ją potężne poczucie winy. Wygrzebywała skądś jakieś ciastko i moczyła je w herbacie. Zwykle w połowie herbaty potrafiła sobie wytłumaczyć, że jest histeryczką, że nic się nie wydarzy – nie będzie wypadku samochodowego ani udaru – będzie kolejny dzień. Pragnąc wymazać ostatni rzeczywisty obraz kochanka na siatkówce oka, jakby za karę, że nie wyszła za nim i nie obejrzała następnego, prawdziwego obrazu, włączała kuchenny telewizorek, ustawiony na świat bezpiecznych katastrof i skandali. Jałowość telewizyjnego programu przekonywała ją, że życie spokojnie toczy się dalej. Kilka godzin temu opowiedziała Norbertowi o swojej pierwszej miłości, teraz, wpatrując się w ekran, nie potrafiła się zdecydować, co jest większym kłamstwem: jej odległe wspomnienie czy świat za szkłem. Do pewnego stopnia czuła się zażenowana i jednym, i drugim.

Gdy Ninel była tak niewielka, że nadal reagowała na imię Kuba, wyjeżdżali całą rodziną do Gawrych Rudy, nad jezioro. Zaprzyjaźnieni gospodarze szykowali dom, pociąg wlókł podróżne kufry, jak gdyby II Rzeczpospolita się nie skończyła. Na stacji czekała dorożka albo furmanka, podróż do wiejskiego domu Kubie wcale się nie dłużyła.

Do Gawrych Rudy zjeżdżali się na wakacje różni państwo doktorstwo, profesorstwo oraz społeczne klasy, względem których stosunkowo młody polski komunizm zachowywał postawę dynamiczną. Wypadałoby zlikwidować różnice klasowe, z drugiej strony niepożądane i nieefektywne na dłuższą metę wydaje się leczenie obywateli/towarzyszy przez obywateli/towarzyszy. Lepiej byłoby być leczonym przez lekarza, woźonym przez woźnicę i spowiadanym przez księdza. Dylematy stosunkowo młodego polskiego komunizmu Kuby nie interesowały. Dorośli letnicy, zawieszeni między orderem a karą śmierci, bawili się w Gawrych Rudzie we własnym gronie. Zadbano także o rozrywkę dla małoletnich. Wieczorami narybek – jeśli nie posnął – spotykał się na ognisku. Opowiadano sobie straszne historie, o duchach i morderstwach, o topielcach i porwanych dzieciach. Grano w gry i na gitarze. Śpiewano. Animatorem życia ogniskowego był chłopiec, pewnie nie najstarszy, prawdopodobnie najwyższy.

Najpierw go usłyszała; śpiewał i przygrywał sobie na gitarze. Ninel, wtedy występująca pod imieniem Kuba, pomyślała, że to jakaś dziewczynka, kto wie, czy nie dziewczynki roślejsza odmiana, zwana siostrą zakonną. Jakoś nie mieściło się jej w głowie, że chłopcy, starsi chłopcy, mogą śpiewać poza kościołem. Śpiewanie to zdecydowanie dziewczyńska sprawa, zdecydowała Kuba dawno temu, jeszcze w Łodzi.

Zbliżyła się i wpasowała w lukę pomiędzy siedzącymi na długim obalonym pniu drzewa, dociągniętym do ogniska i służącym za ławkę. Usiadła między dziewczynką, którą znała z zeszłego turnusu (Marysia), a nieznajomym malcem, któremu raz po raz senność strącała głowę na piersi. Jej miejsce wypadało na skos od śpiewającej osoby. Nie widziała wyraźnie – przeszkadzały dym, rozgrzane powietrze i snopy iskier, tryskające, gdy ktoś uderzał patykiem w rozżarzone polana – bez pudła jednak oceniła, że to ani dziewczynka, ani jej roślejsza odmiana, zwana siostrą zakonną. Kuba miała najlepszy widok na kościste, poznaczone zadrapaniami kolano. („On nazywa się Jacek" – Marysia szepnęła w ucho Kuby). Pierwsza noc wakacji, ognisko, śpiew, zmęczenie całodniową podróżą, ekscytacja, a przede wszystkim zadrapane kolano. Kuba zakochała się od pierwszego wejrzenia lub raczej – od pierwszego niedopatrzenia.

Po kolanie próbowała przyjrzeć się twarzy, ta jednak nie poddała się natarczywości Kuby: bezpiecznie pociągnięta językami ognia i czarniawym werniksem dymu, nie pozwalała się zapamiętać ni ocenić.

Z pierwszego wieczora przy ognisku wyniosła mgliste wspomnienia. Przypuszczalnie pojawił się ojciec, który – podobnie jak inni ojcowie – chwycił swoją pociechę w ramiona i dostarczył do łóżka.

Następnego ranka, gdy tylko Kuba wstała, opłukała twarz w miednicy z wodą, ubrała się, pochłonęła śniadanie, pokonwersowała z rodzicami i babcią, niezwłocznie wybiegła przed dom, gdzie czekał na nią właśnie Jacek. Nie zdziwiła się. Jacek był dokładnie tam, gdzie spodziewała się go znaleźć. Z podsłuchanych rozmów dorosłych Kuba wywnioskowała, że zdarza się i nieszczęśliwa miłość, nim jednak nieszczęście przyjdzie, musi przyjść miłość, a ponieważ Kuba wczoraj zakochała się w Jacku, musiał pojawić się obiekt jej afektu. Ostatecznie miłość do Jacka nie jest możliwa bez samego Jacka, nie na samym początku, może później, gdy zostanie wdową, czyli kobietą – Kuba posiadała jedną taką ciotkę wdowę – skąpo zapraszaną na rodzinne obiady.

Jacek położył palec na swoich ustach, chwycił Kubę za rękę i poprowadził piaszczystą ścieżką, odbijającą w bok od głównej drogi przy ogromnej kępie ostów. Nie wiedziała, co pragnie jej pokazać, rozpierały ją słowa, zdania i pytania, udało się jednak je okiełznać i zachować milczenie – chłopcy rozmawiają tylko wtedy, gdy do rozmowy jest prawdziwy temat: truchło kota, wykolejony parowóz, zbita szyba.

Doszli do ogromnego spróchniałego pnia z dziuplą na wysokości głowy Kuby. Jacek puścił jej rękę, zbliżył się do drzewa i zanurzył dłoń w dziupli. Już miał coś wyciągnąć i jej pokazać, gdy ktoś szarpnął Kubę za ramię. Raz i kolejny. Nie zamierzała się odwracać, żeby sprawdzić, kto jest intruzem, przynajmniej nie wcześniej, aż zobaczy, co wyciągnął Jacek. Nie dało się – szarpanie powróciło. Musiała odwrócić głowę; zamknęła oczy, wtedy zaś okazało się, że przez zaciśnięte powieki widzi matkę. Widziała jej twarz i poruszające się usta. Znienawidziła ją. Ta kobieta ciągle za nią chodzi, każe jeść, śledzi ją, biedną Kubę.

To były sekundy, może ułamki sekund, jednak Kubie wydłużyły się one w minuty czy kwadranse, gdy wybudzała się z głębokiego snu i musiała zdać sobie sprawę, że nie ma Jacka, nie ma drzewa, nie ma tajemnicy, jest natomiast matka i pilna potrzeba:

– Mamusiu, muszę siku – powiedziała.

Kuba pobiegła boso do sławojki, chociaż mogła skorzystać z nocnika stojącego pod łóżkiem. Pobiegła, bo chciała pobyć choć chwilę sama. W wychodku rozpłakała się. Rozczarowało ją, że Jacek jej się przyśnił i że to, co się przyśniło, dopiero musi się wydarzyć. To niesprawiedliwe. Dlatego Kuba płakała. Z rozżalenia pomyślała jeszcze jedno: matka nigdy nie jest po mojej stronie. Matka, nawet jeśli mnie wspiera, jest przeciwko. Jest przeciwko w sposób, który wydaje się trudny do przejrzenia.

Kuba uspokoiła się, wysikała, otarła łzy. Pomyślała, że to nieprawda, co podsłuchała z rozmów dorosłych – nieszczęśliwa miłość niekoniecznie wydarza się pomiędzy dwoma chłopcami (Kuba i Jacek), ewentualnie ciotką wdową i należącym do niej zdjęciem ułana w ozdobnej ramce. Nieszczęśliwa miłość bywa najzupełniej jednoosobowa.

Docisnęła skoślawione drzwi wychodka i z opuszczoną głową poczłapała w stronę domu. Krótkotrwała, dotkliwa rozpacz przeszła w złość. Widok własnych stóp bardzo szybko ją znudził, dlatego zadarła głowę i postanowiła trafić do domu, w ogóle nie patrząc, tylko nasłuchując głosów rodziców i babci, do tego kręcąc się dla utrudnienia w kółko. W pewnej chwili zaczepiła się o coś, straciła równowagę i poleciała na trawę. Upadkowi towarzyszył czyjś śmiech.

Stał nad nią z wyciągniętą ręką i powiedział:

– Serwus. Nazywam się Jacek i podstawiłem ci nogę.

Kuba zastanawiała się, co oznacza ręka. Jeśli miała ona pomóc Kubie wstać – należało ją odtrącić; jeśli została wyciągnięta po to, żeby ją uścisnąć i zawrzeć znajomość – należało ją chwycić.

Zaryzykowała i chwyciła jego dłoń. On pociągnął ją do góry.

– Jestem Kuba – powiedziała. – Widziałam, jak wczoraj śpiewałeś.

– Wiem.

– Mieszkasz tutaj?

– Nie. Przyjechałem z rodzicami. Z Warszawy. Na letnisko.

Zrobili kilka kroków w kierunku domu.

Kuba zastanawiała się, o co go zapytać.

– Dlaczego podstawiłeś mi nogę?

– Żebyś wrócił na Ziemię – zarechotał, czyli chyba to miał być żart.

Doszli do drzwi.

– Jak chcesz, to pokażę ci spalony dom.

– Tak. Najpierw muszę zjeść śniadanie.

– To poczekam na ciebie przy kapliczce. Wiesz, gdzie to jest?

Taki był początek wielkiej miłości w Gawrych Rudzie. Jacek i Kuba przez najbliższe trzy tygodnie stali się nierozłączni. Wszystko robili razem. Nawet gdy pewne okoliczności (rodzinna przejażdżka, sen) oddzielały chłopców od siebie, rozłąka okazywała się pozorna. Kuba we śnie zawsze widziała się z Jackiem. We śnie robili rzeczy dużo odważniejsze i mniej nazwane niż na jawie.

Ostatniej nocy rodzice chłopców pozwolili im spać w stodole, do której zwieziono dwa dni wcześniej świeże siano. Zapach odurzał i kręcił w nosie. U Kuby pojawiły się łzy. Ponieważ w tamtych czasach nie wynaleziono jeszcze alergii, chociaż intensywnie nad nią pracowano, Kuba myślała, że to emocje i uczucia. Miłość. A skoro miłość, gdy tylko zostali sami, od razu pocałowała Jacka. Całowali się już wcześniej, kilka razy.

Pierwszy pocałunek zainicjowała Kuba, jakoś na samym początku znajomości. Posiadała sporą wiedzę anatomiczną, dzięki dziadkom medykom, dlatego zaproponowała grę. Wytłumaczyła Jackowi, że za podniebieniem górnym zwisa dzyndzelek, nazywany języczkiem. Gdy się ten dzyndzelek podrażni, to się wymiotuje. Gra polegała na tym, że każdy z nich swoim językiem miał spróbować dotknąć języczka drugiej osoby i go podrażnić. Wygrywał ten, kto wywołał wymioty. Kuba wyłuszczyła zasady, Jacek zastanawiał się. Zapytał z powagą:

– Co jadłaś na śniadanie?

– Owsiankę.

– Ja jadłem naleśniki. Lubisz naleśniki?

– Lubię.

– To możemy zagrać.

Za pierwszym razem nikt nie wygrał. Przy kolejnych próbach zwycięstwo przestało się liczyć. Liczyły się same próby.

Jacek był najpiękniejszym chłopcem, jakiego Kuba widziała w życiu. Gęste jasne włosy sterczały w różne strony, szczupłą twarz modelowały wyłącznie linie i kąty, żadnych łuków czy zaokrągleń. Przez opaloną na złotawy róż cerę przebijały piegi, koncentrujące się w okolicach nosa. Oczy też wydawały się nakrapiane, cętkowany zachwyt.

Kuba nie znała wtedy, w stodole, słowa „pożądanie". Znała za to z jakiejś książki dla młodzieży słowo „kanibalizm". I obawiała się, że jest kanibalką, ponieważ umiała wyobrazić sobie, że najzwyczajniej w świecie Jacka zjada. Że tak go kocha, że zjada. Albo zlizuje go jak cielak bryłę soli, ruch szorstkiego języka za ruchem.

Ostatniej nocy pocałunki nie ograniczały się do ust i twarzy. Byli już niemal kompletnie nadzy i trochę zaschło im w gardłach, za to ciała pokrywała warstewka potu i śliny; pot w kropelkach, ślina w zeschniętych strużkach, leżeli objęci. Wreszcie Kuba zdobyła się na odwagę i zapytała.

– Dlaczego nie masz siusiaka? Chłopcy mają siusiaki.

Jacek długo milczał.

– Chyba nie potrzebuję. Zresztą ty też nie masz.

– Nie mam – zgodziła się Kuba. – Bo ja jestem chłopcem dlatego, że babci zabili syna Niemcy. Kogo Niemcy zabili twojej babci?

Jacek napiął się, Kuba czuła skamienienie mięśni, jak gdyby nagle ktoś przeniósł jej ciało, leżące na innym ciele, do sali w muzeum o zimnej, marmurowej posadzce.

– Nie mam babci. Niemcy zabili moją babcię. Prawdziwą mamę też zabili. Chyba Rosjanie. Jestem chłopcem, bo... jestem chłopcem. Nie ma o czym gadać – skończył z rozdrażnieniem.

Zaczęli się całować na nowo.

Zmęczeni i niezaspokojeni, ale równocześnie przesyceni, tak pocałunkami, potem, śliną, jak bliskością, która wydawała się niedostateczna, jak gdyby zaklinowana między ciałem a rzeczownikiem, ubrali się i zasnęli.

Scena pożegnania zapadła Kubie w pamięć. Pożegnania były dwa: jedno rankiem przed stodołą, zwyczajne i oficjalne, chłopaka z chłopakiem, drugie na stacji. Stali na peronie, otoczeni swoimi rodzinami i bagażami, w oczekiwaniu na parowóz. Pociąg wreszcie przyjechał. Pasażerowie zaczęli sadowić się w wagonach. W rozgardiaszu, który zapanował, Jacek znalazł się nagle przy Kubie. Objęli się mocno, ale w sposób, który każdemu z nich pozwolił przyssać się wargami do szyi drugiego. Na koniec Jacek powiedział:

– Moja prawdziwa mama nazywała mnie Bogna. Tylko że wiesz – wyszeptał uzupełniająco – raczej tego nie mogę pamiętać.

Za oknami rozświetlała się szarówka, obiecująca lub też grożąca kolejnym dniem. Całą noc się pieprzyli. (Ninel nie zdecydowałaby się na bardziej neutralny czasownik). Nad ranem zebrało się jej na wspominki. Gdy opisywała oczy Jacka, wydało jej się, że Norbert zasnął. Poczuła ulgę, wyzwoloną niczym ropa z bąbla przekłutego rozżaleniem. Skoro śpi, pomyślała, nie będę się wstydziła puenty tej historii.

Okazało się, że nie spał.

– Po co mi to opowiadasz? – zapytał Norbert. Zadał pytanie. Proste pytanie, a takie pytania są najbardziej niegrzeczne, ponieważ najtrudniej uciec z nich w coś bezpiecznego, na przykład w hipokryzję lub demencję.

Zastanawiała się nad odpowiedzią. W odpowiedzi przychodziły jej pytania. (A jak myślisz? Przecież z czymś ci się to kojarzy, prawda?) Nie lubiła odpowiadać pytaniami. Odpowiedź będąca pytaniem prawie zawsze jest atakiem. Sprawdza się i w telewizyjnej publicystyce, i w życiu rodzinnym, mimo to nie przestaje być atakiem.

– Chyba chciałam przypomnieć sobie, że kiedyś też byłam młoda. Prawdę mówiąc, nie mam pojęcia, dlaczego ci to opowiedziałam.

– Bo mogłaś – powiedział.

Nie musiała na niego patrzeć, żeby wiedzieć, że się uśmiecha, z ironią, ale bez złośliwości. To ona nauczyła go tej odpowiedzi. Dlaczego coś się dzieje? Bo może. Dlaczego dziecko zabiło rodziców? Bo mogło. Dlaczego supermarkety są otwarte w niedzielę? Bo mogą być otwarte. Nauczyła Norberta – w chwilach, gdy przełączała się w tryb dydaktyczny – że przeważająca większość zdarzeń dzieje się bez celu, zero teleologii; przeważająca większość zdarzeń zdarza się, ponieważ znalazły się na nie miejsce i czas. Każde inne uzasadnienie i każda inna odpowiedź to nic więcej niż chęć opowiedzenia historii albo chęć zyskania władzy.

– Tak. Opowiedziałam, bo mogłam.

– Są też inne tropy – kontynuował rozbawionym tonem – tropy... Jak je nazywacie w tej waszej kulturalnej prasie?

– Interpretacyjne? – podsunęła.

– Może być. Niech będzie. Interpretacyjne. Opowiedziałaś mi, żebym zrozumiał, że nie warto szukać Krzysia.

27.

W 1872 roku wiele dyskutowano we francuskich kręgach literac-
kich na temat tego, jak należy traktować cudzołożne kobiety.
Czy mąż powinien taką kobietę ukarać, czy też jej wybaczyć?
Aleksander Dumas syn w L'Homme-Femme przedstawił nie-
skomplikowaną radę: „Zabij ją!". Jego książka miała trzydzieści
siedem wznowień w ciągu roku.

Julian Barnes

Ociupinę się zdziwiła, że pani Cecylia nie weszła na górę, tylko, wysadziwszy Bruna, tą samą, złapaną na dworcu taksówką pojechała do siebie. Bruno wczłapał do mieszkania, zsunął
torbę z ramienia; torba klapnęła na korytarzu, od uderzenia

rozpiął się suwak (rozsunął się). Bruno pocałował matkę w policzek. Wydał serię komunikatów głosowych, bardzo zbliżonych do komend lub haiku:

– Było su-. Muszę ogarnąć sen. Obudź mnie za trzy go-. Albo lepiej nie.

Zanim zareagowała, syn już zamykał drzwi pokoju. Denerwowała ją nowa skłonność Bruna do skracania. Nie godziny, ale go-. Nie obiad, ale ob-. Czasem myślała, że mu odpłaci: zamiast kieszonkowego dostanie kie-.

Dlaczego pani Cecylia nie weszła na górę? Maja próbowała sobie przypomnieć ostatnią kłótnię. Ciągle bywały na siebie obrażone, matka i córka, Maja i Cecylia, zazwyczaj jednak było to obrażenie nieosobiste. Sprawiały sobie razem różne rodzinne sprawunki (obiady, zakupy, mycia okien, pożyczki funduszy na podtrzymanie poziomu życia córki, przytulania i buziaki w policzek) i wydawało się, że na przestrzeń kontaktu osobistego nigdy nie wpłynie brak kontaktu w przestrzeni wartości.

Kiedyś Szymon rzucił jadowicie o teściowej:
– Ona nie potrzebuje kamizelki ratunkowej, jej głowa będzie unosić się na falach jak korek. Przepraszam, przegiąłem.

Dokonała obliczeń. Nie widziała się z matką od około trzech miesięcy. Tak długi okres oznaczał, że nie pokłóciły się o Jezusa Chrystusa, Jego Ojca i ich wspólną Gołębicę. Spór o Boga zatruwał atmosferę najwyżej na dwa tygodnie, czyli musiało pójść o coś poważniejszego niż Bóg.

Maja wyjęła z lodówki butelkę z resztką zwietrzałego wina, otwartą jeszcze przez Franka, w smaku trudno odróżnialnego od podbarwionego na burgund octu. Kurwa, o cośmy się pokłóciły? Jakby brakowało mi problemów z Frankiem, Szymonem i resztą!

Pamięć wróciła po pierwszym łyku. Ocet najwyraźniej pobudza pamięć. Kto wie – zastanowiła się Maja gdzieś w pobocznym paśmie samej siebie – czy w szkołach nie lepiej byłoby zastąpić picie szklanki mleka piciem szklanki octu.

Zresztą przypomniałaby sobie i bez picia. Przecież nie udało się jej n a p r a w d ę zapomnieć. Zwyczajnie stchórzyła, nie chciała myśleć o pani Cecylii i Faustynie tak długo, jak to było wykonalne. Wyrzuciła je nie tylko z rozkładu dni, nawet ze snów. Z trudem radziła sobie z bieżącymi wydarzeniami, a Faustyna i jej kłopoty… Cóż, uważała, że to przydatna dla siostry nauczka, a nie jakaś tam klęska, jak to z kolei pragnęła widzieć, ze sporą dozą determinacji i apodyktyczności, pani Cecylia.

Trzeba będzie przeczytać jeszcze raz tę nie do końca zrozumiałą książeczkę Mandelsztama Podróż do Armenii. *Problem w tym, że nic się w niej nie dzieje.*

Krzysztof Środa

– To skandaliczne. Jak on mógł się tak zachować! Jak śmiał! Z tym swoim piwnym bebechem!

Pani Cecylia podsumowała historię swojej drugiej córki, czterokrotnie obdarzonej darem macierzyństwa oraz jednokrotnie – za to nie dalej niż zeszłego tygodnia – darem porzucenia przez małżonka. Najprawdopodobniej cztery wcześniejsze dary męża nie równoważyły moralnie daru pojedynczego i jak dotąd ostatniego.

Maja zauważyła również, że matka, komentując los swojej starszej córki, zrobiła to z punktu widzenia mężczyzny.

Nawet w tak szczególnej, bolesnej i intymnej sytuacji pozostała wierna ortodoksji katolickiej: tradycji mówienia o kobietach, tak jakby nie posiadały one zdolności do kreowania zdarzeń.

Maja była tamtego przedpołudnia w bojowym nastroju; zeszłego wieczoru czytała eseje Susan Sontag.

– A czego się spodziewałaś? Na miejscu męża mojej kochanej siostry uciekłabym już przy drugim darze macierzyństwa. W ogóle uważam, że się z nią ożenił tylko dlatego, że nie dosłyszał jej imienia.

Kilka lat temu pani Cecylia eksplodowałaby złością, teraz umiała się powściągnąć.

– Jesteś niesprawiedliwa dla Faustyny.

– Och, wolałabym, żeby miała dobre życie, ale powinnaś spojrzeć prawdzie w oczy, tak to chyba się wymawia: prawda i oko. Nauczyłaś ją, jak unikać samodzielności. Wmówiłaś w nią, że macica, posłuszeństwo oraz religia załatwiają wszystko. Mamo, naprawdę, powstanie listopadowe skończyło się dawno temu. Teraz kobiecie wolno głosować! Już nie musi tylko cierpieć po utracie męża.

Pani Cecylia z hałasem przestawiała garnki.

– Chcesz powiedzieć, że to moja wina?

Maja zacisnęła palce w pięści.

– Nie. To niczyja wina. To twoja ambicja, jej głupota plus splot zdarzeń. Swoją drogą, czemu nazwałaś mnie w miarę normalnie? Mogłaś mnie przecież ochrzcić imieniem jakimś ambitnym. Tabernakulum? Teodycea?

Maja znała odpowiedź na to pytanie. Imię parzystego dziecka należało do ojca, nieparzystego – do matki.

Pani Cecylia coraz głośniej przestawiała garnki. Była gotowa w ostateczności stłuc szklankę, żeby zająć się sprzątaniem, a nie rozmową.

– Powiedzmy, że nieszczęście Faustyny to mój krzyż.

W ten sposób zazwyczaj kończyły się kłótnie z religią w tle.

Coś Mają podkusiło, żeby zapytać:

– A z kim odszedł mąż Faustyny?

Pani Cecylia zarumieniła się:

– Wolałabyś nie wiedzieć.

– No, powiedz.

– Z sąsiadem z pierwszego piętra. Tym, z którym czasem jeździli na ryby. Całkiem jak w tym szatańskim filmie.

Córka nie potrafiła powstrzymać niestosownego chichotu.

– Przy czwórce dzieci też uciekłabym z kimś, kto raczej nie urodzi kolejnego.

Pani Cecylia przestała szurać i hurgotać garnkami. Odstawiła jeden z impetem.

– Tego już za wiele, moja panno!

„Moja panno" było najstraszliwszym przekleństwem w ustach pani Cecylii; gdyby przełożyć je na język epigonów hip-hopu, pani Cecylia powiedziałaby coś takiego:

– Przegięłaś pałę, ty sparszywiała kurwo!

Maja zlękła się. Zlękła jakby zewnętrznie, ponieważ wewnętrznie uważała, że katolicyzm, ta mieszanka hipokryzji i hierarchii, służy jedynie ogłupianiu i okaleczaniu ludzi.

– Mamo, co mam zrobić, żebyś przestała mnie obrażać?

Pani Cecylia odmierzyła dłuższą chwilę milczenia, wyszukując stosowną dawkę pokuty.

– Faustynie i jej dzieciom dobrze zrobiłaby zmiana środowiska. Skoro Szymon wyjeżdża, zaproś Faustynkę i maluszki do siebie na kilka dni. Niech odpoczną.

– Mamo – Maja przemawiała teraz lodowato – wiesz, że uważam Faustynę za idiotkę z cywilizacji pro-life at all cost. Wiesz, że Faustyna uważa, że ja jestem idiotką z cywilizacji śmierci. Tak to chyba wasz kierownik nazywa... Wiesz, że nie cierpię tych jej dzieci, czy jak to się nazywa, tego źle wychowanego, hałaśliwego stada. Uważam, że to ty powinnaś ich zaprosić do siebie. Na te ładne pokoje ze starymi meblami. W końcu to twoja córka. Nie moja. I może nie nabrudzą jakoś strasznie i nie narozbijają antyków. I nie martw się: jakby porcelany się nie zachowały, będziesz mogła zawsze przekazać wnukom srebra. Przynajmniej te większe niż patera. Te mniejsze miot Faustynki może połknąć.

Milczenie trwało wystarczająco długo, aby Maja zorientowała się, że obiadu u matki nie zje. Będzie musiała kupić coś po drodze.

– Dopóki nie zaprosisz do siebie Faustyny i jej maleństw na kilka dni, nie będę się z tobą widywała.

– Świetnie. To nieprędko się zobaczymy. Do widzenia. Aha, byłabym zapomniała, zadzwoń do Faustyny i powiedz jej, żeby zadzwoniła do męża, błagając go o powrót. Tak to się chyba załatwia w waszym kręgu kulturowym. Macie przecież swoje procedury na wszystko.

> Przeczytałem jeszcze raz – i raz jeszcze – Podróż do Armenii, tę nie do końca zrozumiałą książeczkę Mandelsztama. Może niepotrzebnie.
>
> Krzysztof Środa

Wino smakowało wstrętnie, ale chociaż dało jej odwagę, żeby nazwać bez spychania w pozorną niewiedzę powód, dla którego nie widuje matki; albo raczej dlaczego pani Cecylia nie widuje córki, jednej z córek, tej przegranej z ojcem. Maja nie zamierzała zaprosić Faustyny. Faustyna nie była idiotką, jak o niej wyrażała się młodsza siostra, gdy już musiała się wyrazić, ona po prostu była ufna, o czym Maja świetnie wiedziała. Ufność plus – jak to oni nazywają? – wiarołomny mąż oraz wyzbyta wiary w dojrzałość człowieka etyka katolicka, cóż, Maja uważała, że to się może skończyć albo katastrofą, albo beatyfikacją. O ile jednak ta pierwsza zdarzała się za życia, o tyle ta druga – przydarzała się wyłącznie po śmierci.

Nie roztrząsała dłużej wątku Faustyny, ponieważ zadzwoniła komórka, a na wyświetlaczu ukazał się wątek Franka. Dzwonił regularnie, najmniej cztery razy dziennie, o pełnych, acz nieprzewidywalnych godzinach. Nigdy nie przyszło mu do głowy zadzwonić z innego numeru. A może przyszło, tylko uznał, że byłoby to niehonorowe. Mężczyźni są dziwaczni, niektórzy czytają Hemingwaya.

Maja czuła się rozdarta. Rozdarta między Szymona, Franka, Bruna i siebie samą. Magiczna sztuczka polegałaby na tym, żeby wierzchołki kwadratu czy trapezu (Szymon, Franek, Bruno, Maja) zbliżyć tak bardzo do siebie, aż utworzyłyby punkt, solidny punkt z zagłębieniem w kartce papieru, jaki zostawia igła cyrkla.

Na ten czworokąt nakładały się kolejne figury, niekoniecznie geometryczne. Linia między Andrzejem, Krzysiem i Mają, złamana w formę trójkąta zdecydowanie nierównobocznego. Wspólne pole, zakreskowana część życia Franka, Mai i Ninel. A na te – i inne figury oraz wspólne części zbiorów – nakładała się jałowa i deprymująca niemożność znalezienia pracy. Maja szukała pracy, mimo kwalifikacji nie potrafiła pracy znaleźć. Upadek jej nie groził, Szymon zarabiał, szczególnie teraz na grancie, przyzwoicie. Zawsze mogła zwrócić się do ojca, a – odbębniwszy kilka dni z Faustyną – pewnie i do matki. Gdyby była sama, stoczyłaby się po piramidzie wprost pod drzwi opieki społecznej lub szpitala psychiatrycznego o zamkniętym reżimie. Zdawała sobie sprawę, że jest uprzywilejowana, nabyła kosztowne wykształcenie, posiadała stosunkowo majętnych rodziców, a jednak to uprzywilejowanie już nie wystarczało, żeby nie spadać. Coś się sypało w kapitalizmie, dobrze dotąd naoliwiony (oczywiście nie dla wszystkich) mechanizm zgrzytał. Znikła ta wspaniała i najzupełniej gdzieniegdzie realna idea „od pucybuta do milionera", zastąpiona aż dwoma wariantami: „od pucybuta do bardziej pucybuta" lub „od milionera do bardziej milionera". Cóż, najwyraźniej Maja utknęła w tym punkcie historii, w którym zanikała ruchliwość na drabinie społecznej.

> – A teraz mi powiedzcie – zwróciła się do Dicka i Bernice – jakie są wasze zainteresowania?
> – Mnie interesuje walka klas – odpowiedział Dick – i jest to naturalnie jedyna sprawa, jaka szanującego się człowieka w ogóle może interesować. [...]
> – Interesują mnie wszystkie rzeczy, którymi on się interesuje, ale prawdą jest, że walka klas była czymś niezwykle dla mnie ważnym, jeszcze zanim go poznałam. [...]
> – Mądrość nakazuje, aby przede wszystkim zniszczyć siebie; lub przynajmniej zachować tylko taką część siebie, która może zostać wykorzystana przez kolektyw. Jeśli tego nie zrobimy, stracimy z oczu rzeczywistość obiektywną i tak dalej, i popadniemy w mistycyzm, który w chwili obecnej oznacza zwykłe marnotrawstwo czasu.
> – Masz rację, Dickie, kochanie – odparła Bernice – ale ja czasami tak bardzo chciałabym mieć wokół siebie służbę w jakimś ślicznym pokoju.
>
> Jane Bowles
> (1943 r.)

Komórka zawibrowała ponownie. Dzwonił Szymon. Odebrała. Choć nie chciała, nie mogła nie odebrać, nie w chwili, w której kapitalizm się sypał, a szczeble drabiny próchniały, a wiek emerytalny za chwilę dobije setki, jej zaś nos jest zdecydowanie zbyt długi, żeby dorabiała jako modelka czegoś innego niż przeziębienie lub krople do nosa.

Nie rozmawiali długo. Szymon poprosił o pilne wysłanie jakichś jego notatek (stary, brązowy protokólarz), najlepiej kurierem. Brzmiał niepewnie i egzotycznie ten jego głos. Jakby się dopiero co poznali, jakby to miała być pierwsza jej dla niego przysługa. Maja najpierw była ożywiona (Bruno właśnie wrócił z pielgrzymki z panią Cecylią; Krzyś jakby zaginął), następnie sierściuchowo czuła (Jak, kotku, u ciebie?), potem nieco depresyjna (Nie masz wrażenia, że kapitalizm się skończył? A z nim nasze przyzwyczajenia i, cóż, pewien rodzaj ślepoty?). Aż wreszcie Szymon wrócił jakimś pretekstem do niebytu, wywinął się z połączenia telefonicznego.

Zastanawiała się, jak zareagowałby jej mąż, gdyby wspomniała mu o Franku. Pewnie też by się wywinął i rozłączył. Trudno było liczyć na gniew z jego strony. Bywał gniewny, lecz potrzebował na okazanie gniewu nie pojedynczej chwili, nie spektakularnego wybuchu, ale całych mozolnych tygodni. Tak jakby mozolił się z własnym gniewem, podobnie jak mozolił się z tłumaczeniami. Gniew Szymona sączył się w niewielkich dawkach, za to stale, niby mżawka – właściwie nie widać kropli, po pewnym czasie okazuje się jednak, że człowiek przemókł doszczętnie, do suchej nitki.

Czego chcę? Odzyskać dobre zdanie o sobie. Najlepsza byłaby przyzwoita praca. Pracy nie znalazłam. Czy dlatego zdecydowałam się na Franka? Franek na trochę podniósł mi samoocenę, jednak w odróżnieniu od pracy, on nie przynosi żadnego dochodu; nadto podwyższanie samooceny za pomocą Franka jest bardzo kosztowne. Słowa „grzech" i „cudzołóstwo", podobnie jak słowa „kraszuarka" i „trójpolówka", dawno już utraciły kontakt z rzeczywistością, przechodząc na stronę leksykalnych cieni i anachronizmów, jednak pozostawało słowo „zdrada", porażająco jaskrawe i znacznie cięższe. Grzech i cudzołóstwo wskazywały na błąd w naturze człowieka, na słabość przewidzianą w religijnym rozkładzie cnót, tymczasem zdrada podkreślała przewinę Mai, bez instancji uzbrojonej w moc abolicji. Z pewną arogancją myślała o tym, że grzech jest dla starszaków, ale gdy się zda do szkoły średniej, z grzechu zostają nici, trzeba zaakceptować przykrą prawdę: nie ma grzechu i stojących za nim, uspokajających instytucji, są tylko Maja, jej wolna wola i działanie, raz zwyczajne, raz chwalebne, raz niestosowne albo złe.

Wypiła za mało wina, żeby zdecydować się na pretensjonalną myśl, wszak od tej myśli nie oddaliła się wcale tak bardzo. Myśl ta brzmiałaby mniej więcej tak: etyka i moralność nabierają ciężaru i sensu wyłącznie po oskrobaniu z religii do ości. Etyka religijna przypomina – Maja dokonała szybkiej personifikacji – panią nauczycielkę, pilnującą, żeby dzieci w czasie dużej przerwy nie kopały się po kostkach. Etyka oskrobana z religii do ości przypomina natomiast grupę dzieci, usiłujących nie rozkwasić sobie wzajem nosa, gdy próby restytucji powalonej zawałem pani nauczycielki nie przyniosły były pozytywnego rezultatu.

Potrzebowała i Szymona, i Franka. Bez Szymona Franek nie miał sensu. Bez Franka Szymon nie miał sensu, a bez nich obydwu – sensu brakowało w niej samej. W tym układzie sensów pojawiał się jeszcze Bruno, najmniej zrozumiały element, ledwie co zawrócony, zwrócony z pielgrzymki.

Pozostawało najtrudniejsze. Przekonanie Szymona do Franka i Franka do Szymona. To może być bardziej skomplikowane, pomyślała, niż przekonanie pani Cecylii do imion, które umierały z przyczyn naturalnych, a nie Chrystusa.

Usłyszała podwójne kłapnięcie drzwi: Bruna musiała wygnać do toalety potrzeba. Gdy zagulgotała spuszczona woda, zastanowiła się, czy wróci do swego pokoju, czy zajrzy do kuchni, czy może do salonu.

Przyszedł do Mai. W za dużych bokserkach, z ciemniejszą kropelką moczu na szaro-czarnych paskach materiału; jakiś taki bardziej chudy i kościsty, niż zapamiętała, w irokezie, który oklapł dwustronnie do tego stopnia, że środkiem czaszki poprowadził się zwichrowany przedziałek. Wszedł do pokoju jakiś taki mniejszy, zauważyła, że sterczą mu sutki, jasnoróżowe i nie większe niż pięćdziesięciogroszowa moneta; ten widok – plamka moczu na bokserkach, stale, choć powoli się powiększająca, oraz pięćdziesięciogroszowe sutki – nie był erotyczny, prędzej... Maja nie wiedziała: rozczulający? niewinny? bezbronny? niewzięty pod uwagę?

– Nie mogę spać – powiedział.

– Spędziłeś wiele dni z panią Cecylią – odparła. – Solidnie zapracowałeś na koszmary.

Uśmiechnął się z rozkojarzeniem, trudno stwierdzić, czy do słów matki, czy jakiejś własnej myśli. Usiadł w fotelu, prawie na wprost Mai.

– Kiedyś opowiadałaś mi bajki. Jak nie mogłem spa-.

– Mogę ci opowiedzieć o stworzeniu świata w sześć dni. Ta jest krótka.

– Tej nie chcę. Ona źle się kończy.

– Niedzielą?

– Nie, matka. Człowiekiem.

– To co powiesz na taką: Dawno, dawno temu, w epoce sztywnego łącza oraz lakieru do włosów, żył sobie młody mężczyzna o imieniu Bruno, który miał mamę, dziewczynę o imieniu Basia oraz dwóch tatów.

Urwała, bo ta bajka przestała się Mai podobać, zanim się zaczęła na dobre. Taki wstęp nie zapowiadał bajki, zawsze przecież dość zwartej i z happy endem, prędzej – telenowelę, ciągnącą się bez widocznego końca.

Syn jednak się ożywił:

– Dziewczyna o imieniu Basia okazała się lafiryndą, choć to nieładnie tak mówić o koleżance z równoległej klasy. Nieładnie, bo Basia nie skumałaby, co znaczy „lafirynda". Nie umiała nawet oddzwonić za pomocą telefonu, kiedy było trzeba.

– Och, czyżbyś wrócił bez zdjęcia Basi? – Bruno spuścił głowę. – Może te pielgrzymki mają sens? No i, mam nadzieję, że zachowałeś ramkę...

Milczeli chwilę.

– Czemu dwóch tatów, a nie dwie mamy?

– Powiedzmy, że tatów łatwiej jest zorganizować. Przynajmniej mamie.

– No, sam nie wiem.

– Uwierz mi, ja wiem!

Bruno stał się już kompletnie przebudzonym synem. Jego umysł pracował szybko, niemal dostrzegała, jak składa puzzle albo gra w jakąś zręcznościówkę z poszlakami.

– Znam go?

– Nie wiem, o czym mówisz. Aczkolwiek jeśli mówisz o tym, o czym nie wiem, to – nie.

– Tata wie?

– Chyba nie. Nigdy nie wiedziałam, co Szymon wie.

Bruno się roześmiał.

– Wkręcasz mnie, tak?

– Tak, głupolu.

Czasem uczucie ulgi, malujące się na twarzy bliskiej osoby, jest najokrutniejszym widokiem.

28.

Kiedy próbuję stłumić gniew, przeżywam bolesne napady hwa-byung (to po koreańsku). To w zasadzie panika kulturowa, któ-rej nabawiłem się przez Internet.

Don DeLillo

Kuan siedział z Marią w kuchni. Na gazie w specjalnym paro-wym garnku dochodził ryż. Małżonkowie oglądali Religia TV, skacząc na Fashion TV. Patryk siedział z Norbertem w salonie. Jedli chipsy i oglądali wyścigi Formuły 1. Cztery ciała, dwa telewizory, jedna rodzina, w wyliczance.

    – Myślisz, że takim samochodem da się jeździć po normalnej drodze? – zapytał Patryk.

– Jakby bez dziur, toby się dało. Ale silnik bolidu jest tak wyżyłowany, że może pracować najwyżej kilkadziesiąt minut.

– Czyli do Wrocławia z Warszawy nie da rady?

– Nie da – potwierdził Norbert.

– Jak jechać superszybko, toby się dało.

– Jak superszybko, to się nie da omijać dziur.

– Bardzo ładne rękawiczki – stwierdził Kuan. – Wprost bajeczne. Koronki, koronki i koronki. To zdumiewające, że Europejczycy tak wspaniale potrafią zestawić ze sobą dziury! Wprost niezwykłe! Dziura przy dziurze, a wygląda na eleganckie!

– I niepraktyczne – stwierdziła żywo Maria.

– Praktyczny to jest mąż z żoną, nie rękawiczki!

– Przełącz lepiej na Religię. Chcę zobaczyć, jaką pokutę dostał ten onanista.

Posłusznie przełączył kanał, ale zaczęło się już pasmo reklamowe. Reklamowali pielgrzymki do Lichenia. Kamera prowadziła wzrok widza przez złocenia, kolumny i wspaniałe posadzki bazyliki.

– Bardzo ładny ten Licheń. Taki kolorowy – stwierdził Kuan. – Wprost radosny. Jak w buduarze wprost tam jest!

– No i nie wiem, jaką pokutę dostał.

– Maria nie będzie ponura. Pokuta, pokuta, a ryż prawie gotowy!

Przy stole zazwyczaj trzymano się bezpiecznych tematów. Patryk mówił o szkole, Norbert o samochodach, Maria o kolejnych usprawnieniach pilnie wymaganych w domu,

Kuan zaś o tym, co najlepiej się sprzedaje w sieci należących do niego sklepów.

– Żółwie. Ogromny jest popyt na żółwie. Istotnie żółw-szkatułka, żółw-lampka nocna i żółw-torebka na pozłacanym łańcuszku. No, wprost nie wierzę. Polacy kochają wprost nieszybkie zwierzęta! – Kuan od pewnego czasu uwielbiał słowo „wprost"; upychał je gdzie się dało. – Na żółwia zapisy są w sklepach! Bardzo modne. Paryski szyk. Żadne tam chihuahua. Żółw ci stolca nie zrobi. Żółw tej jesieni rządzi.

– Jakie żółwie tata sprzedaje?

– Jak płaskie i eleganckie, to słodkowodne. Jak klucze do domu trzeba zmieścić, rady nie ma: dobra torebka z żółwia lądowego. Z wodnego się nie zmieści w torebce. Chude strasznie. Ja to nie wiem, co te wodne jedzą, ale niedużo, moim zdaniem, jedzą. Marne coś te wodne jedzą. Marne. Ryż by lepiej jadły, toby urosły. Ale nie jedzą. Karta kredytowa i dowód wchodzą. Tylko płaskie w takim wodnym zmieścisz. Tylko płaskie i niedużo.

– Tata nie myślał wprowadzić wielkie torby podróżne z żółwi? Są takie giga na Galapagos. Widziałem na Discovery.

– Galapagos daleko. Galapagos brzmi jak kłopoty. Galapagos nie Wietnam.

– Mogę w sobotę pojechać z Norbertem? On kogoś szuka. – Patryk wpatrywał się to w ojca, to w matkę.

– Ja to sama nie wiem. A lekcje do szkoły odrobi kto? – zapytała Maria.

– Oj, mamo! Zawsze mam odrobione.

– Ojca pytaj – odpowiedziała, strzepując z siebie odpowiedzialność.

Maria przesunęła odpowiedzialność na Kuana. Wiedziała, że w weekendy jej mąż przebiera się za kobietę i wystę-

puje w klubach. Zmuszało ją to do czujności. W bliźniaku obok
mieszkali rodzice Kuana: przepiękni, dystyngowani państwo,
którzy nie nauczyli się po polsku ani słowa, chociaż mieszkali
w Polsce od piętnastu lat. Ojciec Kuana zajmował się wschod-
nią medycyną. Szykował mieszanki ziół, masował, wbijał głęboko w ciało igły – teraz rzadziej, tyiko dla zaufanych i za-
przyjaźnionych klientów, przeszedł bowiem na emeryturę.

Czasem wietnamscy teściowie wpadali po sąsiedzku
do synowej, z wizytą i herbatą albo z czymś nieoczywistym.
Maria długo nie umiała zdecydować, czy prezent należy zjeść,
wypić czy też odłożyć na półkę. Nie rozmawiali, bo ona po
wietnamsku umiała tyle co nic, a oni po polsku mniej więcej
tyle, co ona po wietnamsku. Im niczego nie musiała tłumaczyć, brak wspólnego języka bywa błogosławieństwem.

Inaczej przedstawiała się sytuacja z rodziną Marii,
liczną, bogobojną, plecami do Azji oraz innych kontynentów
zwróconą, a do tego wpadającą raz po raz z niezapowiedzia-
nymi kontrolami: te wszystkie przechodziłam-obok-i-pomy-
ślałam-sobie-że-zajrzę; niska średnia to dwie wizyty tygo-
dniowo. Zdarzały się jednak i takie okresy, gdy miała kogoś
z rodziny na głowie dzień w dzień przez okrągły tydzień albo
i dłużej, zwłaszcza dwie z sióstr, zamążposzłe niedawno pod
Warszawę, kochały wpadać w piątki i zostawać do soboty.
Coraz trudniej przychodziło jej tłumaczyć weekendowe nieobecności Kuana, jego powroty nad ranem. Zawsze mówiła, że
wyjechał w interesach, że ma biznesowe spotkanie, że przyjaciele z Wietnamu zawitali do stolicy, że inwentaryzacja, re-
manent, że cynk o kontroli skarbówki. Bywała tak zmęczona
kłamaniem siostrom i matce, że czasem kusiło ją, by zasu-
gerować, iż prawdopodobnie Kuanek ją zdradza. Nie zrobiła
tego, wiedząc, że jej nie zdradza. To znaczy nie do końca nie

zdradza. Zdradza, ale nie tak, jak powinien mężczyzna. Nie w sposób, na który istniał gotowy katolicki przepis.

Wracał zawsze trzeźwy, prawie w ogóle nie pił alkoholu, mimo to Maria za każdym razem wstawała, żeby mu się przyjrzeć. Kiedyś nie zmył najmniejszego paznokcia. Przy śniadaniu zobaczyła ten paznokieć jej siostra, Maria zaś naprędce wymyśliła jakąś historię o tym, że wypróbowywała nowy kolor na mężowskim paznokciu, kiedy on spał i wiedzieć nie mógł, że... Siostra pewnie nie uwierzyła, lecz zachowała na tyle rozsądku lub taktu, aby nie drążyć tematu.

Kuan nigdy nie wychodził bez Norberta. Jeśli Norbert rusza w dalszą podróż w sobotę, Kuan zostanie w domu. Jeśli Patryk pojedzie z Norbertem, zostaną sami. Maria i jej mąż. Potrzebowała tych chwil we dwoje. Nie zamierzała poruszać niewygodnych kwestii, zwyczajnie potrzebowała potwierdzenia, że nadal potrafi spędzać z mężem czas bez udziału osób trzecich.

Czekała na decyzję małżonka. Czy pozwoli synowi jechać z Norbertem, czy stchórzy i zatrzyma syna w domu po to, żeby ograniczyć ryzyko, jakie z sobą niosło spędzanie soboty we dwoje?

– Jedź. Tylko masz się słuchać Norberta we wszystkim. Wprost we wszystkim, również w błahym. Błahe bywa nieraz wprost decydujące!

Uśmiechnęła się szeroko, jak gdyby dostarczono jej długo wyczekiwaną przesyłkę. Patryk uśmiechnął się szeroko:

– Dziękuję, tato.

Norbert również się uśmiechnął. Traktował Patryka jak własnego syna. Był nawet w dogodniejszej sytuacji niż ojciec: mógł go kochać i nie widywać codziennie, nie obciążać sobą i swoimi świrami. Lubił spędzać z nim czas, rozmawiać o samochodach, oglądać mecze, pomagać w informatyce i historii, grać na konsoli, chodzić do kina. Patryk był jedną z bardzo nielicznych osób, przy których Norbert nie wybuchał gniewem. Robił z nim to wszystko, co lubił robić i co nie znajdowało uznania Kuana, który do dziś nie nauczył się korzystać z komputera, nie interesował się samochodami, brzydził meczami, zasypiał na wysokobudżetowych filmach z superbohaterami, a zapach popcornu wywoływał u niego obfite łzawienie. („Najpierw napalm, aktualnie masło w spalonej kukurydzy. Po Amerykanach nie można spodziewać się niczego dobrego!" – mawiał, a teraz wcisnąłby gdzieś jeszcze słówko „wprost", pewnie przed kukurydzą).

Ani Maria, ani Patryk nie wiedzieli, że Kuan poza rodziną i pracą, w kręgu znajomych i w klubach, staje się Maksem. Klubowicze natomiast nie wiedzieli, że Maks przestaje niekiedy być Maksem i staje się Kuanem – domowym człowiekiem bez właściwości innych niż ich brak. Norbert najbardziej był wtajemniczony w dwa światy i nigdy się nie pomylił. Nigdy nie nazwał Kuana Maksem, Maksa Kuanem. Połączenie między Maksem a Kim Lee istniało. Między Kuanem a Kim Lee – nie.

Miewam napady susto, co oznacza mniej więcej utratę duszy, przyszło z Karaibów, a nabawiłem się tego pierwotnie przez Internet tuż przed tym, gdy żona zabrała dziecko i mnie zostawiła, zniesiona schodami na dół przez swoich braci przebywających nielegalnie w Ameryce.

Don DeLillo

Norbert pojawił się punktualnie, o szóstej rano. Patryk był już spakowany. Maria narzuciła jesionkę i wyszła gęsiego, za synem, który od razu władował się do samochodu. Norbert wysiadł, Maria pocałowała go w policzek, na powitanie, wręczyła torbę z kanapkami i owocami na drogę, pocałowała go w policzek, na pożegnanie, Norbert wsiadł, zapiął pasy, samochód ruszył. Nikt nie wypowiedział słowa.

Byłaby dłużej popatrzyła na pustą o tej porze ulicę z szeregiem niemal identycznych domków bliźniaków, gdyby nie ciągnący przez cienką podeszwę kapci chłód z czerwono-szarej kostki, jaką wyłożono chodniki. Lubiła patrzeć na pustą ulicę z szeregiem niemal identycznych budynków i młodych lip. Ten widok nie tylko ją uspokajał, lecz także obiecywał, że Maria ma czas. Ma przewagę nad innymi: jej umysł już pracuje, podczas gdy inni jeszcze śpią. Ma dość czasu na wszystko. Może wymyślić, co zrobić, jak się zachować, kim być.

Stała. Igiełki chłodu domaszerowały do kolan. Dziesiątki drobnych ukłuć, niby jakaś odmiana akupunktury ze skłonnościami do krioterapii. Stała jeszcze kilka chwil.

Wróciła do domu. Nie warto ryzykować przeziębienia.

W soboty Kuan nie wstawał przed dwunastą, niezależnie od tego, czy w piątkowy wieczór występował, czy nie. Jego skłonny do rutyny organizm zapisał to sobie gdzieś, na skrawku z dziwacznymi znaczkami. Miała więc sześć godzin ciszy, którą przerwie hałasem, na przykład upuszczając kubek na terakotę, jeśli przyjdzie jej ochota zahałasować, wyrazić coś. No i posprzątać. Każda katastrofa, każde wyrażenie siebie łączą się ze szczotką i szufelką. Zbijała kubki, talerze, spodki, filiżanki, porcelanowe figurki dość często, całkiem regularnie, wszędzie dookoła. Zbijała nie dlatego, że była niezgrabna. Zbijała, ponieważ tego chciała, co więcej – chciała tylko tego, co znajdowała w zasięgu ręki. Zastanawiała się, czy Kuan albo Patryk domyślają się, że zbija z wyboru. Że każde wyśliźnięcie się zostało precyzyjnie zaplanowane z rąk, że coś oznacza. Że brzdęk i łupiny ceramiki to język, który wybrała dla siebie, zupełnie jakby była archeologiem. Albo cywilizacją, która mówi o sobie w szczątkach, bo chce pozostać kompletna.

Ludzie różnie się porozumiewają. Statystycznie wygrywają słowa, ale też wykorzystuje się obrazy, perforacje Braille'a, gesty migowego języka głuchoniemych, zdolność do zmiany koloru albo zapachu, znaczenie dymorfizmu płciowego, treść w milczeniu. Maria w skrytości porozumiewała się ze światem, z mężem i synem, z teściami i swoją rodziną, z Norbertem i koleżankami z neokatechumenatu w ten sposób, że tłukła naczynie za naczyniem.

Po latach dostrzegła pewne regularności wynikające z rosnącego doświadczenia. Ciężkie, solidne kubki z uchem najchętniej upuszczała na kafelki w kuchni, pilnując, żeby wcześniej zostały prawie dopite. Talerze obiadowe, oczywiście po obiedzie, upuszczała na klepki parkietu w korytarzu. Potrafiły się nie zbić, za to hałas sztućców, odbijających się od samych siebie i porcelany, rekompensował ryzyko, że zastawa ujdzie cało. Niekiedy w Marii ożywała hazardowa nuta, wtedy wypuszczała coś z rąk wprost (ach, Kuan i jego nowe słowo!) na dywan. Pamiątki z wakacji i pielgrzymek tłukła: stawiała je na krawędzi gzymsu kominka, potem przesuwała milimetr po milimetrze, aż musiały spaść i się unicestwić. Czasem wyrażała rozpacz i ból, wtedy Kuan z Norbertem pieczołowicie sklejali jakąś Matkę Boską albo sopocką muszlę.

Bawiło ją, że mąż z synem nie zauważają, iż ona do nich przemawia przez skorupy naczyń. Maria potrafiła być konsekwentna; praktycznie każdy język opiera się na powtarzalności i konsekwencji, na przykład w każde urodziny męża zbijała wazon na kwiaty, natomiast imieniny syna celebrowała za pomocą roztrzaskanej w zlewie patery do tortu.

Zeszłego roku syn powiedział, że zeszłego roku też zbiła paterę. Wydało jej się, że ktoś wreszcie ją usłyszał. Usłyszał to, czego nie mówi, bo przecież tłucze naczynia. Pamięta ten moment. Zamarła z kublem na śmieci, do którego wrzucała co większe kawałki szkła. Pomyślała, że ktoś odczytał jej wiadomość, poznał sekret, rozszyfrował, Patryk jednak wolał powrócić do świata, w którym zbiegi okoliczności nie układają się w historię. I słusznie, pomyślała, jest w końcu chłopcem, czyli prawie mężczyzną, a po nich nie ma co się spodziewać za wiele.

Zamknęła za sobą drzwi, zdjęła jesionkę. Poszła na górę, do łazienki, w której płytki podłogi były podgrzewane. Pomyślała, że ogrzeje stopy. Potrzyma je na kafelkach, poczeka, aż dotrze do nosa woń stóp, woń potu i rozgrzanego nylonu pończoch.

Mogła usiąść na sedesie, usiadła jednak na krawędzi wanny. Mniej wygodnie, ale też nie chciało jej się sikać ni defekować. Poczuła silne podniecenie. Bez ostrzeżenia. Obok w sypialni leżał pod kołdrą ciepły mąż. Jej podniecenie nie łączyło się z Kuanem, nie bezpośrednio. Od lat trwali w małżeństwie i seks kojarzył się jej bardziej z wytworem popkultury niż czymś realnym lub dostarczającym przyjemności. Seks to na pewno nie był już Kuan. Seks to było słowo, typ jednego z licznych obowiązków, rodzaj sakramentu. Zastanawiała się, czy Kuan jako kobieta jest bardziej kobiecy od niej, kobiety prawdziwej. To chyba ją podniecało. Pojedynek. Perwersyjna świadomość, że mogłaby konkurować z mężem w kategorii nieosiągalnej dla większości mężczyzn tego świata.

W łazience stłukła sobie buteleczkę perfum.

Wybrała najdroższe.

Kuan kupi drugie.

29.

Kichnął i natychmiast doznał uczucia połowiczności. Nagle uświadomił sobie, że dotąd zawsze kichał dwa razy, a przynajmniej tak mu się wydawało z perspektywy czasu. Odczekał i za chwilę nastąpiło spełnienie, satysfakcjonujące drugie kichnięcie.

Don DeLillo

Norbert kichał nieparzystymi seriami, nabłyszczacz do plastików, zaaplikowany wczoraj, drażnił mu nos. Lubił jeździć czystym autem. To kwestia szacunku do środka lokomocji. Gdyby jeździł wierzchem, jego koń lub osioł byłby czystym koniem lub osłem. Dlatego, swoją drogą, nie jeździł komunikacją miejską, zawsze znajdowało się coś brudnego, szczególnie na szybach i podłodze. Poza tym nie znosił, gdy ktoś inny prowadził urządzenie, za pomocą którego się przemieszczał. Niezmiernie rzadko korzystał z pociągu, niewidoczny i odległy maszynista prawie go nie drażnił. Ale już taki pilot wydawał się skrajnie niekompetentny. Norbert nigdy nie leciał samolotem. Czasem rozważał, czy nie wyrobić licencji na lekkie samoloty. Nie wyrobił. Nadal rozważał.

Patryk z ożywieniem i wieloma szczegółami opowiadał, jak to spotyka się z kolegami i grają w stare, dwudziestowieczne RPG-i. W przyszłym tygodniu wypadała jego kolej, będzie Mistrzem i Narratorem; bardzo się tym przejmował i nadal nie potrafił zadecydować: skorzystać z gotowego scenariusza czy wymyślić własny?

– A ty co myślisz?

Norbert nic o RPG-ach nie myślał. Wydał salomonowy werdykt:

– Skorzystaj z gotowego, tylko go ostro zmodyfikuj.

– Tak chyba zrobię. Dzięki za radę.

Wolał nie rozmawiać z Patrykiem, przynajmniej dopóki nie wyjadą z Warszawy; wtedy się odpręży i chętnie porozmawia. Porwie go długa droga, obramowana białymi pasami, jak współczujące i kojące dłonie na rozwibrowanych migreną skroniach. Poprosił o wybranie i włączenie muzyki albo radia. Patryk muzycznie bywał nieprzewidywalny. Potrafił puścić coś wietnamskiego, co pewnie dostał od dziadków, albo jakiś szlagier Maksa (Maryla Rodowicz, Freddy Mercury, ABBA, Violetta Villas, zależnie od przygotowywanych występów), albo jakąś elektro-alternatywę, usypiające trzaski i zapętlone kocie ruje, albo pop, choć wyłącznie anglojęzyczny, ewentualnie jazz (ostatnio zaskoczył Norberta Milesem Davisem). Tym razem zdecydował się na coś jakby jazzowego. Kobiecy przydymiony głos, snujący się przez dźwięki samotnego fortepianu. Choć nie, pojawiła się też wytłumiona perkusja.

– Nie mów mi, że przy tym tańczycie na dyskotekach – zażartował.

Patryka bardzo ten pomysł rozbawił. Nie tyle samo tańczenie, ile przedpotopowa instytucja dyskoteki.

– Pani na historii nam puściła. To jest płyta o powstaniu warszawskim, Aga Zaryan śpiewa.

Próbował wyobrazić sobie Kim Lee wykonującą Agę Zaryan. Nie. To niemożliwe. Niemożliwy utwór. Wszyscy geje w klubie woleliby chyba zostać hetero, niż dosłuchać do końca. To byłby wybór między powolnymi torturami a natychmiastową egzekucją.

Właściwie nie przepadał za gejami. Nie uważał się za geja. Uważał się za heteroseksualnego mężczyznę, sypiającego prawie wyłącznie z innymi mężczyznami, po prawdzie coraz rzadziej, albowiem od lat żył w monogamii z Maksem, i z Ninel (od kilku miesięcy; druga monogamia). Pierwszą i ostatnią kobietą w jego życiu. Norbert nie wiedział, co go do niej przyciągnęło z tak przerażającą siłą. Nie umiałby dać odpowiedzi. Ninel na pewno nie przypominała geja, nie pochodziła z Azji, a więc nie reprezentowała sobą dwóch najbardziej pogardzanych przez niego typów ludzkich. Również jej kobiecość nie odstręczała go, wręcz przeciwnie. Gdy wyobrażał sobie intymną sytuację z kobietą, wcale góry nie brał strach, górę brała nuda. Kobiece piersi i okolice podbrzusza w ogóle go nie peszyły, one go nudziły, trochę jak francuskie kino. Ninel była inna. Niegej i nie-Azjata to za mało, żeby pociągnąć Norberta. No tak, jest jeszcze osobowość, ale to też nie dość, w końcu osobowość mają dzisiaj nawet koty i kuchenki mikrofalowe. Sednem chyba była jej kobiecość. Nie potrafiłby tego wytłumaczyć, chodziło jednak o to, że jej kobiecość okazywała się wtórna względem... No właśnie, względem czego? Że najpierw była, a potem dopiero była kobietą, podczas gdy inni najpierw są kimś, a dopiero potem są?

Gdyby jej tak odpowiedział, pewnie przełączyłaby się na tryb dydaktyczny. Wyjaśniłaby mu, że przemawia przez niego szowinizm, seksizm, a kto wie, czy nie mizoginia. („-inia? A może -inizm? W końcu jestem facetem. Wolę męską końcówkę. Kurwa", zaklął bezdźwięcznie). Bo w odróżnieniu od mężczyzn – kontynuowała Ninel w głowie Norberta – z którymi się pieprzył, ona nie może być po prostu kobietą, tak jak tamci byli mężczyznami. Ona jest zbiorem danych, któremu trzeba nadać kształt, żeby ją zaakceptować. Nie. Pewnie powiedziałaby coś inteligentniejszego.

Kto wie, czy z trybu dydaktycznego nie przeszłaby płynnie w tryb erudycyjno-żartobliwy. To ten tryb był w niej najgorszy. Nienawidził go aż po czubek nosa. Jakby mało było tego, że fakty, które przyswajał, były dla niego nowe, podobnie jak nowe byłyby dla większości populacji niezwiązanej zawodowo z aktualną humanistyką, to jeszcze nie mógł być pewien nawet tego, czy rzeczywiście są to fakty, czy też jakieś żartobliwe skrzywienia, czytelne może dla kilkudziesięciu tysięcy ludzi w Polsce.

– Z czego się śmiejesz? – zapytał Patryk.

Norbert nie zdawał sobie sprawy, że śmieje się, wspominając to, czego nienawidził w Ninel. Chłopak go zaskoczył, stąd pewnie odpowiedział mu bez namysłu:

– Myślę o mojej kochance.

Patryk zamilkł. Speszył się. Skupił nad pytaniem, nad kolejnymi wariantami:

– Co to praktycznie znaczy, że masz kochankę? Przestaniesz pomagać mojemu tacie, mamie i mnie? Przestaniesz nas... – Patryk przełknął ślinę, to zaś było najprawdopodobniej skutkiem dominującej w ambitnej popkulturze ironii – przestaniesz nas kochać?

Gdy to powiedział, Norbert pochylił się do przodu i silniej ścisnął obręcz kierownicy. Nigdy nie rozmawiał o uczuciach z Maksem, Marią ani Patrykiem. To znaczy, czasem z Maksem, który zwyczajnie mówił jak w bęben: „Ty mnie wprost bardzo kochasz!".

Wrastał przez lata w ich rodzinę, stając się jej częścią, nigdy jednak wcześniej taka deklaracja miłości, jaka padła przed chwilą z ust chłopca, nie została wypowiedziana.

Poczuł to, co Ninel nazywała – w trybie anegdotycznym łamanym przez dydaktyczny – szczęściem antykwariusza. Szczęście owo wyraża się następująco: Stary antykwariusz schował wiele dekad temu w najtajniejszej skrytce brylantową kolię. Żył i przez lata wiedział, że ona, ta kolia, do niego należy. Lata mijały, kolii nie oglądał, stawała się coraz mniej realna, bliższa legendzie niż precyzyjnie złożonym w całość kawałkom szczególnej odmiany węgla. Wskutek jakiejś nadzwyczajnej sytuacji – dajmy na to: jedyna wnuczka zapadła na syndrom Kopciuszka, on zaś musiał przedzierzgnąć się w Zębową Wróżkę, co było trudne, zbyt często gubił zęby – zmuszony został kolię odszukać. Niby wie, że ma, niby wie gdzie, tak naprawdę jednak miotają nim wątpliwości. Brylantowy majątek wydaje mu się urojony. Stary antykwariusz sprawdza pudła i skrytki, jedną po drugiej, nigdzie nie znajdując kolii. Całe życie myślał, że ją posiada, najwyraźniej jednak więcej myślał, niż posiadał, bardziej roił, niż trzymał w garści, w odwodzie. Wreszcie w desperacji i zwątpieniu, w najostatniejszym i najtajniejszym schowku znajduje brylantowy skarb. I ogarnia go wszechpotężne szczęście. Szczęście antykwariusza – szczęście, że posiada dokładnie to, co myślał, że posiada.

Szczęście antykwariusza rozsadza piersi Norberta.

– Kochanka niczego nie zmienia w naszym układzie. Był Patryk i Norbert. I będą. Kochanka, jak by to powiedzieć, kochanka tylko cementuje rodzinę. Nas.

Norbert wie, że nieco przesadził. Mówił szczerze, lecz równocześnie mówił jak Spiderman, a facet w pajęczynie bywa patetyczny oraz emocjonalnie i odzieżowo niewiarygodny. Młodzi ludzie mu nie ufają.

– Zagalopowaliśmy się – stwierdza z ulgą chłopiec.

Norbert zgadza się z nim, równocześnie kocha go rozpaczliwie, na ślepo, prawie w zwierzęcy sposób. Które dziecko znałoby taki trudny czasownik? „Zagalopowaliśmy się", opowie o tym czasowniku Ninel, gdy się zobaczą, żeby podziwiała, że Patryk to jest ktoś.

Norbert wie świetnie, albo się tak oszukuje, że gdyby nie Patryk i Maria, zostawiłby Maksa. Maria była Polką, jej dziecko było praktycznie Polakiem – azjatycka naleciałość genów dodawała mu tylko uroku – Maks zaś, cóż, to skomplikowane. Pewnie najmniej kochamy elementy spajające w jedno to, co kochamy. Maks wydawał się najsłabszym ogniwem, ale był równocześnie zaprawą, klejem.

Norbert nie przeczytał *Don Kichota*, Ninel mu streściła książkę, ponadto przypominał sobie piąte przez dziesiąte jakieś kreskówki z epoki dziecięctwa graniczącego z kolorowym telewizorem marki Rubin. Nie czytał, mimo to czuł się podobnie. Może nie od razu walka z wiatrakami, ale giermkowanie szalonej sprawie – jak najbardziej. Niewielka w sumie różnica. Szukanie wiatru.

Zabrał Patryka, żeby spędzić z nim trochę czasu. Tu w ogóle nie chodziło o Krzysia ani o wywiązanie się z obietnicy danej Andrzejowi. Chodziło o to, że Norbert uwielbiał spędzać czas z Patrykiem, zwłaszcza sam na sam. Kiedy byli sami, Patryk i Norbert, coś dobrego się wydarzało, coś prawdziwego i niewysilonego, jak oddychanie.

Poza tym nie wiedział, czy Krzyś rzeczywiście zaginął. Niegdyś Krzyś był dla Norberta najważniejszą osobą, ostateczną wyrocznią, złotym cielcem i przewodnikiem etc., to było jednak dawno temu.

Norbert sprawdził karty płatnicze i wyciągi z konta Krzysia. Mógł to zrobić bez większego wysiłku i łamania procedur. Opłaty za mieszkanie szły automatycznie, czynsz, woda, prąd, Internet. Szły znikąd, bez miejsca, z rachunku bankowego, póki nie skończą się, skądinąd całkiem pokaźne, środki na koncie.

Ostatnia płatność kartą została dokonana w Krempnej, osiem dni temu, w Atlantik Market S.C., na kwotę 275,69 złotych. W Krempnej, miasteczku na południu, Bieszczady, znajdowały się, podała Wikipedia: zabytkowa drewniana cerkiew, siedziba Magurskiego Parku Narodowego oraz muzeum. Mieszkańców mniej, niż pierwszostronicowy celebryta posiada najbliższych bliskich przyjaciół, dokładnie 500 (dane z 2006 roku).

W pięć-sześć godzin powinien pokonać trasę z Warszawy. Zarezerwował sobie i Patrykowi nocleg w gospodarstwie agroturystycznym. Nie spodziewał się odnaleźć Krzysia. Przypuszczał, że skończy się na obejrzeniu supermarketu, zabytkowej cerkwi i tego Magurskiego Parku, jeśli naturalnie leży przy drodze, a nie że trzeba iść dokądś, żeby spojrzeć na drzewa i poczuć wiatr zacinający w twarz.

Nie miał pojęcia, dlaczego Krzyś wylądował właśnie w tym miasteczku. O ile się orientował, nie posiadał on tam rodziny ni przodków, nie był wielbicielem gór, ani niskich, ani wysokich, kontakt z przyrodą utrzymywał za pomocą podpisywania petycji ekologów, nie mieszkał również w Krempnej nikt znany, kto by pasował do jakiejś nowej książki Krzysia. Ponadto Andrzej poinformował Norberta, że Krzyś nie znosi dalszych podróży, ponieważ jest dość lękowy. Takiego chyba sformułowania użył Andrzej: „lękowy" oraz „jest". W ogóle ten Andrzej, jak na osobę, która od miesięcy nie widziała Krzysia, zbyt często używał czasu teraźniejszego. Może to jakiś tik? Dobrze wykształcone osoby pełne są tików, na przykład wierzą w lewicę. Albo że Boga nie ma.

Norbert niewiele wiedział o Krzysiu. Był on pierwszą wielką miłością w życiu Norberta. Wielka miłość, nadto sprowadzona do miłości platonicznej, to najgorszy sposób na dowiedzenie się czegoś o drugiej osobie. Prawie cała wiedza o Krzysiu nie wypływała z Krzysia, lecz z Norberta. Krzyś wydawał się tedy wspaniałomyślny, hojny, lojalny, przystojny, męski.

Zatrzymali się w McDonaldzie w Dębicy. Patryk przeżył rozczarowanie, że nie ma Wi-Fi, Norbert skorzystał z czystej toalety. Zjedli po powiększonym zestawie z pseudokebabem. Oczywiście pseudokebab nazywał się inaczej, natomiast brak Wi-Fi nazywał się brak Wi-Fi. Najwyraźniej marketingowcy nadal mają problem z przekuwaniem braków w zalety. Norbert zastanawiał się, jak można by określić pozytywnie brak dostępu do Internetu, ale przyszło mu do głowy jedynie stwierdzenie stanu faktycznego: „Nie mamy, bo chcemy, żebyś zjadł najszybciej, jak to możliwe, to, za co zapłaciłeś, i zwolnił miejsce kolejnym klientom".

Zdecydował się szukać Krzysia bynajmniej nie powodowany nadzieją odnalezienia go. Nie zamierzał odnajdywać ani odnaleźć.

Norbert pochodził z niewielkiego miasteczka na Lubelszczyźnie, matka była dyrektorką szkoły podstawowej, ojciec szefem komisariatu milicji, przemianowanej w trudno uchwytnym momencie na policję. Norbert nie mógł się urodzić w bardziej uprzywilejowanej rodzinie. To była lokalna elita, do kompletu brakowało tylko proboszcza. (Nie masz ani włoska, kochanie – mawiała matka – bo nie jesteś jak oni).

Rodzice bardzo Norberta kochali. Był ich jedynym, odchuchanym i dopieszczonym synkiem. Nigdy im nie powiedział, że jest homoseksualistą, choć może się domyślili, a może nie. Poza tym przecież nie był; nie gejem był. Utrzymywał z rodzicami kontakt, pewnie niezbyt regularny, lecz serdeczny. Nie opuścił żadnego wesela czy stypy w rodzinnej okolicy. Przez lata studiów wspierali go finansowo. Wpadał na święta, dzwonił w urodziny i imieniny rodziców, pomagał.

Droga prostowała mu myśli. Prowadząc, stawał się w środku równie wielki, jak świat na zewnątrz. I trochę dziurawy. To było kojące uczucie, bo nieograniczone i z wyrwami. Jedynie za kółkiem Norbert nabierał cech nieograniczenia, nieograniczoności.

Dojechali do Krempnej. Zainstalowali się w swoich pokojach. Nieduże i czyste; jedna wspólna toaleta i łazienka na korytarzu. Kobieta, która ich przyjęła, zapytała, czy życzą sobie obiad. Życzyli sobie.

Przed obiadem obejrzeli zabytkową cerkiew. Była drewniana i jakaś taka niepoważna, choć śliczna. Coś Norbertowi przypominała. Gdyby nie zniecierpliwiony Patryk, pewnie postałby dłużej, kontemplując cerkiew, jeszcze bez wiedzy, co mu ona przypominała. Dopiero następnego dnia przypomniał sobie co. Jego ojciec milicjant znosił do domu zabawki wykonywane przez więźniów w ramach programu resocjalizacyjnego, rozmaite figurki zwierząt, domki, samochodziki zbudowane z zapałek. Norbert nie bawił się nimi, obawiając się, że je uszkodzi – wyglądały na kruche, ale przede wszystkim wyglądały na przedmioty, w które wytwórca zainwestował mnóstwo serca i pracy – mimo to potrafił przyglądać się im w skupieniu przez długie godziny. Te długie godziny oglądania zapałczanych konstrukcji – to chyba wtedy Norbert wyczerpał swój limit cierpliwości do tego, co widzi.

Po obiedzie (zupa grzybowa, schabowy, ziemniaki, duszone warzywa, surówka z marchwi) poszli do muzeum. W holu witał gości wypchany niedźwiedź brunatny. („On wcale nie wygląda miło", stwierdził chłopiec). Oraz dwie kilkuosobowe grupy turystów. („Bo to król lasu, królowie nigdy nie wyglądają miło", odpowiedział Norbert).

Po muzeum Patryk odkrył w sąsiednim budynku punkt z bezpłatnym Internetem. Umówili się, że chłopak posiedzi do dziewiętnastej, kiedy to zamykano Internetową Wioskę, Norbert zaś zajmie się tym, po co tu przyjechał.

Supermarket Atlantik, nowy i beżowy, największy w Krempnej i jedyny samoobsługowy sklep, znajdował się tuż przy krzyżówce, dzielącej miasteczko bez niespodzianki czy geometrycznego paradoksu – na czworo. Norbert wszedł do środka, wrzucił do koszyka przypadkowe słodycze i napoje; chciał bez wzbudzania podejrzeń pokazać w telefonie zdjęcie Krzysia i zapytać o niego kasjerkę, zresztą lustrującą Norberta od stóp po kaptur, o ile tylko półki go nie przysłaniały.

Norbert przywykł do tego, że ludzie mu się przyglądają. Przyglądają ze skonsternowaniem. Brak brwi i rzęs budził u niektórych ludzi współczucie: myśleli w pierwszej chwili, że ma raka. Rak wyzwala w ludziach bardzo pozytywne emocje, ludzie potrafią nie tylko przeczytać niedługi artykuł ze zrozumieniem, ale nawet poklepać po plecach, jak gdyby rak nie różnił się istotnie od zakrztuszenia.

Nigdy nie palił, poczuł jednak, że musi zapalić.
Przeszedł na drugą stronę ulicy do kolejnego sklepu, gdzie kupił paczkę papierosów.
Zapalił.

Upuścił z rąk butelkę z colą, butelka uderzyła tak nieszczęśliwie o podłogę, że wystrzeliła zakrętka, zaś spieniona ciecz opryskała wszystko w swoim zasięgu, z nim włącznie lub przede wszystkim. Chciał pomóc uprzątnąć bałagan, kasjerka jednak na to nie pozwoliła. Nie pamiętał, co jej powiedział, pokazując zdjęcie Krzysia. Musiał prezentować się wzruszająco: taki duży i bezwłosy, w wielkiej kurtce z kapturem i opryskany colą. Taki mężczyzna, a zredukowany do kategorii chłopca lub starca. Z podejrzliwości nie pozostało nic. Nowotwór pierwszej klasy, jak u celebryty z pierwszej strony.

Norbert skończył papierosa i sięgnął po kolejnego, choć już teraz kręciło mu się w głowie. Rzadko fundował swemu ciału trucizny, czasem kotlet mielony albo wątróbkę z cebulką, one jednak omijają płuca.

Powiedziała mu, że owszem, że zna i widuje tego pana ze zdjęcia. Zatrzymał się u pani Krystyny, prowadzącej gospodarstwo agroturystyczne, lecz ostatnio nieczęsto zachodzi do sklepu. Nie wiadomo nawet, czy nie wyjechał dokądkolwiek bądź.

   – Panowie poznali się na oddziale? – zapytała.

   – Praktycznie tak – odpowiedział Norbert i na jego twarzy wykwitł zdumiewający uśmiech: gejowski klub, w którym poznał Krzysia, nazywał się Oddział.

30.

Trzeba obchodzić się z nią łagodnie i pozwolić jej spokojnie umrzeć, bo zapewniam księdza, że w tak zaawansowanym stadium histerii długo nie pożyje. Prędzej czy później wystąpi ostre zapalenie macicy, a wtedy wiedza medyczna okaże się już bezsilna.

Umberto Eco

Przeszukała wszystko, od góry do dołu, wte i wewte, bez sukcesu. Nie potrafiła znaleźć brązowego, starego protokólarza, zawierającego jakieś nagle potrzebne mężowi zapiski. Albo Szymon sobie coś uroił, albo Maja nie posiadała zdolności do odnajdywania ukrytego.

Musiała do niego zadzwonić. Łatwiej byłoby napisać mejla, i taniej. Mogłaby e-palić i inha-oddychać w tym samym komunikacyjnym paśmie.

Mimo to zadzwoniła. Stwierdził, że trudno i że w takim razie przyjedzie w przyszłą sobotę pociągiem, a wyjedzie w niedzielę, żeby w poniedziałek uczestniczyć, czy też prowadzić, Maja się pogubiła, w jakimś wykładzie, lub: jakiś wykład.

– Bardzo się cieszę, że cię znowu zobaczę – powiedziała.

– Ja też. To na razie – uciął rozmowę i się rozłączył.

Wcale nie skłamała. Chciała go znowu zobaczyć. Tęskniła za nim.

Poznali się jeszcze w liceum, mieli po kilkanaście lat, przypadli sobie do gustu tak bardzo, że w okolicach matury zaszła w ciążę. Nie stosowali antykoncepcji, oczywiście wiedzieli, że coś takiego jak antykoncepcja istnieje, choćby dlatego, że wychowali się (przetrwali, powiedziałaby Maja) w ortodoksyjnych katolickich rodzinach (u Mai: mimo poglądów ojca), gdzie antykoncepcja pojawiała się jako Temat i Szatan podczas rozmów przy niedzielnych obiadach. Mimo to uważali, pewnie przez nieuwagę, że coś takiego jak ciąża wydarza się jedynie w powieściach, ewentualnie w poprzednim stuleciu, ewentualnie ludziom wierzącym lub biednym.

– Nigdy nie planowałam dziecka – powiedziała Szymonowi w kwietniu, gdy spacerowali Krakowskim Przedmieściem niby jacyś odprężeni turyści, zakochani w sobie, trzymający się za ręce i ładni na licach.

– Ja też nie.

– A tu taki klops.

Wiedziała, że zrozumie. Słyszał i rozumiał wszystko, co do niego mówiła, choć nie zawsze z natychmiastowym skutkiem i nie zawsze z kompletem intencji skrytymi za jej wypowiedzią.

Minęli Hotel Europejski, gdy zapytał:

– Co chcesz zrobić?

– Zanim podejmę decyzję, będę potrzebowała trochę twojej krwi.

– Po co?

– Pani Cecylia niczym gorliwa chrześcijanka i matka sprawdza śmietniki, zorientuje się, że nie krwawię na czas. Nie mogę sobie przyciąć żył, bo też się zorientuje. Nie mogę zacząć palić, żeby pluć krwią, bo wyczuje.

Szymon poważnie zastanawiał się nad rozwiązaniem problemu:

– Myślę, że u jakiegoś rzeźnika da się kupić świńską krew. – Maja zaśmiała się. Pomysł, że tak delikatny towar jak podpaski niszczyłaby świńską krwią, wydał się jej, hmm... makabryczny oraz niskobudżetowy, jak z B-horroru. – A jeśli nie krew – Szymon kontynuował, głuchy na jej śmiech, lecz już z gniewnie ściągniętymi brwiami – to pewnie jakieś mięso albo podroby, może wątróbka, z których da się wydusić dosyć krwi. A jak nie mięso, to może pomidory albo buraki. Myślisz, że twoja matka wącha twoje podpaski czy praktycznie zadowala się kolorem? – Maja śmiała się jeszcze bardziej, aż ją Szymon osadził, ściągnąwszy niemal do punktu stycznego własne brwi: – Nie śmiej się, to istotna kwestia techniczna!

– Myślę – odpowiedziała, walcząc z wesołością – że pani Cecylia nie tylko wącha, ale również dotyka językiem.

Wyrzuciła to z siebie pół żartem, pół serio. Uważała panią Cecylię za istotę z innego porządku, wolną od konwenansów krępujących zwykłego Ziemianina: dokładne sprawdzanie podpasek córek, także organoleptycznie, nie wydawało się żadnym schorzeniem czy ekstrawagancją, przeciwnie –

leżało w kompetencjach Matki, tymczasowo relegowanej na Ziemię przez swego Szefa.

– Czyli warzywa i ketchup odpadają – zawyrokował z powagą charakteryzującą późnego chłopca, nagle podniesionego do godności młodego mężczyzny i prawie ojca. – Zorientuje się po smaku.

– A po kilku miesiącach zorientuje się po moim brzuchu.

Minęli kolumnę Zygmunta i skręcili w stronę Rynku. Szymon chyba już przeanalizował dostępne opcje.

– Moi rodzice każą mi się z tobą ożenić – oznajmił ponuro. – A ja się na to zgodzę. Zwykle im ustępuję.

U Mai sytuacja domowa była nieco bardziej dynamiczna. Pani Cecylia najpierw załamie ręce nad córką i nieobyczajnością współczesnej młodzieży, następnie rozkaże Mai wyjść za mąż i eksploduje radością na myśl o wnuczku lub wnuczce. (Dobry Panie! a może by tak bliźniaki, mini--Jezus i malutka Maryśka Magdalenka?!) Ojciec natomiast uzbroi się w opinię idealnie przeciwną: najpierw ucieszy się z nieobyczajności córki i nowych czasów odsyłających do lamusa religijne zabobony, następnie zakaże ożenku i zaproponuje pieniądze na cichy zabieg albo roztoczy wizję wspaniałego macierzyństwa samotnej matki. Do wyboru. Jakoś tak.

– Widzisz – rozpoczęła jedno z najtrudniejszych zdań w swoim życiu – wiem, że nie jestem gotowa na nic. Za wcześnie na decyzję. Nie jestem gotowa ani na posiadanie dziecka, ani na pozbycie się tego, co jeszcze dzieckiem nie jest, ale rośnie i będzie. Muszę jednak dokonać wyboru. Łatwiej jest urodzić i wejść w związek małżeński, niż nie urodzić i nie wejść. Takie są okoliczności. Tylko czy łatwiej znaczy słuszniej? Pytanie retoryczne. Nie odpowiadaj.

Wtedy Szymon zatrzymał się, a że trzymali się za ręce, zatrzymał również Maję. Przykląkł na kolano, ucałował jej dłoń, zapytał:

– Wyjdziesz za mnie?

– Wyjdę – odpowiedziała – bo cię kocham i nie pozwolę, żeby jakieś dziecko to zniszczyło.

Potem wstał i ją pocałował. Całowali się jak oszalali. Jakiś przechodzień nawet rzucił im kilka monet na leżącą na granitowej kostce torbę Mai, jakby byli figurami wyrażającymi właściwie nie wiadomo co. Coś turystycznego najwidoczniej i coś wartego grosza. Lub współczucia.

Później wydarzenia potoczyły się błyskawicznie. Matura, zrzutka obu rodzin na zakup ogromnego mieszkania. (Przecież to nie będzie jedynak, upierała się pani Cecylia). Wesele, fotograf.

Maja wybrała suknię z rzędami falban. Wyglądała w niej jak ubite na sztywno białko, wylane z naczynia na rozgrzaną blachę; do pieca, i będzie beza albo rumiana Rozalka. Liczne falbanki, mimo że nietwarzowe, posiadały zalety: ukrywały brzuch, odwracały uwagę od twarzy nosicielki. Przeżyli wesele, dziecko się urodziło, też przeżyło, poszli na studia, Szymon na afrykanistykę, Maja na biologię.

Dziadkowie pomagali, oni zaś, świeżo poślubieni, wprowadzili się do własnego mieszkania na Mokotowie. To był luksusowy start w dorosłość; albo nie, to nie był start, to było katapultowanie w dorosłość. Aha, w ramach ugody Bruno został ochrzczony. Maja zastanawiała się, czy ten chrzest to nie jest zbyt wysoka cena. Przehandlowała w końcu duszę swego dziecka za wygodne mieszkanie. Nie myślała o tym, że przehandlowała własną i Szymona, składając przysięgę przed ołtarzem.

Potem zaczęło się pisanie doktoratów i zagraniczne stypendia: cztery lata w Stanach i pojedyncze miesiące na okoliczność europejskich uniwersytetów.

Doktoraty zostały napisane, wrócili do Polski, niby na dobre.

Między Mają i Szymonem czasami się coś psuło. Tak on, jak ona byli swoimi pierwszymi partnerami seksualnymi. I bardzo długo jedynymi. Szymon zaproponował, żeby na rok otworzyli swój związek, spróbowali, jak to jest być z kimś innym, jak to jest odzyskać wolność, o której krzyczały billboardy sprzedające proszki do prania i płyny do mycia naczyń. Nikt im się jednak nie przydarzył. Wytworzyła się dość nietypowa sytuacja. Wieczorami, leżąc obok siebie w tak zwanym małżeńskim łożu, wymieniali się starannie przesianymi przez ego i superego oraz inne, nowsze terminy, opowieściami o swoich fikcyjnych kochankach. To trochę bolało, bardziej jednak podniecało. Jędrne i sterczące piersi żwawej pani rektor Maja mogła odbić największym jachtem, jaki widziała w życiu (na zdjęciu). Szymon rozmiar jachtu bagatelizował głębokim porozumieniem dusz na gruncie socjolingwistycznym, osiągniętym w mgnieniu oka z rektorką, na co Maja odpowiadała piłeczką radości, jaką zapewniałoby codzienne, nieograniczone jadanie w kosmicznie drogich restauracjach.

Ciągnęło się to przez kilkanaście miesięcy, aż dali sobie spokój. Podniecenie związane z wyobrażaniem sobie wyimaginowanych kochanków osłabło, oni zaś naprawdę mieli siebie i chyba poza sobą nie potrzebowali nikogo. Na pewno nie do seksu.

– A Pani? Pojawiły się od czasów miłości do King Konga jakieś sprawy sercowe?

– Zawsze mnie interesowały koleżanki. Najpierw tak w ogóle, ogólnie, potem, już na kompletach, konkretne koleżanki.
– I umiała je Pani podrywać?
– A, owszem. Starałam się i całkiem dobrze mi to wychodziło.
– Nie bały się?
– Niespecjalnie.
– Miała Pani Profesor temperament monogamiczny czy poligamiczny raczej?
– No... nie mogę jakoś odpowiedzieć na to pytanie. Bo niby monogamiczny, a jednocześnie i poligamiczny.

Maria Janion/Kazimiera Szczuka

Franek w ogóle nie przypominał wirtualnych kochanków ani z wyglądu, ani z jachtu. Może Szymon potrafiłby polubić i zaakceptować Franka? Czy ona, Maja, mogłaby polubić kobietę, z którą związał się Szymon?

To była nowa myśl.

Jasna niczym błyskawica i groźna nawet dla osoby, która w burzę z piorunami nie schroniła się pod drzewem.

Szymon musiał poznać kogoś; w tym Berlinie.

Po prostu musiał. Nie jest w końcu niezgułą ani uwspółcześnionym wariantem Quasimoda. A jak musiał, to i poznał. Obecny świat nie uznaje innej logiki.

To dlatego ucinał telefoniczne rozmowy.

Nie chciał kłamać. Albo też: jej mąż bał się tak bardzo, że pewnie nawet nie zorientował się, że ona również się boi. A może w ogóle się nie bał, tylko czuł znużenie Mają? Wolała nie zastanawiać się, co czuje Szymon, ponieważ nie ogarnęła jeszcze własnych odczuć. Napisała do Szymona SMS-a:

„Wiem, że z kimś się związałeś. Przyjedź z tą osobą w sobotę. Jeśli przyjedziesz sam, możesz nie przyjeżdżać. Wydobędę ten protokólarz spod ziemi i go spalę. Zmienię zamki i nie wejdziesz do środka. Nie bój się. Kochająca Maja".

Straciła sporo energii na wielkie litery, stosowną interpunkcję i wycięcie przekleństw oraz wykrzykników.

Wysłała SMS-a i zadowoliła się informacją, że nie wie, czy został wysłany. (Mnie się w telefonie nie odznacza, mówiła zawsze). Nie spodziewała się odpowiedzi aż do soboty, przed drzwiami.

31.

Potem pomyślałam, że za bardzo okazuję zainteresowanie jego
historią, gdyż mógł je pomylić z zainteresowaniem jego osobą.

Margaret Atwood

Nie umiał pogrążyć się w depresji, najmodniejszej ostatnio odmianie wrażliwości. Maja przestała się z nim widywać, przestała odbierać jego telefony; trochę się tego spodziewał, przede wszystkim jednak – nie spodziewał się niczego, w tym nie tego. Ostatecznie taka zbitka „kobieta" plus „zamężna" brzmiała jak coś, jak jakiś język sprzed odkrycia genomu, ba!, sprzed odkrycia genów. Jak jakaś skamieniałość wyciągnięta na światło dzienne najzupełniej nie w czas. Franek przypuszczał, że przymiotniki (np. zamężna) utraciły swą moralną właściwość i aurę, które to (właściwości i aura) trzymały się już jedynie rzeczowników (np. kobieta). To niemożliwe, żeby się z nim nie widywała dlatego, że jakiś przymiotnik (np. zamężna) przyssał się niczym minóg do rzeczownika (np. kobieta).

Franek radził sobie nadal dobrze w pracy, jadał nadal pod złośliwą paprotką, nadal utrzymywał bliski kontakt z matką, nawet bliższy, niż wypadało: w końcu strofował ją za każdym razem, średnio dwa razy dziennie, że jego telefon pozostaje głuchy, Maja zaś nieuchwytna.

Nigdy nie stracił głowy w taki sposób. Poprzednio zakochiwał się powoli i rozważnie, w sposób dystyngowany, żaden tam zjazd ze stoku, tylko równinny bieg długodystansowca; zakochiwał się w sposób ostentacyjnie mieszczański, bezsprzecznie wygodny i zawsze nieoczekiwanie dlań zmierzający do katastrofy, następującej po kilku latach, kiedy to kobieta, którą kochał już pewnie i głęboko, z perspektywami na emeryturę i wzajemną eutanazję, wyprowadzała się z jego życia, czasem bez wyjaśnień, czasem sypiąc garścią dobrych rad na przyszłość prosto w oczy. Tym razem katastrofa wydarzyła się już na samym początku, co Franek przyjmował za dobrą wróżbę. Bądź co bądź sugerowało to, ta katastrofa, że po niej – przecież przeżyli! – będzie dobrze, wspaniale lub niechby w porządku.

Na razie nie wiedział jednak, jak postąpić. W akcie desperacji zamierzał odszukać męża Mai (i mu wszystko wytłumaczyć) lub syna Mai (i mu wszystko wytłumaczyć). Na szczęście nie stracił rozsądku na rzecz ambicji do tego stopnia, aby porwać się na jakiekolwiek w s z y s t k o i zrobić coś za plecami ukochanej. Przeczuwał, że bardzo by się to jej nie spodobało.

Dlatego jego jedyną aktywnością – nie licząc pracy i wykonywania naprzemiennych telefonów do Mai i matki – stały się wizyty w markowych sklepach z ubraniami. Każda taka wizyta przebiegała według identycznego schematu. Wchodził, nie przyglądając się wyłożonym towarom, szukał sprzedawcy, po czym pytał, czy posiadają w sprzedaży coś asymetrycznego. Jeśli tak, przymierzał, a jeśli leżało przyzwoicie – kupował. W ten sposób skompletował całkiem pokaźną garderobę, zwłaszcza swetrów z asymetrycznymi zapięciami oraz koszul w asymetryczne wzory. Największy problem stanowiły buty: nikt na rynku nie oferował asymetrycznego obuwia; musiałby kupić dwie różne pary, lecz to już nie byłaby asymetria, tylko fiksacja lub wariactwo.

Z odmienioną odzieżą czuł się pewniej. Zawsze nosił symetryczne rzeczy, wyjąwszy oczywiście taki szczegół, że w marynarce po jednej stronie znajdowały się dziurki, po drugiej guziki, a spodnie zapinały się na prawą stronę, zatem o doskonałej symetrii nie mogło być mowy.

Nowa asymetryczna garderoba wydała mu się wreszcie spójna z jego tak zwanym wnętrzem. Koniec końców nigdy nie uczestniczył w symetrycznej relacji. Matka dawała mu chaos, on odpłacał porządkiem. Podobnie było z innymi kobietami. Podobnie było też z mężczyznami. Oferował – na przykład – ojcu zainteresowanie jego życiem plus nieograniczony dostęp do własnej osoby, ojciec odwdzięczał się ciągłym brakiem czasu. Ojczymowi oferował to samo z identycznym skutkiem. Gwarantował swoim przyjaciołom ramię do wypłakania się i oparcie w trudnych chwilach, nikt jednak w obecności Franka nie skorzystał ani z chusteczki, ani z jego ramienia.

Franek uznał, że musiał być komiczny w poprzednim wariancie samego siebie. Komiczny i mechaniczny.

– Dlaczego nikt nigdy nie chce słuchać tego, co ja mówię? – spytał zrozpaczony Migotek.

– Tego nie wiem – odparł Ryjek. – Czy zawsze tak było?

Tove Jansson

Maja.   Nie posiadał się z radości, gdy zadzwoniła do niego Chciała spotkać się wcześnie, o dziewiątej rano, u niej w mieszkaniu, jak tylko Bruno wyjdzie do szkoły, wróci po zapomniane coś i wyjdzie znowu. On przystałby na każdy termin. Od razu wysłał mejla informującego, że jutro nie pojawi się w pracy z przyczyn osobistych. Nigdy wcześniej nie pracował w Polsce, nie wiedział, czy w Polsce wolno posiadać przyczyny osobiste, uznał jednak, że przebywa na terenie Unii Europejskiej, gdzie zasadniczo pozwala się ludziom – w ograniczonym, co prawda, reżimie – na posiadanie przyczyn osobistych.

– Inaczej wyglądasz – powiedziała, otwierając drzwi.

– Tak – odpowiedział, odwieszając kurtkę. – Zapinam się teraz po skosie. Na guziki.

– To jakaś moda?

– Nie wiem. Skłaniałbym się ku osobowości.

– Osobowość! – prychnęła. – Same przez nią kłopoty.

Nie kupił kwiatów, nie kupił wina (nikt chyba nie pije o dziewiątej rano), zamiast tego wyciągnął z torby pochodzącej z poprzedniego życia, a więc symetrycznej i skórzanej, plik gazet, zarówno dzienników, jak i tygodników. Nadadzą się na śniadanie, tak myślał.

– Dziękuję. Mamy teraz to przeczytać przy kawie i sobie streścić przy zmywaniu?

– Nie wiem. Potrzebowałem być miły. Dlatego je kupiłem. Możesz je wyrzucić.

Zaczerwienił się i zdenerwował. Ukucnął z braku lepszego rozwiązania.

– Co robisz?

– Próbuję zdjąć buty – odpowiedział zgodnie z prawdą i błagał jakieś Mojry, czy kto tam teraz odpowiada za ludzkie losy, żeby Maja wreszcie się zlitowała i przestała być tak chłodna i niemiła.

– Nie zdejmuj – powiedziała miększym tonem. – Jest świeża kawa. Chodź.

Poszedł do salonu, ona do kuchni. Próbował zająć wygodną pozycję na kanapie, kanapa jednak nie dawała mu takiej szansy. Najprawdopodobniej projektant kanapy nie przewidział sytuacji, w której mężczyzna rozsiądzie się komfortowo, ukrywając równocześnie silny wzwód. To była kanapa z czasów królowej Wiktorii, przynajmniej obyczajowo, pełna hipokryzji i sprężyn. Franek zakładał nogę na nogę i nogę na nogę, zawsze jednak – tak sądził – wyglądał na kogoś, kto coś zbroił. Jak pająk z urwanymi odnóżami, z którego ktoś wróżył. Kocha, nóżka pyk, lubi, kolejna amputacja, szanuje, przydałoby się już pogotowie.

Weszła z tacą, na tacy przyniosła dwie filiżanki, łyżeczki, cukiernicę i czajnik. Rozstawiła wszystko na stoliku.

– Dziwnie siedzisz – stwierdziła. – Boli cię brzuch?

– Chciałbym – wydukał – żeby to był brzuch.

– Może powinieneś się położyć?

– O, nie, nie, nie!

Maja miała określony plan, i na rozmowę, i na przyszłość, tylko że obydwa wyparowały.

– Prawdę mówiąc, nie wiem, jak zacząć.

– Może porobiłaś jakieś notatki?

– Rzeczywiście! – wykrzyknęła. – Poczekaj!

Wybiegła z salonu, a Franek zmienił nogę na inną nogę.

Wróciła. Usiadła i wpatrywała się w kartkę papieru.

– To ja opowiem po kolei. Jak przestaniesz coś rozumieć, pytaj. No, więc punkt pierwszy to poliamoria. Wiesz, co to jest?

– Jakaś wielomiłość?

– Niby tak. Czyli że ja chyba jestem poliamoryczna. Tak myślę. Mówiłam ci o Niezawinionym Smutku? Nie? To trudno. Nic nie szkodzi. Czyli jestem poliamoryczna, do niedawna nazywano by mnie latawicą, ale... ogólnie chodzi o to, że niektórzy ludzie nie czują się całkiem spełnieni w związkach bilateralnych. No wiesz, w takiej relacji jak zimna wojna, zasada gwarantowanego zniszczenia. Rozumiesz? – Franek nie skinął głową, co najwyraźniej Maja zinterpretowała na „tak". – Bezpieczniej czują się w strukturach ciut obszerniejszych.

– Jak bardzo obszerniejszych? – zapytał z niepokojem.

– Ciut – odpowiedziała.

– A konkretnie?

– Konkretnie to myślałam o tobie i Szymonie, ale ciągle nie wiem, czy to odpowiednie połączenie, bo widzisz, zdałam sobie sprawę, że Szymon kogoś poznał w Berlinie. Szymon z tą osobą przyjadą w sobotę. A ponieważ ja też poznałam kogoś, czyli ciebie, to pomyślałam, że się spotkamy wszyscy i zaprzyjaźnimy.

– Ten pomysł – stwierdził Franek – raczej z pewnością nigdy nie przyszedłby mi do głowy.

– Mnie przyszedł do głowy dopiero przedwczoraj. I od razu przeszły mi doły i rozpacze. One się zwyczajnie wypiętrzyły na mnie. Kiedy zaczęłam planować nową rzeczywistość, okazało się, że brakuje mi miejsca na zamartwianie się sobą, ponieważ muszę zamartwiać się innymi, chociaż pozostaje pytanie, tak czy owak, czy to się może udać?

Franek byłby gotowy przysiąc, że nie.

– Nie wszystko rozumiem. Chcesz powiedzieć, że aby być z tobą, muszę polubić twego męża i jego obecną kochankę?

– Polubić to chyba za mało – stwierdziła oszczędnie, tak jak podpowiadał jej umysł. – Myślałam raczej o czymś innym. Akceptacji? Bliskości? Przyjaźni?

Wzwód niespodziewanie dobiegł mety, Franek mógł przybrać bardziej otwartą i wygodniejszą pozycję. Był już nie zdenerwowany, lecz poirytowany. Burknął:

– A jak to sobie wyobrażasz w szczegółach?

– No właśnie, w szczegółach jeszcze nie zaczęłam. Dopiero wyobraziłam sobie ogólny nastrój i strukturę.

– Aha. Nastrój i strukturę – powtórzył cierpko. – Świetnie.

– Idealnie by było, gdybyśmy kupili większe wspólne mieszkanie, tak myślę.

– Większe, wspólne mieszkanie. Idealnie.

– Czy zamierzasz ograniczyć swój wkład w moje życie do powtarzania po mnie? To jest oczywiście bardzo miłe, ale niekonkluzywne, do powtarzania wystarczy mi magnetofon.

Powstrzymał się przed powiedzeniem: „twoje życie" i „mój wkład". Powstrzymał się przed powiedzeniem, że magnetofony od lat istnieją wyłącznie we wspomnieniach. Bardzo chciał dać wyraz złości, która, czuł to, rosła z każdym zdaniem Mai. Nie rozbijał przedmiotów, nie krzyczał, nie zgromadził wcześniej praktycznych doświadczeń na temat radzenia sobie ze złością, ponieważ nigdy się nie złościł, nie na tyle poważnie, żeby musieć coś zrobić albo rozbić.

Wstał gwałtownie i podszedł do okna.

– Coś ci się stało?

– Maju, jak sobie radzisz ze złością?

– Kiedy z dużą, to szlocham. Kiedy z mniejszą, to kupuję sobie coś, na co mnie nie stać, jakiś drobiazg, na przykład płatki matujące Channel w skórzanym etui.

Pokręcił intensywnie głową, jak gdyby nie zadowoliły go odpowiedzi. Nie widziała jego twarzy, bo wpatrywał się w ulicę, a przynajmniej mógłby.

– Ostatnio – kontynuowała – jak się zezłościłam, to kupiłam cztery granaty, bo ich nie lubię. Co to w ogóle jest za owoc, żeby nazywać się jak broń?! Co za porąbany pomysł! Kupiłabym normalnie coś innego, ale powinnam oszczędzać. Jestem w końcu bezrobotna. Zresztą mam je chyba do dziś. Lubisz granaty? Można nimi posypać sałatę. Lubisz?

– Nie.

Milczeli dłuższą chwilę.

– Jeszcze pięć minut temu nie podobało mi się, że powtarzasz po mnie. Po namyśle cofam, co powiedziałam. Wolę, jak powtarzasz, niż jak milczysz. Zauważ, że jestem refleksyjna. Zmieniłam w końcu zdanie. I to szast-prast, a nie po roku czy czyimś zgonie! Och, czasem zaskakuje mnie moja zdolność do adaptacji!

Dopiero teraz odwrócił się od okna.

Cały zrobił się czerwony. Żyły na szyi nabrzmiały fioletowo.

– Matko jedyna! – wykrzyknęła. – Wyglądasz jak Hulk!

Chciał ją poprawić, że Hulk robił się z wściekłości zielony, nie czerwony, nie potrafił jednak wydobyć z siebie ani jednego słowa.

– Połóż się na podłodze, a ja przyniosę jakiś zimny okład i gdzieś powinnam mieć choć jeden xanax. Trzymałam sobie na urodziny...

Brian, tytułowy bohater filmu Monty Pythona, nie mogąc znieść tego, że tłum wyznawców obwołał go Mesjaszem i nie odstępował nawet na krok, próbował usilnie, lecz daremnie, przekonać swoich prześladowców, aby przestali zachowywać się jak stado owiec i rozeszli się, każdy w swoją stronę. „Jesteście indywidualnościami!" – krzyknął Brian. „Tak, jesteśmy indywidualnościami" – odpowiedział tępo, zgodnym głosem, chór wyznawców. Tylko jeden wątły głosik zaprotestował: „A ja nie". Brian spróbował inaczej. „Musicie się różnić!" – zawołał. „Tak, musimy się różnić!" – potwierdził w uniesieniu chór głosów. I znów pojedynczy głos zaprotestował: „A ja nie". Słysząc to, tłum spojrzał po sobie gniewnie, gotów zlinczować odszczepieńca, gdyby tylko udało się go odnaleźć w jednolitej ludzkiej masie.

Zygmunt Bauman

– Często ci się to przydarza?

Leżeli nadzy na podłodze. Maja pod głowę podłożyła zwinięty w tobołek sweter Franka.

– Co mi się przydarza?

– No, że... że przeistaczasz się w bakłażana z elementami pomidora.

Zaśmiał się.

– Tak wyglądałem?

– Tak. Strasznie. Jak na tych horrorach, w których zmutowane warzywa mordują niewinnych ludzi.

– Byłaś świadkiem mego pierwszego przeobrażenia.

– I nie chciałabym świadkować kolejnemu. Poza tym musimy wstać i się ubrać. Bruno czasem wagaruje.

– Syn nie widział cię nago?

– Och, widział, widział. Nie on jeden.

Maja uśmiechnęła się, przypominając sobie zdarzenie z zeszłego bodaj roku. Było dość późno, a ona zmęczona leżała w łóżku. Usłyszała, że Bruno wrócił i zamknął się w swoim pokoju. Potem rozmawiał przez telefon. Nie mogła zasnąć, bo on gadał i gadał. Wreszcie nie wytrzymała, wstała (a zawsze sypiała nago) i poszła do pokoju syna. Otworzyła na oścież drzwi z okrzykiem: „Skończże gadać przez ten pieprzony telefon!". W pokoju siedzieli Bruno i jego dwaj koledzy. Rozmawiali ze sobą, nie przez telefon. Trzy późnochłopięce, przedmęskie twarze, na których malował się podręcznikowy obraz wstrząsu. „No, dobrze, możecie sobie rozmawiać, tylko nie przez telefon", powiedziawszy to, zamknęła drzwi i wróciła do łóżka. Byłaby skrępowana, gdyby nie wyraz ich twarzy, trzy niemal identyczne wyrazy twarzy. Komiczne. Absolutnie komiczne. Zasnęła bez kłopotu.

Rankiem przy śniadaniu Bruno mruknął, że wystraszy mu wszystkich kolegów. Odpowiedziała, że wręcz przeciwnie. Gdy pójdzie fama, że jego matka nago chodzi po domu, nie będzie mógł opędzić się od kolegów. Chyba nie znalazł ciętej riposty, nasypał płatków kukurydzianych do mleka, nieco więcej niż zwykle.

Franek pomagał Mai przyszykować obiad. (Oczywiście, on sam miał zniknąć, nim wróci Bruno). Na gotowaniu się nie znał, ostatnio rzadko jadał coś, co nie zawierało zarodników paproci, nadawał się jednak do monotonnych czynności, w których odnajdował pewien rodzaj satysfakcji. Pokrojenie cebuli w drobną kostkę miało sporo sensu. Marchewka w kostkę również brzmiała sensownie, chociaż wolałby coś trudniejszego, na przykład rozgwiazdy. Pokrojenie marchewki w rozgwiazdy mogłoby całkowicie rozpogodzić Franka.

Gdy Maja dorzuciła do marchewki zielony groszek, Franek prawie się naburmuszył. Przerobienie zielonego groszku na sensowne sześciany uspokoiłoby go i byłoby wspaniałym wyzwaniem na równinach monotonii.

– Nie uważasz – powiedział – że nie powinno się łączyć okrągłego z kanciastym?

– Teraz uważam tylko, że Bruno powinien zjeść obiad za godzinę. Jak wróci ze szkoły. Czy dzisiaj czwartek?

– Czwartek.

– Dziwne. W czwartki są dwie godziny historii i Bruno zwykle wagaruje. O, Boże! Mam nadzieję, że nic mu się nie stało!

– Jak wagaruje – próbował ją uspokoić – to pewnie stara się, żebyś o tym nie wiedziała. To dlatego przyjedzie na czas, jakby nie wagarował.

– No – powiedziała – nie do końca mnie uspokoiłeś. Zazwyczaj kłamał, że nauczyciel zachorował. Nie lubię, kiedy ludzie kłamią wielowariantowo. Wtedy to zaczyna przypominać religię. Brr! – wzdrygnęła się.

Franek rozkliwił się, że Maja tak pięknie potrafi martwić się synem. Musiał ją pocałować. Ponieważ poruszała się nad kuchenką i coś mieszała, doprawiała, trafił w ucho. Myślał, że go skarci. Karcenie, tak na marginesie, też lubił, też go uspokajało; gdy Franka karcono, wiedział, że świat płynie odpowiednim korytem. Matka go często karciła, ponieważ – jak się nauczył w czasie terapii – nie umiała sobie poradzić z tym, że nikt jej nie zapytał, czy chce być matką. Maja jednak nie fuknęła; przeciwnie – wzięła jego dłoń i zacisnęła, ze swoją mniejszą na zewnątrz, na własnej piersi.

– Jak myślisz? A?

Nie zrozumiał, że pije do miseczek.

– A to pierwsza litera – powiedział bardzo serio. – Pewnie najważniejsza.

Roześmiała się, mieszając kanciastą marchewkę z okrągłym groszkiem.

– Powinieneś powiedzieć: ach, nie, przynajmniej DD!

– Dd – powtórzył zdezorientowany. Nie miał zielonego pojęcia, dlaczego każe mu powtarzać nazwę programu do niskopoziomowego kopiowania i konwersji surowych danych.

Maja była radosna, nad marchewką i groszkiem. Nigdy nie spotkała mężczyzny tak bardzo przypominającego syna. Albo syna przypominającego tak bardzo mężczyznę.

– Zaraz wróci Bruno i będzie cudownie – powiedziała.

– Albo nie – odpowiedział.

32.

Ala ma małe, ładne pudełko. W tym pudełku są igły i nici.
I małe lusterko. Ojej, co tu tego!
I Janek ma ładne pudełko. Ale ma tu co innego. A co?

Marian Falski

Odstawił Patryka do domu. Nadal był wewnętrznie rozdygotany, i wyznaniem chłopca, i spotkaniem z Krzysiem. Nie spodziewał się ani pierwszego, ani drugiego. Zamierzał od razu wrócić do siebie, Maria jednak nalegała – przygotowała jego ulubiony obiad, praktycznie kolację, te kalki z angielskiego, biorąc pod uwagę porę: kurzą wątróbkę na miodzie z rodzynkami i cynamonem. Zjadł na milcząco. Z trudem przychodziło mu mówienie o czymś innym, niż myślał, a akurat o tym, o czym myślał, wolał nie mówić.

Nie naciskała na rozmowę. Maria to wspaniała kobieta, myślał, rozumie wszystko, zanim się wydarzy.

Kuana nie było. Poszedł do rodziców. Jakiś wieczorny, niespodziewany i najwyraźniej bardzo szanowany lub bardzo zamożny klient wymagał obecności tłumacza. Bez Kuana ojciec nie dogadałby się z pacjentem.

Norbert zjadł, pochwalił zjedzone.

Pożegnał się i wyszedł, całkiem zadowolony, że uniknął spotkania z kochankiem. Jechał szybko i ryzykownie, dostosowując się do przepisów jedynie przy fotoradarach i pieszych na pasach. Nakarmił złotą rybkę. Azor zamerdał welonem. Posiadał komplet odruchów psa łańcuchowego, z dwoma wyjątkami: nie szczekał, zaś jego łańcuch był szklaną granicą – wody oddzielonej od powietrza.

Norbert wziął prysznic. Namydlając ciało żelem, nie zdołał uniknąć myśli dręczącej go od lat, myśli, z którą poradził sobie na tyle skutecznie, że zazwyczaj nie musiał jej pacyfikować. Namydlając się, zastanawiał się, czy coś by zmienił lekki opór. Coś w jego życiu i świadomości. Opór, który stawiają mydlinom włoski, te z przedramion i te gęstsze z podbrzusza. Oczywiście, nie wyrosły mu ani pierwsze, ani drugie, nie wyrósł mu żaden opór, żaden om, czy jaka tam obecnie obowiązuje jednostka oporu, może brzoza smoleńska?, jednak wyobrażanie sobie granicy własnego ciała, którą bierze się pod włos, zawsze go podniecało, w sensie mniej zmysłowym, a więcej intelektualnym. Maks na przykład był owłosiony punktowo, za to intensywnie: gęstwina pach i krocza, poza tym satyna. O owłosieniu Kuana nie wiedział Norbert nic.

Wyobrażał sobie, jakie to musi być dziwne uczucie, dziwaczne i wspaniałe – stawiać opór własnym dłoniom, zaplątywać się między palcami. Kiedyś wyniósł perukę kochanka – wybrał najgorszą i najtańszą, znienawidzoną, nieużywaną i praktycznie poświęconą molom – założył ją i wszedł pod prysznic. Włosy spływały mu aż na pośladki, to była peruka na okoliczność utworów bardzo wczesnej i obfitej Violetty Villas. Syntetyczne włókna zbiły się w kilka strumieni. Specjalnie na tę chwilę kupił szampon. Szampon świetnie się pienił. Norbert patrzył, jak biała piana płynie wstążkami do stóp, osobliwie skupiając się wokół członka, nagle otoczonego bąbelkami zarostu, jak gdyby przez słomkę ktoś wdmuchiwał do szklanki z napojem powietrze. Nigdy tego nie nazwał, bał się chyba, wtedy jednak po raz pierwszy poczuł się kompletny. On i włosy. Albo inaczej – on i coś obcego, coś sztucznego, wyprodukowanego, sprokurowanego; on plus oszustwo, iluzja. To było niezwykle silne odczucie. Nie odważył się na generalizację ani na zapamiętanie uogólniającego wniosku – istota ludzka staje się istotą kompletną, dopiero wtedy gdy zostanie dodany element wytworzony, zewnętrzny; człowiek nigdy nie jest sobą, gdy jest sobą. Człowiek jest sobą tylko wtedy, gdy jakiś element w nim nie jest nim samym. Przeszczep albo intarsja – wyłącznie zewnętrzne ingerencje prowadzą do kompletności.

Człowiek bywa kompletny pod warunkiem, że nie jest stuprocentowo sobą – tak wolno by streścić i zakończyć wieloletnie dywagacje Norberta. Ta przestrzeń niepierwotna, to coś pomiędzy sobą a sobą szczęśliwszym, ta nisza w psychologii, pozwalająca na współżycie, śmiech, radość, to jest społeczeństwo, coś zewnętrznego, coś sztucznego, coś dopełniającego. Nikt, prawie nikt nie ma dość siły, żeby żyć, wyrzekłszy się owej szczeliny kurtuazji i konwenansu. Och, to wszystko wina Ninel! To jej pierdolenie wżarło się w mózg Norberta! Myśli teraz o szczelinach, o społeczeństwie, o procentowej zawartości siebie w sobie, zaraz gotów porzygać się kapitałem społecznym albo k. zaufania, a powinien przecież od dawna spać albo zadzwonić do tego... jak mu tam? Andrzeja? I dlaczego „jak mu tam?", przecież doskonale pamięta. Pamięta to imię od lat, od kiedy Krzyś się z nim związał. Norbert przecież zawsze nasłuchiwał.

Podjął w swoim życiu miliony decyzji. Gdyby je wszystkie spisać, nie powstałaby powieść, lecz spis, wypis, odpis, świadectwo rozłożonego na PIT-y zgonu. Podejmował decyzje absolutnie samodzielne, na przykład na temat idealnego kochanka, do którego się masturbował. Podejmował decyzje ograniczone, lecz suwerenne, na przykład gdy decydował się na taką a taką pozycję z menu lub koszulę w sklepie. Podejmował również decyzje, które zostały już podjęte – wiadomo, że nie odmówi prośbie rodziców i wiadomo, że zagłosuje na prawicę. Podejmował decyzje w pracy, one akurat były proste – istniały procedury, których powinien się trzymać, oraz miejsca w procedurach, w których przełożony decydował o biegu sprawy, choć to Norbert podpisywał się pod biegiem, niekiedy wstecznym.

W życiu osobistym również obowiązywały procedury, bardziej zagmatwane, jednak nie na tyle, aby sparaliżować ośrodek decyzyjny. Kocha i nie, kłamie i nie, czuje i nie, i tak dalej. Pojawiały się niestety również takie sytuacje, gdy decyzja nie przychodziła. Norbert nie wiedział, co wybrać. Każdy wybór byłby wyborem przeciwko sobie. To tak, jakby wegetarianin musiał zadecydować, czy woli zjeść kanapkę z wieprzowiną, czy wołowiną, albo pacyfista musiał wybrać między wystrzelaniem grupy muzułmanów lub chrześcijan. To były decyzje zawsze bezpieczne, ponieważ – niezależnie od decyzji – musiały okazać się chybione, błędne, złe.

Gdyby ludzie byli inteligentni, podejmowaliby takie decyzje z łatwością. Koniec końców i tak wybiorą źle, dlatego powinni wybrać szybko. A jednak najczęściej podjęcie złej decyzji wymaga ogromnego wysiłku.

Czy powinienem powiedzieć, że spotkałem Krzysia, czy też nie? A jeśli tak, to komu? A jeśli nie, to przed kim zataić? Komu skłamać? Kogo zdradzić? Co to będzie oznaczało w przyszłości? Bilans czy balast?

– Możesz przyjechać. I tak nie śpię – oznajmiła.

Nie musiał się nawet ubierać, ponieważ się nie rozebrał.

Otworzyła w znajomy sposób, niczym wiewiórka zapraszająco-wypraszająca, do i z dziupli, uchyliła wąsko drzwi, wystawiła nos przez szparę, czy on chce moje żołędzie?, zidentyfikowała wzrokowo intruza. Wszedł do środka i od razu wyrzucił z siebie kilka zdań, streszczających ostatnie dwa dni i ich spodziewane konsekwencje.

– Chcesz się napić kawy? Alkoholu? Mleka?

– Mleko – wybrał; to był łatwy wybór. – Mogłabyś podgrzać?

– Mogłabyś – odpowiedziała.

Poszła do kuchni, gdzie rozpoczęła manewry podgrzewające, natomiast on przeszedł do sypialni, buty zzuł w korytarzu, i wyciągnął się na kapie. Nie było jej tak długo, że się rozmarzył.

– O czym myślisz? – zapytała, stawiając kubek z gorącym mlekiem.

– O kolorowych kulkach – odpowiedział zgodnie z prawdą, z debilnym rozmarzeniem.

Jego odpowiedź chyba ją rozczarowała. Dlatego usiadła na brzegu łóżka i nie próbowała go dotknąć. Przyzwyczaił się, że go dotykała. Ona przyzwyczaiła się, że on jest. Najczęściej niedokładnie taki, jakiego by chciała, to jednak nie miało aż tak wielkiego znaczenia. Liczyło się, że był; głównie dla niej, do ręki przyłóż. Liczyła również na to, że kiedyś on zgodzi się poznać jej przyjaciół. Jak dotąd, odmawiał z furią. To było chyba największe wyzwanie stojące przed nią: przekonać Norberta, że nie jest gorszy, że znajdzie wspólny język z jej eleganckimi, świetnie wykształconymi znajomymi. „Nie pozwolę ci, kurwa, zrobić ze mnie małpki w jebanym cyrku", tak mówił. Dlaczego małpki? Mógłbyś zostać lwem, myślała.

– Wystygnie – ostrzegła.

– Pewnie masz rację. Wystygnie.

– Wypij i zaśnij. Podejmiesz decyzję później.

– Poradzisz mi coś?

– Przecież nie podejmę decyzji za ciebie.

– Wiem. Poradź mi cokolwiek. A ja się zastosuję. Nie bądź egoistką, poradź mi coś! Wtedy całe życie będę mógł przerzucać winę na ciebie. Rozumiesz tę ulgę? Moją ulgę?!

– A pomyśl o mnie. Jestem od ciebie starsza, może mi też przydałyby się ulgi?

– Kurwa, znowu ty, ty i ty! Twoje ego, złamana noga twojej matki, a ja?!

Sapnęła, zamierzała zatem powiedzieć coś jej zdaniem prawdziwego i równocześnie budzącego jej głęboki sprzeciw:

– Posłuchaj Krzysia.

Po wcześniejszym wybuchu Norberta nie pozostał nawet odcisk na jego twarzy.

– Dobrze. Czy twoja, a praktycznie już moja decyzja ma racjonalne uzasadnienie?

– Nie.

Spał krótko, lecz – jak to miał w zwyczaju – intensywnie. Śnił wiele snów, wiele warkoczy splątanych wątków; tak wiele, jak gdyby przespał tydzień, a nie kilka godzin. Na cyferblacie czerwonymi cyframi wybijała godzina 4:59. Wstał. Ninel się nie obudziła. Wstając, niechcący ściągnął z niej kołdrę. Ninel leżała na wznak. Zapomniała zaciągnąć zasłony, światło ulicznej latarni wpadało do pokoju. Widział jej twarz, nie wyrażała niczego: ani miłości, ani akceptacji, ani jej braku, ani ironii, ani zaangażowania, ani ewolucji, ani kreacjonizmu. To była twarz, która wyjechała na tydzień do Hurgady i po prostu leżała w poduszce przy botoksowo odętych plażach i rafach. To była twarz niczym pudełko puzzli w nieładzie. Cierpienie albo ekscytację trzeba by dopiero sobie ułożyć. To była twarz rozbita na dwie kategorie: na hologram twarzy, czy też jej matrycę, nieosobową, bo wspólną w założeniach wszystkim twarzom świata, oraz na wiązki mięśni mimicznych i zmarszczek. Twarz Ninel przypominała stół z rozsypanymi bierkami. Jedynie wyciągając poszczególne włókna, mięśnie i patyczki zmarszczek, można coś stworzyć, jakiś wyraz, wyraz zniechęcenia, pogardy czy inny jakiś. Norbert wyciągał bierki z jej twarzy, żeby złożyć sobie jej uśmiech. Nie zadrżała mu ręka. Wygrał.

Piersi rozsunęły się na boki, każda zwieńczona małym plackiem – racuszkiem, pomyślał – bladoszarego w tym oświetleniu sutka. Rozsunięte piersi odsłaniały mostek. Układ dwóch niedokładnych półsfer (piersi) i skrzywionej kreski (mostek) bił wyzywająco, w tempie pięćdziesięciu uderzeń na minutę, zwłaszcza dla konsumentów seriali o wampirach lub kardiologów. Norbert jednak wzruszył się niżej, poniżej pępka Ninel.

Norbert posiadał niezwykłą pamięć skóry. Świetnie wiedział, czego i kiedy jego skóra dotykała. Jego skóra odróżniała z zamkniętymi oczyma dotyk brzoskwini od dotyku moreli, dotyk czystej bawełny od bawełny zanieczyszczonej poliestrem. Gdy poznał Ninel, była zarośnięta. Nie musiał widzieć jej zarostu, wystarczyło, że czuł. Czuł miękkie włosy oraz sztywniejsze. Bardzo okazywało się to podniecające dla jego skóry. Teraz jednak Ninel nie posiadała włosów. Wzgórek Wenery czy też Równina Niedostatecznej Dzietności została ogołocona z włosów równie skrupulatnie, jak skrupulatnie ogołocony został cały Norbert.

I Norbert się wzruszył, ponieważ pomyślał, że Ninel wygoliła się dla niego.

Wzruszał się jedynie prezentami, które nie były dawaniem, ale odbieraniem sobie.

Było na tyle wcześnie, że zdążył wrócić do domu, wziąć prysznic, zjeść śniadanie, przebrać się w garnitur i pochwalić Azora za welon oraz ogólnie rozsądne zachowanie, połączone z niehałaśliwym trybem życia.

Tu stoją. A tam lecą. To jest kącik Ali. Tu są jej lalki. Jak tu milutko.

Marian Falski

Andrzej okazał się dżentelmenem, wytrzymał cały dzień, zadzwonił po ósmej wieczorem.

– Nie, przykro mi. Nie znalazłem go.

– Dzięki, że próbowałeś. Dobranoc.

– Dobranoc.

Krótka rozmowa, tak krótka, że Norbert nawet nie zorientował się, iż kłamie. To znaczy wiedział, że kłamie, kłamał jednak tak krótko, jak gdyby mówił prawdę, jak gdyby odpowiadał na pytanie o godzinę. Czy ludzie rzeczywiście słyszą, co się do nich mówi? – Norbert dawno temu nabrał podejrzeń. Ba!, sam nauczył się sztuki puszczania mimo uszu.

Na przykład Maks od lat powtarzał przy każdej intymnej okazji: „Ty mnie bardzo kochasz". („Baldzio kochaś", gdy nie był Maksem, a Kim Lee). Powtarzał to tak często i od tak dawna, że puszczanie mimo uszu przyniosło trwałe efekty. Norbert nie słyszał „ty mnie baldzio kochaś" wystarczająco długo, żeby stało się prawdą. Prawdopodobnie to jest ten równorzędny i źle zbadany kanał komunikacyjny – ludzie wierzą najchętniej i najgłębiej w to, czego nie słyszą.

Channeling (także kanalizm) – popierany przez New Age fenomen parapsychologiczny, polegający na wierze w to, iż transcendentny ośrodek emisyjny (np. Jezus Chrystus, aniołowie, bogowie greccy) wysyła przesłanie za pomocą „kanału" (termin zaczerpnięty z kanałów radiowych lub telewizyjnych), czyli przez osobę znajdującą się w transie lub w stanie zaburzonej świadomości.

http://www.wrozbita-david.home.pl/

Norbert wyciągnął się w łóżku i włączył ulubiony kanał – Kosmicę TV. Za jakieś cztery złote plus VAT dzwoniło się do wróżbity i uzyskiwało poradę, na żywo, na wizji. Kiedyś zmusił Ninel do obejrzenia Kosmicy TV, wytrzymała kwadrans, ciągle się śmiała i płakała ze śmiechu; wróżył wróżbita, David.

– Przecież w to nie wierzysz – powiedziała.

– Nie wierzę – odpowiedział.

– Dlaczego to oglądasz?

Zarumienił się:

– To jedyne miejsce, gdzie wszyscy są znacznie głupsi ode mnie. I ci na wizji, i dzwoniący. Tylko tutaj czuję się członkiem Mensy.

Spodziewał się, że skomentuje to złośliwie. Nie zrobiła tego.

– Pocałuj mnie.

Pocałował.

– Nie czujesz się... zażenowana tym kanałem?

– Nie. Jestem... jestem ujęta... odwagą. Dzwonił pan urodzony w 1932 roku, słyszałeś? I prosił o szczęśliwe liczby. To nie głupota. To poruszające. Pomyśl tylko, ktoś ma osiemdziesiąt lat i dzwoni, bo pragnie odmienić swój los. Ach, pewnie wy, młodzi, nie używacie słowa „los".

– Przecież to jest jebane nabijanie debili w butelkę!

– Tak. Niby debile dzwonią i debile odpowiadają, pozornie, ale taki kanał to skarb. Powinien mieć dofinansowanie z Ministerstwa Zdrowia.

– Nie rozumiem. Przecież to parada idiotów.

– Parada idiotów – potaknęła smutno. – Na inną paradę tych idiotów nie wpuszczono. Zastanawiałeś się kiedyś, kto dzwoni?

– No tak, pojeby, przesunięte piąte klepki.

– Dzwonią ci – przemówiła tonem dydaktycznym – którzy się nie mieszczą w naszym świecie.

– Że niby wykluczeni, tak? Wiem, jak bardzo lubisz to słowo – dodał jadowicie. Ninel nauczyła go, że można być jadowitym, nie rozbijając telefonu albo laptopa ani nie wypowiadając przyjaźni na zawsze i nigdy więcej.

– Śmiej się, śmiej. Kiedyś jednak możesz znaleźć się w sytuacji, w której będzie cię stać jedynie na opłacenie kłamstwa. Niedrogiego zresztą, cztery złote za minutę.

Zacisnął zęby. Mięśnie jego klasycznej, kwadratowo męskiej szczęki wykonały robotę godną starych westernów albo gladiatorskich pojedynków.

– Strasznie mnie wkurwiasz – stwierdził z prostotą. – Rozumiem, że kochasz pedały i lesby, nie rozumiem, dlaczego kochasz debili. Debile to nie jest mniejszość.

– Debile to większość – zgodziła się. – Czasem mniejszość musi szanować większość.

33.

Pani Hilbery doskonale radziłaby sobie sama, gdyby świat wy-
glądał tak, jak nie wygląda. Była znakomicie przystosowana do
życia na innej planecie, tymczasem jej wrodzony dar do zajmo-
wania się różnymi sprawami w obecnych okolicznościach na
nic się nie zdawał.

Virginia Woolf

– Cały ten kryzys to wina kapitalizmu, który odszedł od chrześcijaństwa. W Księdze Kapłańskiej powiedziano, że w przy-
padającym co czterdzieści dziewięć lat Roku Jubileuszowym
należy „dać ziemi odpoczynek". Należy zwrócić pierwotnym
właścicielom to, co się od nich kupiło, a dłużnikom umorzyć

długi. To jedyny sposób, żeby uchronić świat przed katastrofą, jaką stała się kumulacja bogactwa.

Maja słuchała nieuważnie perory siostry, dzieląc uwagę na troje, między: obserwację pary najmłodszych istot, usiłujących z zapałem wpełznąć pod serwantkę lub choć upchnąć pod nią to mniejsze (dziewczynka) przez to drugie, nieco większe (chłopczyk); nasłuchiwanie dźwięków z kuchni, gdzie para starszych dzieci dojadała kolację, przynajmniej teoretycznie, zamiast uderzeń sztućców o talerze Maja słyszała bowiem uderzenia czaszki o podłogę, acz mogła się przesłyszeć; oraz – oczywiście – wysłuchiwanie tego, co Faustyna miała do powiedzenia.

– Faustynko, pieprzysz jak pani Cecylia. Kościół nie oddaje tego, co nabył, nie tylko w trybie czterdziestodziewięcioletnim, ale nawet w czterystudziewięćdziesięcioletnim. – Chłopczyk zdołał tymczasem upchnąć głowę siostrzyczki pod meblem, teraz dopychał do głowy resztę. Dziewczynka zanosiła się śmiechem. – Nie boisz się nigdy, że jakiś mebel zmiażdży twoje dzieci na krwawą miazgę?

– Nie – odpowiedziała Faustyna. – Wierzę w boską opatrzność.

Boska opatrzność zawsze Maję wyprowadzała z równowagi, wydawała jej się usprawiedliwieniem nieuważności i nieodpowiedzialności. Teraz jednak przyznała rację siostrze. Gdybym tak jak ona, myślała Maja, urodziła zamiast dzieci cztery króliki z reklamy Duracella, też uwierzyłabym w boską opatrzność. Te dzieci są tak ruchliwe, a przeżyły już tyle lat (najmłodsze, chichoczące pod meblem, zbliżało się do trzecich urodzin), że bez zewnętrznej interwencji trudno wytłumaczyć ich zewnętrzną i jak najbardziej aktualną integralność.

– Czy w tym roku wypada Rok Jubileuszowy?

– Nie mam pojęcia. Dlaczego pytasz?

– Bo chyba jedynym prawdziwym chrześcijaninem okazał się twój mąż. Zwrócił ci wszystko, co mu dałaś. Całą czwórkę.

Liczyła na wybuch ze strony siostry. Faustyna z czworgiem potomstwa mieszkała u Mai od trzech dni. Goście wykończyli Maję (i wykańczali nadal) psychicznie, wyeksploatowali niby górnicy sztolnię. Nigdy nie była sama, ciągle gdzieś coś ulegało przewróceniu lub stłuczeniu, ktoś pełzał, sikał, krzyczał lub zawodził, ponadto Faustyna nieustannie monologowała o wspaniałości wiary i Boga w odmianie rzymskokatolickiej. Krótkie chwile wytchnienia i satysfakcji znajdowała Maja jedynie wtedy, gdy udawało się jej doprowadzić siostrę do łez. Teraz jednak Faustyna wcale się nie wściekła ani nie zalała łzami.

– Nigdy nie myślałam o tym w ten sposób – stwierdziła.

– Nie martw się – odpowiedziała Maja. – Będziesz mogła wepchnąć w gardło męża swoją czwórkę za czterdzieści dziewięć lat. Właściwie nie wiem, czy czwórkę, bo mam wrażenie, że ta dziewczynka pod serwantką zsiniała.

Faustyna poderwała się, ażeby wydzielić serię klapsów synowi, następnie wyciągnąć córkę spod mebla. Z niejakim podziwem Maja zauważyła, że prawdziwi chrześcijanie, jeśli oczywiście Faustyna jest prawdziwą chrześcijanką, w życiu codziennym są konsekwentni, raczej synchroniczni niż diachroniczni. Najpierw Faustyna wlała małemu (Stary Testament, czyli karać), potem okazała łaskę (Nowy Testament, czyli ratować i przebaczać). Stary Testament wył wniebogłosy, trzymając się za tyłek, Nowy Testament szlochała na ramieniu Faustyny.

Maja wstała.

– Idziesz gdzieś? – zapytała Faustyna.

– Tak. Na spacer. Możliwie najdalej stąd. Mdli mnie.

– Zawsze byłaś egoistyczną, kawiorowo-lewicową pizdą – powiedziała Faustyna czułym tonem, pewnie dlatego, że tuliła dziewczynkę. – Pierdolona córeczka tatusia. Lala z folderu.

– A ty – zrewanżowała się Maja – zawsze byłaś instalacją rozpłodową mamusi. Nie mogę uwierzyć, że nie dobiłaś do dziesiątki potomstwa. Rozczarowałaś panią Cecylię.

> – Ciekawe, dlaczego mężczyźni zawsze rozmawiają o polityce? – zastanowiła się na głos Mary. – Gdybyśmy mogły głosować, też pewno musiałybyśmy o niej rozmawiać.
>
> – Pewnie tak. A pani przez całe życie walczy o to, żebyśmy mogły głosować, prawda?
>
> – Owszem – odparła z całą stanowczością Mary. – Zajmuję się tym codziennie od dziesiątej do szóstej.
>
> Virginia Woolf

Maja odetchnęła głęboko przed klatką. Hałas ulicy wydawał się kojący w porównaniu z hałasem rozbrzmiewającym od trzech dni w jej domu. Kłębki pary biegnące z jej ust wydawały się niezobowiązujące i naturalne, przychodziły łatwo, rozpływały się bez wysiłku, niczym emocje w udanym związku.

Raźno pomaszerowała do knajpki na ulicy Różanej. Coś zje i wypije tyle wina, ile ma pieniędzy w portfelu, czyli najwyżej trzy lampki.

Idąc, wczoraj spadł pierwszy śnieg, Maja zastanawiała się nad relacją mniejszość-większość. Większość w tym kraju to katolicy, mniejszość to ateiści; większość to osoby heteroseksualne, mniejszość to osoby homoseksualne; większość to Polacy, mniejszość to inne narodowości lub grupy etniczne; większość to rasa biała, mniejszość to inne rasy; większość to kobiety, mniejszość to mężczyźni; większość pracuje i płaci ZUS, mniejszość utknęła na bezrobociu; większość głosuje, mniejszość wtedy grilluje; większość nie rozumie złożonego zdania, mniejszość potrafi przeczytać ze zrozumieniem cały akapit. Maja raz znajdowała się w grupie większo-, raz w mniejszościowej, zależnie od kryteriów, jak piłeczka pingpongowa.

Mniejszość boi się większości, gardzi większością, trochę jej też zazdrości. Większość trochę zazdrości mniejszości, ale przede wszystkim próbuje ją zniszczyć. Nie ma, nie ma i nie będzie zgody między większością a mniejszością. Co najwyżej traktat pokojowy.

Dotarła do knajpki, zamówiła tosty z łososiem oraz podwójną lampkę wina. Zdawała sobie sprawę, jak bardzo odkleiła się od standardowej narracji o kryzysie. Oto bezrobotna od miesięcy kobieta zamawia tosty z zagraniczną rybą i równie zagraniczne wino. Nosi markowe ubranie, a jej skóra wykazuje ślady kremów przeciwzmarszczkowych od Lancôme w górę. Atrybuty pozycji społecznej dawno rozminęły się z rzeczywistą pozycją społeczną.

Zaprosiła Faustynę z króliczkami Duracella po to, żeby zadowolić panią Cecylię. Wiedziała, że się umorduje z siostrą i jej potomstwem, nie istniał jednak inny sposób na udobruchanie matki. Maja wolała naprawić stosunki z matką, zwłaszcza w świetle prawdopodobnego pogorszenia stosunków z Szymonem. (Z Brunem stosunki uległy automatycznemu pogorszeniu, gdy tylko wprowadzili się goście).

Faustyny jak gdyby nie obeszło odejście męża. Ot, kolejna przeciwność losu, rzucona na jej wykonany z adamantu chrześcijański krzyż. Nie wspominała o tym, nie płakała, nie złościła się.

– *No i z czego ty zamierzasz żyć? – zapytała Maja.*
– *Nie wiem. Może kogoś poznam. Nowego mężczyznę. W neokatechumenacie jest jeden bardzo przystojny wdowiec... Kupił mi bombonierkę. Będę tylko musiała anulować moje małżeństwo.*
– *Niby w jaki sposób? Że nieskonsumowane?*
Faustyna zignorowała przytyk.
– *Pani Cecylia na pewno coś wymyśli. Zna prymasa.*
– *Ja bym na twoim miejscu zrezygnowała z poznawania mężczyzn, w tym wdowców, a bardziej zainteresowała się poznaniem opieki społecznej. No tak, ale tam pracują kobiety, a ty jesteś przecież heteroseksualna.*
– *Tego akurat nie jestem aż tak pewna.*

Maja jadowicie i ze źle skrywaną zawiścią myślała o tym, że posiadanie czworga dzieci w znaczącym stopniu eliminuje psychologię, z wyłączeniem tej rozwojowej. Na psychologię braknie czasu; może gdy dzieci podrastają, osiągają pełnoletność, kto wie, czy wtedy nie udaje się wrócić do osobowości, prawdopodobieństwa psychologicznego i tym podobnych wynalazków.

Próbowała być miła. Powiedziała nawet, że się cieszy, iż przyjechali i pomieszkają wspólnie przez kilka dni. Powiedziała także, że jej przykro z powodu tego, co się wydarzyło. Na więcej nie umiała się zdobyć.

Nie lubiła swojej siostry ani jej stylu życia. Różniły się niemal we wszystkim. Weźmy dzieci. Maja zamartwiała się swoim jedynakiem od samego początku: czy powinna urodzić; jeśli urodzi, czy umie unieść odpowiedzialność za dziecko, czy potrafi ukształtować nową istotę, czy uda się jej nie skrzywdzić i nie powielić błędów popełnionych przez rodziców. Tymczasem Faustyna zwyczajnie rodziła i zwyczajnie wychowywała. Nie uzewnętrzniała wątpliwości, prawdopodobnie z tej przyczyny, iż takowych nie posiadała. Maja nigdy nie uderzyła Bruna, Faustyna tłukła swoje dzieci regularnie, oczywiście dbając o to, żeby ich fizycznie nie uszkodzić, bo Faustyna kochała swoje potomstwo.

Podczas świątecznego śniadania licznie zgromadzona w naszym domu, również przyjezdna, rodzina rozpoczęła nagle, bez jakiegoś wyraźnego powodu, dyskusję na temat zasadności kar fizycznych wymierzanych dzieciom. Jedna z osób wystąpiła stanowczo przeciw, twierdząc, że to niehumanitarne i że należy docierać do naszych pociech, wyłącznie tłumacząc im, że źle postępują. W pewnym momencie dyskusji sięgnąłem na półkę z książkami, wydobyłem stamtąd Katolicką etykę wychowawczą ojca Jacka Woronieckiego i przeczytałem odpowiedni fragment. Myślałem, że to ucina całą dyskusję. Przecież opinia wielkiego polskiego filozofa i pedagoga jest tam sformułowana w sposób jednoznaczny. Osoba będąca przeciwnikiem stosowania kar fizycznych pozostała jednak przy swoim zdaniu.

http://www.krajski.com.pl/998stkar.htm

Maja i zazdrościła Faustynie, i się nią brzydziła. Tak jak dziobak jest próbą generalną ssaka, tak Faustyna, według Mai, była próbą generalną kobiety. Motoryka się zgadza, wygląd też, ale już know-how rozmnażania nie. Faustyna rozmnażała się kompletnie inaczej niż Maja; i częściej. To była formuła rozrodu egalitarnego zderzona z formułą elitarną, taka – jajo versus żyworodność.

Maja wiedziała, że nie ocenia siostry sprawiedliwie ani obiektywnie. Sprawiedliwa lub obiektywna ocena okazała się niemożliwa, nieosiągalna, albowiem Maja musiałaby zostawić na boku swoje uprzedzenia, emocje i przekonania, trzydzieści z hakiem lat życia. Do Faustyny czuła trwałą niczym eternit niechęć, przeradzającą się w lekką pogardę, gdy musiała z nią, Faustyną, tak jak teraz, spędzić dłuższy czas.

Zaczęła oddychać głęboko, chcąc siostrę wyrzucić z głowy. Jeszcze dwa, maksymalnie trzy dni, i będzie po wszystkim. Faustyna i króliczki wyjadą, a siostrzyna nienawiść ostygnie do niegroźnej niechęci.

Wracała w lepszym humorze, wino posiada kojące właściwości.

Na klatce prawie zderzyła się z Brunem. W pierwszej chwili pomyślała, że syn wściekł się o coś, przyjrzawszy mu się uważniej, uznała, że to raczej przerażenie, żadna tam wściekłość.

– Gdzie idziesz o tej porze? I dlaczego z plecakiem?

– Matka, dziś nocuję u kolegi.

– Że a czemu nie zapytasz mnie o pozwolenie?!

– Że a temu – prawie krzyknął – że a temu, że tam na górze jest... jest taka akcja... biblijna – wydusił z siebie. – No, wiesz – dodał po pauzie, już spokojniej, nadal ze strachem w głosie – łzy i smarki. Ogień w zaroślach. Próbowałem pomóc, pogadać, ale tam... ale tam... Spierdalam stąd.

– Co-co-co ty do mnie mówisz?! Jak śmiesz mi prosto w twarz wulgaryzmować?!

– Sorki, matka. Wpadnę jutro po czyste ubrania. Przepraszam. Serio-serio. Kocham cię.

Bruno wyminął Maję i wyszedł na ulicę.

Została sama na klatce, zdumiona. Wahała się: wybiec za synem czy pobiec na górę. Emocje kazały jej pobiec za synem, rozsądek pchał po schodach w górę. Wreszcie postanowiła, że Bruno jest bezpieczniejszy z kolegą niż z Faustyną i jej duracellami; powziąwszy tedy postanowienie uprzedniej treści, ruszyła schodami.

Mieszkanie prezentowało się normalnie, bez śladów kataklizmu. W pokoju gościnnym czworo dzieci siedziało na dywanie, trzymając się za ręce – coś do siebie szeptały, bawiły się przypuszczalnie, choć Maja nigdy nie widziała tej czwórki w tak statycznym ujęciu; w ogóle nie widywała czworga dzieci naraz, ponieważ one zwykle się rozbiegały, niczym magnesy o tych samych biegunach. Zajrzała do kuchni – Faustyna rozmawiała przez telefon albo raczej trzymała telefon przy uchu; przy uchu wyrastającym z obrzmiałej i czerwonej twarzy, ze śladami łez, rozmytego makijażu i śluzu.

Maja poszła do salonu. Włączony telewizor – kanał informacyjny – pokazywał płonący blok, kłęby tłustego dymu, bijące z kilku okien na ostatnim piętrze, wozy strażackie, zapłakanych mieszkańców. Upłynęło nieco czasu, nim do niej dotarło, że płonący blok to blok, w którym mieszkała Faustyna.

Maja oglądała relację utworzoną z następujących zapętlonych obrazów: płonący blok, zbliżenie na gęsty dym buchający z fotogenicznego okna, źle stabilizowany rzut oka z helikoptera, zbliżenie na wozy strażackie, zbliżenie na twarze mieszkańców, znowu płonący blok. W przerwach pomiędzy pętlami pojawiały się bloki reklamowe oraz rozmowy z: komendantem policji, komendantem straży pożarnej, ekspertem do spraw terroryzmu (innego widać nie udało się dziennikarzom skołować), ewakuowanymi mieszkańcami.

Blok reklamowy składał się ze spotów: firmy produkującej drzwi i okna (na pewno się przydadzą przy remoncie, pomyślała Maja), firmy jubilerskiej (na pewno niektóre pierścionki zaręczynowe zostaną zwrócone poniżej kosztów zakupu, kapitalizm jest wspaniały), środka czyszczącego (mieszkanie, którego aktualnie nie masz, może być tak czyste, jak nigdy) oraz specyfiku, możliwe, że suplementu diety (Maja nie dosłuchała reklamy do końca), który likwidował żylaki i bóle nóg (sprawne nogi są kluczowe w wypadku pożaru).

Wgapiała się w ekran telewizora.

– To już wiesz – oznajmiła Faustyna. Zatrzymała się w drzwiach, jakby nie wiedząc, czy wolno jej pokonać metaforyczny próg; lub alegoryczny.

– Wiem. Chodź.

Faustyna usiadła obok Mai. Maja ją objęła. Faustyna się rozpłakała.

Maja też miała ochotę płakać. Każde nieszczęście jednego człowieka wzrusza drugiego. Nadto Maja nienawidziła siebie za to, co za chwilę powie. Powiedziała:

– Możecie tu mieszkać, dopóki sytuacja się nie wyjaśni.

Faustyna ogarnęła łzy i śluzy zaskakująco sprawnie.

– Przecież ty mnie nienawidzisz.

– Ciupinę przesadziłaś. Ja cię nie lubię. Nawet bardzo. To różnica. Poza tym to chyba po chrześcijańsku: pomóż tym, którzy potrzebują pomocy, czy jak wy to nazywacie. Zresztą, to nie potrwa długo. Za jakiś miesiąc firma ubezpieczeniowa wypłaci odszkodowanie. Albo naprawią blok, albo kupisz sobie nowe mieszkanie. Ten pożar nie wyglądał tak strasznie. Prawie bez ognia.

– Ono nie było ubezpieczone – ponuro stwierdziła Faustyna.

Maja zdjęła dłoń siostry ze swojego ramienia. Podniosła ręce. Jakby w geście kapitulacji albo jakiegoś ćwiczenia jin-jang.

– Nie do wiary! Nie dość, że się nie zabezpieczacie, to jeszcze się nie ubezpieczacie? Czy ubezpieczenie mieszkania to też jest jakaś wyrafinowana forma antykoncepcji?! Och!

Maja opanowała się z trudem.

– Proszę bardzo, teraz możesz się ze mnie nabijać do woli. Nie krępuj się. Jestem otwarta na twoje szyderstwa.

Maja nie miała ochoty kpić z siostry. Miała ochotę ją uderzyć. Miała ochotę na siarczysty policzek, taki, po jakim drętwieją palce. Aż po krawędź paznokci; jak w spazmie rozkoszy.

34.

Wstawał około południa, a po obiedzie siadał do pisania i pra-
cował do kolacji. Nocami zagłębiał się w lekturze i czytał czę-
sto aż do świtu. Rzadko wychodził z domu, dużo palił. Prawdo-
podobnie w nic już wtedy nie wierzył.

Javier Cercas

Spodziewał się katastrofy, na samym początku niewielkiej,
uszytej na ludzką miarę. W piątkowy wieczór samochodo-
wej, a w sobotę – kolejowej. Nic się nie stało, tedy jego ape-
tyt wzrósł; wysiadłszy z pociągu, przyglądał się sklepieniu
nad peronem stołecznego Dworca Centralnego. Przydałby
się silny wstrząs natury tektonicznej lub terrorystycznej,

myślał. Konstrukcja by się zawaliła, żelbetonowe prefabrykaty, tracąc kształt i integralność, zabijałyby ludzi, czy to ze skutkiem natychmiastowym, czy też grzebiąc pod swoim ciężarem w oczekiwaniu na mozolną śmierć, na której końcu mogłoby oczekiwać wybawienie w postaci pyska labradora – sympatyczne zwieńczenie potężnej infrastruktury niesienia pomocy w krajach, które stać na to, żeby ratować swoich obywateli, od czasu do czasu, ze względów wizerunkowych lub humanitarnych. Nic jednak nie drżało, ani płyty peronu, ani podpory dachu. Mógł oczywiście postać i poczekać, rozumiał przecież, że większą szansę daje rzucenie się pod pociąg, czego akurat nie zamierzał uczynić. Po pierwsze, oczekiwanie na katastrofę nie równało się automatycznie chęci zakończenia życia. Po drugie i istotniejsze, śmierć Szymona w tej chwili byłaby bardzo nieodpowiedzialna i wystawiłaby jego manierom fatalną cenzurę. Nie wysiadł z ekspresu Berlin–Warszawa w pojedynkę. Gdyby teraz zginął, w ten czy inny sposób pozostawiając towarzyszącą mu osobę kompletnie osamotnioną i w obcym mieście, osobę, która po polsku potrafiła powiedzieć „lodówka jest pusta" oraz „nie ma auta", cóż, zachowanie takie całkiem słusznie pozwoliłoby towarzyszącej Szymonowi osobie na użycie względem niego takich rzeczowników jak „gbur", „cham" lub „Schwein" (z rodzajnikiem die, w końcu Szymon był określony).

Zaproponował jej kawę. Potrzebował czasu na przyzwyczajenie się do myśli, a także do faktu, że znajduje się w mieście, w którym nie mówi się po niemiecku. Nadto potrzebował czasu, aby przygotować się na spotkanie z Mają. Bariera kilku godzin w pociągu dzieląca go od Mai skurczyła się aktualnie do pół godziny taksówką; pół godziny, jeśli będzie miał szczęście i miasto przytknie w korkach, na co nie wypadało liczyć, nie o tej porze i dlatego nie, że Maja nie stała się jego wrogiem, stąd też odwlekanie spotkania, tak jakby odwlekał spotkanie z kimś nieprzyjaznym i paskudnym, wydawało mu się niesprawiedliwe i krzywdzące.

Kawa została wypita, ciastka porzucone w pół wiwisekcji, całość zapłacona, taksówka zamówiona.

Gdy dotarli na miejsce, potrzebował dłuższej chwili na przypomnienie sobie kodu do domofonu. Przypomniawszy sobie, nie wiedział, czy wolno mu go wstukać. Choć to również jego mieszkanie, był prawnym współwłaścicielem, w pewnym sensie przybywał jako gość; jego status znowu stał się negocjowalny, niezatwierdzony.

Jednak wstukał. Niech to będzie sygnał dla Mai, że on, Szymon i mąż, postanowił zachowywać się, jak gdyby nic się nie zmieniło, a już na pewno jak gdyby nie odwołano prastarego prawa do prywatnej własności.

Przed drzwiami wejściowymi rozwiązał podobny dylemat: otworzyć drzwi kluczami poniewierającymi się gdzieś tam w plecaku czy zadzwonić? Zdjął plecak, rzucił go na posadzkę, przyklęknął, zaczął szukać kluczy; Juli nacisnęła guzik dzwonka. Nie spodziewał się tego, jaki brzydki dźwięk, nie ding-dong, bardziej jakieś kra, kra, a bardziej jeszcze jakieś zdwojone stęknięcie wymiotującego bulimika lub anorektyka. (Szymon miał problem z rozróżnieniem bulimii i anoreksji, podobnie jak miał problem z faktycznym odróżnieniem praktycznej lewicy od rozsądnej prawicy). Nie wstał – nie zdążył albo nie chciał zdążyć – gdy otworzyły się drzwi. Zauważył trzy pary nóg, żadna z nich nie należała do Mai. Dwie pary w skarpetkach, reminiscencje nóżek Bruna sprzed lat, choć wtedy kupienie tak kolorowych i ładnych skarpetek wymagało większego wysiłku finansowego; trzecia para w pończochach i skórzanych kapciach, tak jakby wariacji na temat kierpców, pięła się łydkami kobieco i – nie wiedział, dlaczego tak pomyślał – sadomasochistycznie aż po krawędź sukienki w okolicach kolan. Ta sukienka była plisowana. Szymon nie pamiętał, kiedy po raz ostatni widział plisy, chyba zeszłego roku na jakiejś stronie porno, odwiedzonej, ponieważ brakowało mu bodźca pozwalającego skończyć przeglądowy artykuł o morfemach negacji: od języka buduma do khoe.

Uniósł głowę; na kolorowych skarpetkach wspierały się nóżki młodych i zupełnie Szymonowi obcych ludzików, plisa zaś przecinała kolana Faustyny. Szymon znał te kolana od lat, nie żeby od razu o nich marzył, ale – gdyby zabroniono mu kłamać – musiałby zgodzić się z konstatacją, iż kolana te nigdy nie pozostawały mu obojętne. To były kolana należące do kobiety kulturowo obcej, do chrześcijanki rodzącej dzieci rok w rok przez cztery lata albo dłużej, Szymon nie liczył. To były kolana podniecające, nieomal transgatunkowe, nieomal wyjęte z powieści i opowiadań Ursuli Le Guin. Podniecały Szymona na podobnej zasadzie, jak podniecała go wizja seksu z aligatorem czy lemingiem, a zatem – seksu bardzo energetycznie kosztownego i niebezpiecznego, wartego jednak ryzyka. Szymon i Faustyna – seks odmiennych porządków, odmiennych gatunków. Faustyna, właścicielka kolan i plisowanej spódnicy, nie przypominała Szymonowi znanych kobiet; to znaczy zewnętrznie przypominała, wewnętrznie różniła się istotnie; tak przynajmniej sądził.

Zdawał sobie sprawę, że myśląc, co myślał, popełnił szereg wykroczeń, których nie tolerował u innych, a które u siebie samego tolerować jednak do pewnego stopnia musiał, choć akceptować bądź głośno o nich wspominać – już nie. Szymon, na równi rozbawiony i sparzony wstydem, poczuł się nagle zajadłym antysemitą albo rasistą. Ci pierwsi dawniej wierzyli w poprzeczność macicy żydowskich kobiet, ci drudzy w nieusuwalne konsekwencje koloru skóry. Podobnie Szymon – uważał chrześcijański światopogląd wpisany w Faustynę za równie nieusuwalny i brzemienny w konsekwencje, jak kolor skóry, a ponieważ to, w co wierzył, że ona wierzy, uznawał za kulturowo niższe, sam gotów był uwierzyć w coś nieprawdziwego i absurdalnego, na przykład w to, że Faustyna biologicznie zawsze jest w ciąży, nie zawsze wszak pozwala sobie na jej rozwój. Że ona ma taki implant woli, reagujący jedynie w przypadku jajeczkowania.

Wstał i serdeczniejszym, niż zamierzał, tonem powiedział:

– Nie spodziewałem się was tutaj.

– Też nie spodziewałam się zastać tutaj siebie z kurczątkami – odpowiedziała, imponując Szymonowi czymś, o co jej nie posądzał, a czego nazwać nie potrafił: jakąś elegancką (acz oczywiście obcą kulturowo) ironią i goryczą. Kurczątka to było jedno z niezliczonych mian, jakimi Faustyna określała swoje dzieci. Szymon przy nadarzających się okazjach kpił, że ona nie pamięta imion swoich dzieci, stąd też określa je zbiorowo. – Wejdźcie.

– Taki mieliśmy zamiar – Szymon nagle się zezłościł; Maja powinna go była uprzedzić. – Po to przyjechaliśmy. Żeby wejść – uzupełnił.

Dopiero po zamknięciu drzwi dokonała się krótka prezentacja i wymiana uprzejmości, w języku angielskim, w którym cała trójka czuła się dość swobodnie, między innymi dlatego, że był to język obcy dla każdego.

Faustyna dokonała poprawnego językowo streszczenia ostatnich zdarzeń (odejście męża, pożar bloku, zatrucie pokarmowe Patrycji), poinformowała, że wybiera się z gwiazdeczkami (po angielsku: my little stars) do pani Cecylii, u której zamierzają spędzić cały dzień, unfortunately wrócą wieczorem, gdyż nie mają gdzie spać, sorry for inconvenience. Szymon nie wykrzesał z siebie entuzjazmu ni współczucia, Juli wyglądała na przejętą, prawdopodobnie lepiej zniosła podróż pociągiem.

Faustyna przysposobiła dzieci do warunków atmosferycznych, po czym, pożegnawszy się uprzejmie, wyszli pięciorgiem. Quite amazing, pomyślała Juli po angielsku, chociaż mogła po niemiecku. Ja pierdolę, pomyślał Szymon po polsku, co było potencjalnie niegrzeczne, albowiem Juli nie znała polskiego i nie zrozumiałaby myśli Szymona, gdyby potrafiła czytać w myślach. Fakt, że nie potrafiła, nie umniejszał jego grubiaństwa.

Zapadła niezręczna cisza. Zgodnie z tym, co twierdziła Faustyna, Maja pojawi się za jakieś pół godziny.

Pół godziny, chyba że korki, to wtedy więcej. Więcej albo dłużej. Masa albo linia. Miasto i maszyna. Tra ta ta.

Szymon znał Juli, zanim ją poznał. Jako student czytał jej błyskotliwe artykuły, na przykład *Życzenie i rozkaz. Gramatyczne wykładniki kategorii trybu w językach afrykańskich. Szkic.* Albo rozkosznie lekki esej *Pomiędzy wysoko i nisko. Afrykańskie systemy prozodyczne dla przygłuchych Indoeuropejczyków.* Poza tym Juli jako pierwsza badaczka zasugerowała, że pojęcia stosowane podówczas wyłącznie w opisach języków Afryki, takie jak uskok (obniżenie tonu wysokiego po innym tonie wysokim) albo ton ruchomy, przydają się także w interpretacji zjawisk innych języków. Tak czy tak, Juli była boginią; niektórzy adorują Matkę Boską, mniej liczni wybierają obiekt żywy i współczesny, Szymon wybrał Juli, już na studiach.

Gdy mu ją przedstawiono na jakimś nudnawym akademickim przyjęciu, na początku jego pobytu w Berlinie, nie zrozumiał. Nie zrozumiał, ponieważ zagrały w nim dwie melodie: uzus polsko-katolicki i klasowość. Uzus polsko-katolicki objawia się niezdolnością do transgresji oraz ograniczeniem metafizyki do ślubu i pogrzebu, natomiast klasowość oddziela słowa od zdarzeń, a zdarzenia od osób. Szymon czuł się przynależny do klasy, jak sądził, wyższej, wyzwolonej z religijnych miazmatów; uważał, że kontakt z Matką Boską przytrafia się jedynie ludziom niedożywionym lub niedouczonym, sam jednak nieomal stracił szansę na kontakt ze swoją Matką Boską – usłyszał imię i nazwisko i puścił je mimo, gdzieś w głąb siebie, jak statystyczny Polak spuszcza w żołądek hostię.

A jednak się ocknął. Znalazł w sobie odwagę, żeby do niej podejść, żeby zapytać, czy nazywa się tak, jak wydawało mu się, że się przesłyszał, iż się nazywa. Skinęła głową. Nie był pewien, czy gest ów potwierdzał jej tożsamość, czy wynikał z jakiejś przekory lub fizycznego przyzwyczajenia do tiku, dla obcych nieodróżnialnego od przytaknięcia. Nie pamiętał również drogi do pierwszego wspólnego śniadania.

Albo inaczej: pamiętał wyraźnie, zdanie po zdaniu, drink po drinku, small talki w niewielkim gronie, jakby ćmim – nigdy więcej niż cztery osoby wokół Juli; gdy pojawiała się piąta osoba, Juli odsyłała nadmiarowca po alkohol – w przeciwnym razie błyskotliwość i żar uległyby desakralizacji. Potem pierwsze muśnięcia przy wręczaniu drinka, krótkie wyładowania elektryczne przy wysokiej próby, ściśle hermetycznym żarcie (zawieszonym między językami joruba

i hausa), potem wspólna taksówka, elegancka dzielnica za-
chodniego Berlina. Potem seks, kilka godzin, sen tak pocięty,
jak parapet światłem przepuszczanym przez żaluzje, pierwsze promile słońca, sok pomarańczowy z lodówki w nieznajomym mieszkaniu, światło w lodówce, pojedyncza żarówka,
ochota na papierosa, niepokój o kota Juli. (Szymon nie znał
ani jednej wspaniałej kobiety, która nie mieszkałaby z kotem,
ewentualnie tchórzofretką). Niepokój o siebie, zadowolenie
z siebie, strach, toster katapultujący kromki pod sufit, kolejne zadowolenie (w głowie niebieskie migdały, pośrodku przy-
jemna, ciężka półerekcja, palce stóp rozpłaszczone o kafelki jak gdyby w gekoni sposób: gekon dzięki rozpłaszczonym
palcom potrafi trzymać się szyby, Szymon dzięki rozpłaszczonym palcom potrafił trzymać się podłogi), gwałtowne
pragnienie, mniej gwałtowne łaknienie, plama słońca na
kuchennym blacie, znowu, nie do starcia ścierką.

Przygotował aluzję do śniadania (nadpalone z ogromnym trudem tosty, wystygła kawa, sok pomarańczowy, masło czekoladowe, brak jajecznicy, marmite), zaniósł do sypialni, odstawił na podłogę, czekał, aż Juli się obudzi.

Obudziła się. Zjadła, co jej naszykował, bez słowa.

Nie spodziewał się pochwał, to było śniadanie niczym z hotelu, w którym gwiazdki zostały zastąpione przez
książkę skarg i zażaleń. Czekał na pierwsze słowo, czekał na
język, który wybierze.

Odezwała się po niemiecku:

– Jedno z najgorszych śniadań, jakie zjadłam w Niemczech. A bezdyskusyjnie najgorsze, jakie zjadłam u siebie
w mieszkaniu.

– Starałem się – próbował się bronić.

Myślał, że się przyznał do nieudolności, tymczasem Juli roześmiała się, uznając, że powiedział: starałem się przygotować najgorsze dostępne śniadanie.

– Co powiesz na to, żebym zabiła cię obiadem?

– Obiady mi nie szkodzą.

Zaśmiała się ponownie.

Szymon zastanawiał się nad fenomenem jej skóry – wydawała się równocześnie żelazna i skorodowana siecią drobnych zmarszczek. Albo inaczej: sieć zmarszczek przypominała skomplikowany tatuaż, wetrzeć nieco henny i zalśni wzór, wzór działania pozbawionego wyniku. Albo inaczej: wynik ucieka z matematyki w emocje. Działanie przestaje być działaniem na pięknie, staje się dzieleniem norm społecznych na czworo.

Włosy nosiła siwe i obcięte na krótko, bardzo gęste. To były włosy generalskie, włosy kogoś nawykłego do wydawania rozkazów. Albo to jakaś sztuczka była, te jej włosy, jakaś iluzja władzy.

– Gdzie jest twój kot? – zapytał. Odpowiedziała zdziwionym spojrzeniem, na które Szymon zareagował dopowiedzeniem, tracąc nieoczekiwanie pewność rodzajników. – Każda kobieta ma swego kota.

– Nie mam kota. Nigdy nie miałam.

– To niemożliwe!

– Może i niemożliwe. Jednak całkiem prawdopodobne.

Teraz Szymon się roześmiał, jak gdyby mu ulżyło; świadomość, że niemożliwe jest całkiem prawdopodobne, doprowadziła go do łez, w jednym oku łzy rozbawienia, w drugim ulgi, smarki zaś to chyba esencja poczucia humoru, powiedzmy, że miniona.

Juli czekała, aż on wypłacze z siebie ten śmiech. Czekała uważnie, ale też lekko znudzona. Wreszcie skończył.

– Zażywasz jakieś narkotyki?

– Bardzo chętnie – odpowiedział. – Tylko że od miesięcy brakowało mi okazji.

Spędzili w łóżku cały dzień, przede wszystkim rozmawiając, czasem się pieszcząc; pieszczoty podsuwały nowe tematy do rozmów. I taki oto był początek jego dla niej uwielbienia, jej nim zdziwienia. Rozumieli, że spotkają się po raz kolejny i kolejny, że jej zdziwienie, a jego uwielbienie nie wyczerpią się, nie nasycą tak łatwo, a z biegiem dni i nocy może on znajdzie w sobie nieco nią zdziwienia, a ona okruch dla niego uwielbienia?

Zakochał się w niej niczym szczeniak, ale zupełnie inaczej niż na przykład w Mai. Teraz szczenięce wydawało mu się własne szczęście, łatwość dawania i brania, niewrażliwość na drobiazgi, potknięcia, plamy po jogurcie na koszuli, krosty na policzku. Równocześnie zakochanie w Juli było dorosłe, ponieważ w żadnym razie nie usuwało przeszłości. Szymon pamiętał o żonie i synu, o pewnych zobowiązaniach, od których nie zamierzał się uchylać. Gdy w jego zakochaniu i szczęściu pojawiał się margines rozsądku, rozważał, w jaki sposób podzielić się swoim szczęściem z Mają i Brunem. I obawiał się, że to jest niewykonalne.

Nie przy Mai.

35.

Za długa zima. Niechby śnieg już zakrył
to cip, cip miasteczko i jego kościoły
grubą pierzyną

Tomasz Różycki

„Ale ona jest w pizdu smaczna", Andrzej usłyszał to zdanie rankiem w metrze, obracał je w głowie przez cały dzień, a teraz wypowiedział na głos, wieczorem i nad herbatą. Żałował, że nie dowie się nigdy, o czym ten młody koleś mówił. Jaka ona? Na przykład pizza? Albo dziewczyna? A może piguła? Albo marihuana? „W pizdu" odnosiło się bezpośrednio do kobiety, Andrzej jednak nie dał się zwieść, to by było za proste, taki mateusz, za wulgarne, chociaż przecież proste rozwiązania nie zawsze są nieprawdziwe.

– W pizdu smaczna – powtórzył, dopił herbatę, wstał, wstawił filiżankę do zlewu. – To na pewno nie było o herbacie.

Jutro przyjeżdżała matka Andrzeja. Zdumiewające: jutro (przyszłość) przyjeżdżała (przeszłość). Z tego zderzenia bądź prędzej nonsensu powstanie teraźniejszość. Taka na weekend. W sam jakby raz.

Przyjeżdżała raz na miesiąc, czasem rzadziej. Chodzili do kina i restauracji, do opery i po sklepach. Odbierał ją z pociągu, ją, jej ciężkie ciało i ciężkie torby pełne jedzenia, choć to było w istocie coś więcej, znacznie więcej niż samo jedzenie i sporo mniej: słoiki z kiszonymi ogórkami i jej wieczna o niego troska, pojemniki z gołąbkami i jej ból krzyża, marynowane grzyby i jej słabnący wzrok, sernik i jej wspaniałomyślność, królik w śmietanie i jej empatyczna zdolność do puszczania mimo uszu oraz kątem oka.

Ona wiedziała o nim – gdy stuknęła mu dwudziestka, przestała domagać się wnuka – Andrzej zaś, wiedząc, że ona wie, czuł się komfortowo, także dlatego że nie musieli o tym rozmawiać, nigdy. To Krzyś miał kręćka na punkcie wyjścia z szafy (dlaczego gej lub lesbijka muszą wychodzić z szafy? dlaczego nie z warsztatu samochodowego?), Andrzej przeciwnie – uważał, że nienazywanie pewnych rzeczy niekiedy zwiększa komfort, nie jego, lecz bliskich mu osób, acz skłamałby, gdyby z grona bliskich sobie osób wykluczył samego siebie. Trzeba słyszeć, co się do siebie mówi, ważniejsze jednak jest, żeby widzieć to, czego ktoś słyszeć nie chce. Podstawowy poziom synestezji w międzyludzkich kontaktach.

Poza tym to wcale nieprawda, że tylko matka musiała zaakceptować syna. Syn również musiał wykonać pracę;

musiał pokochać lub choć pogodzić się z jej rozwiązłością kulinarną, z nieprzystojną ślepą miłością; musiał pogodzić się ze schematem: wycofany syn – nadopiekuńcza matka, z tym, że na wigilię nigdy nie przyjedzie z partnerem, nie przed zgonem ojca.

Przed przyjazdem matki Andrzej przeprowadzał, raz na miesiąc lub rzadziej, inwentaryzację męskości w swoim mieszkaniu. Usuwał męskość, która w oczach rodzicielki, a praktycznie w jego oczach, włączonych w stereotyp matki, byłaby dowodem niemęskości jej syna; a może nie: nie chciał dzielić z matką fascynacji męskim ciałem, wolał wspólne gusta kulinarne, nawet religię. Kuchnia i religia to nic w porównaniu do męskiego ciała; kuchnia i religia to tematy zastępcze. Tak myślał, nikomu o tym nie powiedział, bo i po co, i dlaczego Mai?

Usunął męskie ze ścian, gejowską prasę i powieści wrzucił do pudła w szafie. Aha, jeszcze na wszelki wypadek, człowiek nie zna dnia ni godziny, gdy matka zechce połączyć się z Internetem, zmienił tapetę na pulpicie (James Dean ustąpił miejsca nijakiej fotografii plaży) i wykasował historię wyszukiwania. Mieszkanie zostało przygotowane, uwinął się w pół godziny, był coraz sprawniejszy w usuwaniu ze swego lokum męskości, tej ruchomej; przy pierwszej wizycie matki na usuwaniu zeszło mu kilka godzin, gotów był nawet ukryć co ładniejsze filiżanki i znieść nowy, obity ciemnoczerwoną skórą fotel do piwnicy. Teraz nie przesadzał, pozwalał sobie na luksus przeoczenia.

Próbował ochłonąć, zaczął czytać nową powieść nieznanej mu autorki, nie potrafił zapamiętać jej nazwiska, kończyło się ono bowiem i na -icz, i na -cka. Powieść wydało wydawnictwo wielce przez Andrzeja poważane, choćby za opublikowanie książki Krzysia. We współczesnej literaturze pięknej Andrzej zwracał szczególną uwagę na pewien aspekt, mianowicie kłopoty finansowe. Jeżeli bohaterowie nie cierpieli na nie, powieść Andrzejowi zwykle się nie podobała. Uważał, że pisanie o kłopotach finansowych i nierównościach w dystrybucji dóbr dowodzi wrażliwości społecznej. Andrzej szukał wrażliwości społecznej w literaturze, bo nie znajdował jej w świecie. Nie był dogmatykiem, zdarzało mu się czytać teksty pełne biedy, brudu i głodu, w których nie odkrywał ani śladu jakiejkolwiek wrażliwości. Do dupy zresztą z tą wrażliwością społeczną!

Przeczytał kilkadziesiąt stron, już na stronie ósmej pojawiły się brylantowe kolczyki zamiast niezapłaconego rachunku, mimo to dał jeszcze szansę tej powieści o tytule kończącym się na -ść oraz -izm. Gdy jednak akcja przeniosła się na jacht i nad Morze Śródziemne, poddał się, nie znajdzie tu tego, czego szukał. Odda książkę matce, ona lubi riwiery i bohaterów, którzy są piękni zewnętrznie. Matka w istocie stawiała piękno zewnętrzne nad wewnętrznym. Piękno zewnętrzne jest prawdziwe i od razu widoczne, o wewnętrznym można bardzo nakłamać, no i potrzeba czasu, żeby wysłuchać tych kłamstw i w nie uwierzyć. Ładna buzia natomiast nie kłamie, póki zamknięta.

Ten tydzień upłynął bez istotnych wydarzeń. W poniedziałek zadzwonił do Norberta, usłyszał, czego się spodziewał, że ani śladu Krzysia. Nie uwierzył Norbertowi. To niemożliwe, aby kochana osoba (Krzyś) mogła zostać ze świata zwyczajnie usunięta. Nie uwierzył mu, ale nie dowierzał też sobie. Od wtorku wydzwaniała Maja, zdając relację ze swego życia i próbując mu wepchnąć mimochodem Sławoja,

ponieważ sprowadziła się do niej siostra z gromadką dzieci.
Andrzej odmówił:

– Przecież znasz mój stosunek do zwierząt futerkowych.

– Znam. Stosunki jednak ulegają zmianie. Mnie się wszystkie ostatnio pozmieniały. A to dopiero początek.

– Dzięki, nadal mówię nie.

– Cóż, jeśli nie chcesz Sławoja, to przenocuj w czwartek i piątek Bruna. On tu świruje. No i nie jest futerkowy. I nie będziesz musiał... Paskudna dziewczynko, ty z wstążkami!, tak, właśnie ty!, natychmiast odłóż to na miejsce! Muszę kończyć, powiem Brunowi, że jakby co, to u ciebie. Dzięki. Pa.

Bruno rzeczywiście nocował w czwartek i piątek. Przyjeżdżał około siódmej, zjadał coś i zamykał się w gościnnym pokoju. O sytuacji w domu niewiele miał do powiedzenia. Wyliczył:

– Tam jest teraz dom dziecka. Dzieci, znaczy. Dom dzieci i dwie wariatki.

Poczekaj do soboty, pomyślał Andrzej, w sobotę przyjedzie twój ojciec i z tego, co wiem, nie sam.

W nocy z piątku na sobotę spadł śnieg. Padał też rano. Andrzeja, jadącego na dworzec po matkę, zirytował biały puch. Irytacja na śnieg była irytacją na Krzysia. Bo proszę, taki śnieg jest dobrze zaplanowany, spada co roku, a z Krzysiem nigdy nie udawało się niczego zaplanować. Gdyby Andrzejowi dano wybór, wolałby związać się ze śniegiem niż z Krzysiem, lecz wyboru mu nie dano: zakochał się w Krzysiu, nie w śniegu.

Matka objęła go na peronie.

– Mamo, czy tata nigdy nie zaginął? Na jakiś miesiąc, nie?

Matka doprowadziła uścisk do czułego końca, odsunęła się od syna (syna od siebie?), przyjrzała mu się z niepokojem czy troską, trudno odróżnić: nic nie rozumiała albo też więcej, niż odważyłby się gdybać. Nawet jeśli nie zrozumiała kontekstu pytania, pojęła jego treść. Nie zdecydowała się na ton protekcjonalny (Takich pytań nie zadaje się na peronie!) ani na wesoły szczebiot (Żarty się ciebie dziś trzymają!). Zdecydowała się na szczerość.

– Ojciec skrupulatnie dotrzymuje przysięgi sprzed ołtarza. Bezlitośnie.

Andrzej chwycił walizki, powoli udali się ku ruchomym schodom. Matka milczała, ale chyba coś ją gryzło, jakaś niedokończoność, niedopowiedzenie powiedzianego, jakiś ton nie ten.

– Synek, ja go tylko tyle nie mam w życiu, co jestem u ciebie.

Andrzej się rozpłakał; puściły mu łzy, bez szlochów i pociągnięć nosem.

Szedł przed matką o krok, przyspieszył. Matka nie widziała jego twarzy, teraz szybko do wyjścia, na zewnątrz pada śnieg. Śnieg topnieje na twarzy. Teraz szybko do wyjścia, a nic się nie wyda. Nic i przed nikim.

36.

Odzież ukochanego! Jakże ważna jest w miłości! Nie można kochać ukochanego z pominięciem tego, co on na sobie nosi, bo szczególnie w pierwszym, płomiennym (i chybotliwym jak płomień) etapie rozwoju uczuć jest ten ukochany całością wyższego rzędu, jest nierozbieralny dosłownie i w przenośni, zrośnięty z wszelkim kontekstem, w jakim się pojawia. Nie o to chodzi, by odzienie było eleganckie, drogie czy modne, ale by nie stanowiło przeszkody, było miłe i swojskie, w jakimś tajemniczym sensie zrozumiałe.

Anna Janko

Lubił, jak się ubiera. Lubił, że go nie zaskakuje. Gdyby oglądał ją na tle blue box, wiedziałby, jaka sytuacja ukrywała się za błękitnym pudełkiem. Maria dzieliła i wkładała na siebie ubranie hierarchicznie. Najniżej stały ubrania domowe, do prac i codziennego życia, zwykle były to rozmaite wariacje spodni czy legginsów z luźną bluzką, jesienią, zimą i wiosną docieploną swetrem, takim zakładanym przez głowę, nigdy rozpinanym. Wyżej szczebel zakupów w osiedlowym sklepie: w tych zestawach zacerowanych dziur nie tolerowano, wygoda ustępowała kompozycji kolorystycznej oraz cieniowi do powiek. Kolejny szczebel to wywiadówki, rodzinne obiady, niedzielne msze. Na tym poziomie spodnie zawsze ustępowały spódnicy, swobodna kompozycja zaś – garsonce z białą bluzką, a cień do powiek zyskiwał wsparcie tuszu do rzęs. Na szczególne okazje, wesela i pogrzeby, chrzciny i święta wkładała sukienki, co ważne, zawsze wykonane z materiału wymagającego prasowania, len był jak znalazł: kapryśny i zawsze wygnieciony.

Norbert odwoził teściową – często myślał, że swoją, choć naprawdę Kuana – do domu tak nieznacznie pod Warszawą, że prawie w. Jakaś awaria auta Kuana nastąpiła po rodzinnej kolacji i Maria poprosiła Norberta, żeby matkę odwiózł.

Włączył radio, więc prawie nie musieli rozmawiać; zatrzymał się przed domem starszej pani (Ninel użyłaby określenia: seniorki; „starsze panie" są seksistowskie albo też są tym innym przymiotnikiem, którego jeszcze się nie nauczył) w Radości, teraz ciemnej jak piekło, wysiadł, otworzył tylne drzwi i podał ramię. Seniorka wysiadła, po czym zapytała:

– A czy w jego wieku to nie za ciężkie?

– Za ciężkie co?

– No, że w tygodniu Kuanuś pracuje, a w piątek czy sobotę występuje. Te nocne kluby muszą męczyć.

– Jakoś sobie dajemy radę – odburknął.

Seniorka łamana przez teściową i reumatyzm odeszła, Norbert zaś długo tkwił w bezruchu. Nie spodziewał się, aby działalność jego kochanka pozostawała sekretem w nieskończoność, ale jeszcze bardziej nie spodziewał się, że teściowa wspomni o niej otwartym tekstem i bez przygany. Prawdziwe życie przecieka do życia idealnego, rodzinnego. Czy teściowa w ogóle wiedziała, na czym polegają występy Kuana? Czy wiedziała, że Kuan już wcześniej staje się Maksem, a na scenie przestaje nim być, aby stać się Kim Lee?

Następnego dnia było gorzej. Maria umówiła się z Norbertem w kawiarni. Nigdy wcześniej nie spotkali się w kawiarni, nie w Warszawie. Włożyła garsonkę, więc nieco się uspokoił, sukienka podkreślałaby nadzwyczajność sytuacji, przestraszyłaby Norberta, który i tak był już zaniepokojony. I zasępiony.

Garsonka; dwuczęściowy ubiór składający się z prostej spódnicy i żakietu z identycznego materiału; g. jest kobiecym odpowiednikiem garnituru, w odróżnieniu od niego garsonka nie tworzy trwałych związków frazeologicznych, a zatem można powiedzieć o garniturze zębów, o pierwszym garniturze (zespole najlepszych ludzi wybranych do pełnienia jakiejś funkcji), o kotlecie lub śledziu z garniturem (czyli w przybraniu), ale już nie można powiedzieć o garsonce zębów, o pierwszej garsonce ani o kotlecie lub śledziu z garsonką; fakt, że garnitur buduje trwałe frazeologizmy, garsonka natomiast nie, doprowadził do przyjęcia przez ONZ uchwały o wycofaniu garsonki ze społeczeństwa i języka; od 2030 r. garsonki będą sprzedawane jedynie w sex-shopach w dziale dla patriarchalnych fetyszystów, natomiast na zdjęciach z XX wieku i pocz. XXI w. – ulegną

wyretuszowaniu, z wyłączeniem książek historycznych. Niektórzy uważają, że to smutne. Nawet bardzo, zwłaszcza w odmianie przed kolano.

Podniósł się ze swoich siedzących szpilek i ucałował
Marię w policzek. Pachniała perfumami, które jej kupił na
urodziny, Miracle od Lancôme, różowy flakonik, liczi i frezja,
głębiej oczywiście piżmo, również imbir i pieprz. Pachniało
wschodem słońca na wakacjach, kochał ten zapach tak bardzo, że z trudem zwalczał pokusę, żeby go nie kupić dla siebie,
żeby nie spryskiwać nadgarstka przed snem, słońce tak czy
inaczej by wstało, w zaróżowieniu, obojętnym albo już złym,
magnolia i jaśmin, wzruszenia naprawdę rozjebują człowieka.

Zamówili po latte i ciastku. Norbert nie wykazywał
ochoty na słodkie, wiedział jednak z wyjazdów pielgrzymko-
wych z Marią, że ona kocha krytykować to, co podają w restauracjach i ciastkarniach, poniekąd słusznie, włożyła bowiem wielką pracę w sztukę kulinarną i gotowała świetnie,
z odrazą odrzucając gotowe kostki rosołowe, sosy w proszku
i serniki z saszetek.

Zanim przyniesiono kawę i ciastka, stoczyli roz-
mówkę o teściowej i przytykającym się sedesie w łazience na
górze. Norbert wybrał coś z malinami, jakąś tartę, ona ptysia.

– Bardzo udany ptyś – stwierdziła.

– Bardzo poprzednie maliny – powiedział.

Maria roześmiała się. Opinie o czyjejś nieporadno-
ści kulinarnej przyjmowała jako komplement. Gdyby się nad
tym zastanowić, byłoby to dość dziwaczne – oto dojrzała
kobieta za komplement bierze niedoskonałości innych lub
ich kuchenną nieporadność. Z powodu Ninel Norbert pomyślał, że to przez Kuana, że to on tak zrobił Marii, iż gdy ktoś

źle uwarzył ciastko, to ona rozkwita. A powinna rozkwitać, Norbert był tego pewien, nie z powodu czyjegoś potknięcia, lecz dlatego, że jest wspaniałą kobietą, dobrą żoną i matką, troskliwą przyjaciółką.

– Sama nie wiem, czy posłanie Patryka do katolickiego gimnazjum to był dobry pomysł.

Norbert właśnie przełykał poprzednie maliny, maliny z poprzedniego lata, nie zareagował od razu, nie z ciastkiem i owocem w przełyku. Przypomniał sobie długie debaty, gdzie posłać Patryka po podstawówce; oczywiście szkoły państwowe nie zasługiwały na jedynaka, pozostały do wyboru prywatne, które lepiej zadbają o talent chłopca, wygrywającego matematyczne olimpiady i rzeczywiście inteligentnego. Bardzo inteligentnego.

– To przecież świetne gimnazjum. Nie powinnaś się martwić.

– Tak, tak. Świetne. Świetne.

Norbert się napiął, spiął.

– Więc o co chodzi?

– Martwię się o niego.

– Też się o niego martwię.

Spojrzała na Norberta źle, znad udanego ptysia, zastanawiając się i nad tym, czy wypomnieć mu, że nie powinien tak mówić, nie w tej chwili, i nad tym, czy jest coś większego niż jej miłość do syna.

– Najemy się wstydu – powiedziała.

– Wcale nie – zaoponował.

– Przecież Patryk się dowie. Pewnie już wie!

Wymawiała słowo po słowie na ściszonym wykrzyknieniu. Norbert nie zamierzał odpowiadać. Bo to prawda. Chłopak się dowie, prędzej czy później, a przed nim – nie da się wykluczyć – mogą dowiedzieć się koledzy z jego klasy. Mogą zamienić jego życie w koszmar.

A może to nieaktualna obawa? Może latorośle są latoś tolerancyjne, otwarte? Może ojciec zamieniający się w motyla to przestarzała sprawa, nuuuda, sucks!, do bani albo przeciwnie – coś wartego uwagi, pełen wypas, odjazd i szacun z propsem, przybij żółwika, podaj jointa, nie całuj, jeśli masz zajady?

– Przesadzasz – Norbert starał się brzmieć racjonalnie. – Gimnazjum to gimnazjum. Dzieci to dzieci.

Nie wiedział, czy mówi sobą, czy kłamie. W końcu stwierdzenie, że A to A, nie należy do pomocnych, jest unikiem, bywa, że tak szybkim i nieoczekiwanym, iż zderzającym się z prawdą.

– Po prostu nie wiem, co zrobić.

Zgniotła serwetkę w palcach.

– Więc porozmawiaj z nim. Albo ja porozmawiam.

Spodziewał się głośnego „nie", Maria jednak, przygotowując się do tej rozmowy, liczyła się chyba z taką propozycją, albo przeciwnie: liczyła na to, że ona nie padnie. Zgniotła drugą serwetkę, przystawiła bliżej pojemnik z serwetkami, dystrybutor, dozownik, czy jak to się nazywa w sieciowej kawiarni. Zdanie, na które się zdecydowała, musiała wcześniej wielekroć przećwiczyć przed lustrem lub nad zlewem, brzmiało ono prawie tak, jakby nie wychodziło z Marii, ale zostało z odruchowym automatyzmem odczytane z ulotki, takiej skądinąd i na podoręدziu:

– A co potem? Myślałeś o tym?

Skupił się na ciastku z malinami, wolał milczeć, nigdy dotąd nie zabrnęli w taki zaułek, niewygodną bliskość, ślepą kiszkę.

– To ja ci powiem. Zacznie się zastanawiać, kim ty jesteś, kim dla jego ojca i dla mnie. A jak on zacznie się zastanawiać, to ja będę zmuszona też – kolejne dwie serwetki poszły w kulkę. – Może nawet zapytać. No... kiedy ostatnio uprawiałeś z Kuankiem seks?

Maria spłonęła rakiem, cofnęła się w siebie, przylgnęła do kręgosłupa, tak bardzo zacieśniona, uczepiona kurczowo niczym tarsjusz gałęzi, że krew została przepchnięta pod granice skóry. Była i przerażona, i dumna – nie przypuszczała, że potrafi pytać o to, czego wolałaby nie wiedzieć z wygody, strachu, kościelnego nawyku, a co jednak chciałaby usłyszeć, sparzyć uszy wiedzą, dokładnie tak, jak czubek języka parzy, gdy nim dotknąć metalu na silnym mrozie.

– Trzy miesiące temu. Hotel we Wrocławiu.

Nie wierzył, że powiedział, co powiedział, tak bardzo, że zatkał usta prawą dłonią. Małe dziecko przyłapane nie tyle na gorącym uczynku, ile na byciu sobą, w temperaturze pokojowej.

Maria – coś ją wewnętrznie rozbawiło, w niej się odwróciło – zaczęła mówić to, co wcześniej zapadała w siebie, odkładała w sobie.

– A ja, kiedy zabrałeś Patryka na to południe Polski! – kolejne trzy serwetki poszły w kulki, w tym tempie przed ostatnim łykiem latte Układ Słoneczny zostanie przekroczony. – Widzisz, to są konsekwencje rozmowy.

Gdyby Norbert był zblazowanym młodzieńcem, powiedziałby „auć", a że nie był, to marzył, żeby znaleźć się gdzie indziej, z dala od niej i jej słów, i malinowej jakby tarty z poprzednimi malinami.

– Co zrobimy? – zapytał po długiej chwili milczenia i kolejnych serwetkach zamienionych w ciała planetoidalne, zapytał, ponieważ Maria pogrążyła się w jakimś odrętwieniu i końcówce ptysia.

– Uznamy, że ta rozmowa się nie odbyła.

– Jasne – powiedział i się roześmiał.

Maria nie rozeznawała się w teologicznych zawiłościach; kiedy zjadała ostatni kawałek ptysia, zlizywała krem z łyżeczki, po kremie ślad po szmince, dotarło do niej, co zawsze udawała albo wiedziała, że Kuanek jest dobrym katolikiem. Przecież nie pożądał żony bliźniego swego, pożądał Norberta, Norbert nie jest niczyją żoną. Kuan nie złamał żadnego przykazania. Maria pamiętała, że w Biblii stało coś o Sodomie i Gomorze, i o żonie Lota, ale to chyba od dawna już nieaktualne. Apostołowie wielu rzeczy nie przewidzieli.

Przesunęła talerzyk z filiżanką na krawędź stolika, podważyła palcem, spadł i rozbił się na trzy. Uśmiechnęła się, to bardzo przyjemne zbijać coś i nie musieć zbitego sprzątać. Będę częściej bywała w kawiarniach, postanowiła. Czekając na kogoś z obsługi, gotowa do przeprosin za swoją niezdarność, złowiła zdumione spojrzenie Norberta. Nie spłoszyła się, nie poddała oczu walkowerem, wytrzymała i odpowiedziała, czując, że po raz pierwszy ma nad nim przewagę:

– No, co? Przyniezdarzyć nie można?

Norbert od tygodnia nie schodził poniżej 38 stopni Celsjusza. Za dużo się działo i źle się działo. Same układy kostek domina, ruszysz jedno, padnie twoje dotychczasowe życie. Nie ruszysz – też padnie, choć w drugą stronę i pewnie później. Nawet defekacja – często najrozsądniejsze i rutynowe rozwiązanie – nie kusiła zbytnio. W tej gorączce miotał się między domem Marii i Kuana, mieszkaniem Ninel a swoim własnym. Nigdzie nie potrafił zagrzać miejsca. Teraz siedzieli z Ninel przy kuchennym stole. Grał telewizor. Ona parzyła herbatę, on bębnił nerwowo palcami o blat. (Nowe natręctwo, pomyślała, wcześniej nie bębnił, tylko rozbijał przedmioty).

– A co w ogóle u ciebie? – wyrzucił z siebie nagle, jakby spluwał pestką.

Ninel wypuściła powietrze. Umiała wypuszczać powietrze wąsko i głośno, prawie tak jak z odpowietrzanego kaloryfera. Całkiem to lubił, odpowietrzany kaloryfer kojarzył mu się z ciepłem, o co też powinien obwinić Ninel – w końcu ciepło powinno mu się kojarzyć z matką, nie z kaloryferem. Oraz z mięśniami brzucha, na które sobie zapracował.

– Coś się mamie odnowiło. Jakieś stare złamanie. Będę musiała pojechać do Łodzi.

– To też masz przesrane – powiedział i się zreflektował. – Przepraszam.

Nie odpowiedziała wprost, powiedziała obok:

– Mój ojciec pięknie przeklinał. A ja jakaś jałowa jestem. Trudno mi wyjść poza kurwę i chuja.

– Nie martw się. To dlatego, że zdenerwowałaś się mamą. Tym złamaniem w niej.

– Nie. To brak talentu. Pamiętam jeszcze ze Wschodu bladzie i swołocze. Poza tym nic. Cipa, kutas, nie ma czym się chwalić. Sterylne wulgaryzmy.

– Myślisz – zaczął ostrożnie – że nie umiesz, bo jesteś feministką?

Uśmiechnęła się, zapalając kolejnego papierosa.

– Nie umiem, bo nie umiem, a nie dlatego, że jestem. Kinga pięknie klnie.

– I używa – Norbert poczuł się chłodniej i pewniej – takich trudnych przekleństw, jak patriarchat albo ekumenizm?

– Kinga jest bardziej rozbudowana. Klnie na przykład abiektem, słupem Hallingera. Ona jest bardzo pomysłowa.

– Aha. Nie znam tego. A co, twoim zdaniem, znaczy „przyniezdarzyć"?

Po raz pierwszy tego wieczora spojrzała na niego z prawdziwym zainteresowaniem, a nie z lekko obojętną i w sumie drażniącą troską. Gdy ją zaskakiwał, patrzyła – przynajmniej według interpretacji Norberta – jak na kogoś nieznajomego albo jak na kogoś w śpiączce, kto poruszył lekko palcem wbrew zgodnej opinii konsylium.

– Przy-nie-zda-rzyć – przesylabizowała, żeby zaciągnąć się papierosem i musnąć nagi policzek kochanka. – To oczywiste: przyniezdarzyć znaczy tyle, co być przy zdarzeniu, które się nie zdarzyło. A co myślałeś?

– Myślałem, że chyba dziś zostanę u ciebie na noc. Jeśli nie masz nic na... na swoją obronę.

37.

Zawsze lubił spać z kilkoma poduszkami. Ewentualnie z An-
drzejem. Odrętwienie odczuwane od pewnego czasu rankiem
składał na Andrzeja, na jego karb. Zdarzało się Andrzejowi
przysnąć na ramieniu Krzysia. Potem okazało się, że to nie
Andrzej. Krzyś budził się bez ręki, czasem, choć rzadziej, bez
nogi. I to w sytuacji, kiedy od wojen i min trzymał się z daleka.

Nieadekwatność myśli do sytuacji. Spóźniała się, chociaż
zazwyczaj była punktualna, nie zajmowały jej w ogóle konsekwencje spóźnienia, rozmyślała o cywilizacji i śmietniku.
Pokaż mi swój śmietnik, a powiem ci, jaką cywilizacją jesteś. Wyobraziła sobie śmietnik swojej cywilizacji, tej wielko-

miejskiej odmiany środkowo- czy już zachodnioeuropejskiej, z niewolniczymi latyfundiami w Chinach i Indiach. Podobał się on Mai. Znajdowało się tam sporo jedzenia, ubrania, sprawne sprzęty RTV i AGD, meble, sporo zabobonów, miejskich legend, taśm VHS i płyt DVD, sporo przejrzałych dogmatów, kłamstw i nierówności, sporo idoli, świętych i stereotypów. Mało która cywilizacja mogła poszczycić się tak zasobnym śmietnikiem. Maja odczuwała coś na kształt dumy zrośniętej z niepokojem. Oby tego śmietnika nie dopadł kryzys, niech się powiększa, niczym wszechświat, aż do całkowitego ostygnięcia. Wtedy przez wieczność zrobimy utopię. Mnie już nie będzie na miejscu, będę na śmietniku.

Założyła jedyne buty na obcasie, jakie posiadała, wygrzebane z pawlacza. Szymon powiedział kiedyś, wiele lat temu, że kręcą go obcasy, a Maja przypomniała sobie jego słowa, przypomniała dokładnie i precyzyjnie dopiero wczoraj, między upadkiem Anielki z kuchennego krzesła a rykiem Dominika ugryzionego przez Sławoja. (Tak, tak, Maja nauczyła się przydzielać imiona potomstwu siostry).

Teraz buty jej zawadzały i ją dodatkowo spowalniały. Padał deszcz ze śniegiem, ślizgała się w brei zalegającej na chodniku, przemoczyła stopy, chciała się rozpłakać ze złości. Gdyby była czujniejsza, nie wyrzuciłaby z głowy maksymy, którą uwielbiał cytować jej ojciec, a za nim Szymon, a która złotą zgłoską, przypomnijmy, oznajmiała: każdy dobry uczynek zostanie prędzej czy później ukarany. Poza tym powątpiewała, czy chęć przypodobania się komuś, zadowolenia kogoś, nawet gdy idzie o własnego męża, to rzeczywiście dobry uczynek. O kurwo zgrozo ja jebię, zaczęła przeklinać na wysokich obcasach. Dobry uczynek czy niedobry, już został ukarany!

Widziała go z daleka, choć całe dotychczasowe życie przeżyła ze świadomością, że jest krótkowidzem, -widzką, znaczy, lecz z tych niewyobrażalnie zaradnych. Franek mókł na rogu, tam gdzie się umówili. Od tygodnia nosił trzydniowy zarost, sama mu kazała, teraz wyleciało jej z głowy i rozmokło dlaczego.

– Przepraszam cię za spóźnienie. Bardzo, bardzo. To przez obcasy.

– I jak poszło?

– Chyba dobrze. Może dostanę tę pracę. Nie powiem nic więcej, bo mi śnieg pada do żołądka. Och! Mam nadzieję, że Faustyny już nie ma!

– Śnieg obiecywał ci padać do żołądka, a ty obiecałaś milczeć.

– Bardzo jest to, BARDZO zabawne, popłakałam się na podstawie tego, co mówisz. Powinieneś pracować w kwiaciarni.

Stłumił ochotę niezwłocznego dowiedzenia się, dlaczego w kwiaciarni; dopyta kiedy indziej lub kiedy nigdy. Poza tym powinien był zabrać parasol. Nie rozumiał, skąd w nim ta nagła brawura, ta nonszalancja, ta paskudna dezynwoltura, żeby zignorować prognozę pogody. I fakt, że w nią nie wierzył, był tylko wymówką, nie odpowiedzią.

W pierwszym odruchu, po diagnozie, Krzyś postanowił nabrać dystansu. Wpadł na następujący pomysł. Tak jak jego ciało przeszło z trybu życia w tryb schyłku, tak on sam, ta część portretowana przez psychologów policyjnych, zaborcze matki i obojętnych ojców, musi przejść z trybu pierwszoosobowego w trzecio-.

Gdy zaczął o sobie myśleć, przekreślając „ja" bez przyszłości na rzecz „on" też bez, przeczytał sobie, co go czeka, pięć stadiów z dominantami w kolejności chronologicznej: zaprzeczenia, złości, targowania się, załamania, akceptacji.

Maja wolała, żeby jej Franek nie dotykał, gdy jednak reagował na chybot jej obcasów, chwytając za ramię, czasem za inny element Mai, kupny jak torebka lub wrodzony jak miednica, za złe nie miała mu, lecz sobie, i temu śniegu jebanemu źle celowo odmienionemu.

Wbiła kod domofonu. Na klatce zatrzymała się i położyła palec na ustach.

Weszli na piętro, Maja i Franek. Przyłożyła ucho do drzwi, mieszkanie zgłuchło, co obiecywało, że Faustyna i czeredka (takiego określenia też używała) przenieśli się, zgodnie z ustaleniami, do pani Cecylii. Na kilka godzin.

Nacisnęła klamkę i weszli do środka.

Po okresie niemoty i głuchoty telefonicznej zadzwonił do rodziców, do matki, poinformował ją, że wyjeżdża za granicę, na dwa-trzy miesiące, do Indii, trudno powiedzieć, oczywiście samolotem, oczywiście otworzy sobie czakry, oczywiście wcześniej się zaszczepi przeciwko chorobom, ciemniejszemu odcieniowi skóry oraz Buddzie.

– Och, tak się martwiłam. Zadzwoniłam nawet wczoraj do Andrzeja, żeby zapytać, co się z tobą dzieje! – wykrzyknęła matka. – Nie rób tego więcej!

Pomyślał, że gdyby jej naprawdę zależało albo gdyby naprawdę się zmartwiła, przyjechałaby do jego mieszkania.

Teraz rzeczywiście musiał wyjechać.

Wyjechał nazajutrz na południe. Kiedyś poznał chłopaka, którego rodzice prowadzili gospodarstwo agroturystyczne. Skorzystał z tej znajomości.

I poznał go zwyczajnie, w starym rycie, przy piwie, ani się nie całowali, ani pieprzyli, nawet w oczy patrzyli sobie tak jakby obok na baner reklamowy, chyba to była whisky.

Juli opowiadała o jakichś przedrostkach, przyrostkach czy innych sufikso-prefiksach. Maja, nieobeznana z terminologią – nawet po polsku by się pogubiła, przygodę z gramatyką zakończyła w liceum głośnym rozstaniem, ku obopólnej uldze – ograniczyła się do słuchania. Koniec końców Juli perorowała o nieprzetłumaczalności, nieprzetłumaczalności systemu na system, chodziło jej o słowa, Maja jednak myślała o emocjach i socjologicznych derywacjach, one również bywają nieprzetłumaczalne.

– Co jest w tym brązowym protokólarzu? – Maja nie musiała przerywać Juli, aby zwrócić się wprost do Szymona; wpasowała się w pauzę.

– To są takie moje... pierwsze intuicje językowe.

– Uwielbiam pierwsze intuicje – ożywił się Franek, chyba pierwszy raz podczas tego spotkania. – Czy twoje łączą się z matką i nieuświadomionym odrzuceniem?

– Niekoniecznie. Albo nie tak bezpośrednio. Może głębiej... – bąknął Szymon, dziecko, jak my wszyscy, Freuda i Lacana, aha, także Junga, jeśli ktoś uwrażliwił się na mandale.

Teraz rozmowa rozdzieliła się niby wtyczka, na dwa bolce. Franek wdał się w dyskusję z Szymonem, nie wiadomo kiedy przeszli z angielskiego na niemiecki, natomiast Juli z Mają – po angielsku.

– I jak go poznałaś?

– To on poznał mnie. A ty?

– Byliśmy w tej samej szkole.

– Chcesz go... zatrzymać dla siebie?

– Nie. Chcę się nim podzielić. Albo nie. Albo chcę, żebym mogła się z nim podzielić. No wiesz, Juli, jak na wadze Temidy, trzeba już zedrzeć tę opaskę z oczu. Toples mówi prawdę.

– A wasz syn?

– Nie wiem, czego on chce. To znaczy wiem, chce, żeby wyprowadziła się Faustyna i – jak każdy – szczęścia. Jeszcze nie rozumie, że tego nie dostanie, to znaczy nie na swoich warunkach.

– Twoim zdaniem Faustyna – Juli dziwnie wymówiła imię siostry Mai; „Faust-" zaświstało jak w pancerfauście, „-yna" wybrzmiała niczym końcówka jakiegoś środka czyszczącego lub dezynfekującego, na przykład jodyny lub poprawności politycznej – to kobieta do wyrzucenia, a szczęście to kwestia do uzgodnienia?

– Gdybym wiedziała, jakiej spodziewasz się odpowiedzi, zaryzykowałabym kłamstwo.

To było pochlebstwo, Maja jednak nie zdała sobie od razu z tego sprawy. Sądziła, że mówi prawdę, tak zwyczajnie. (Anielka używała czasowników w przeciwstawnych parach znaczeniowych, na przykład: prawdomówić i bolimówić; taka opozycja, myślała Maja, zanika powyżej piątego roku życia, a w rodzinach ateistycznych w ogóle się nie pojawia).

– Nie ma takiej odpowiedzi, której bym się nie spodziewała – odrzekła Juli.

– To, co powiedziałaś, nic nie znaczy.

Uśmiechnęły się w tym samym momencie.

– Jesteś do niego podobna.

Zdanie to padło niemal równocześnie, z ust Mai i Juli, słowo po słowie w obcym języku angielskim, później doprecyzowały szczegóły. Dla Juli podobieństwo Mai do Szymona oznaczało, że obydwoje są zdumiewający, dla Mai natomiast podobieństwo Juli do Szymona oznaczało, iż obydwoje są niezrozumiali.

To był zwyczajny pokój: łóżko, biurko z krzesłem, szafa. Okno. Nie był ani panem, ani więźniem. Był gościem. Co tydzień płacił za pokój, niedużo, bo po sezonie i po znajomości, a od pewnej chwili – na zapas.

Przez okno widział kawałek łąki z sarnami, przychodziły tuż przed zmierzchem i znikały o świcie; Krzyś nie przypuszczał, aby sarny były podobne do ciem, jakoś tam pewnie jednak były, krok między owadem a ssakiem nie musi prowadzić do szpagatu ani na oddział ortopedyczny, między owadem a ssakiem mimo wszystko występuje przestrzeń, także porozumienia.

– Nie wiesz, jaka ona jest – rzekł Szymon przy kolejnej językowej wolcie, porzucając niemiecki na rzecz polskiego.

– Od miesięcy jem w stołówce pod paprotką. Ona sypie zarodnikami na mój talerz. – Szymon spojrzał na Franka jak na wariata. Nic nie musiał mówić, Franek sam się wytłumaczył: – Przepraszam, to już u mnie machinalne. Maja twierdzi, że rozmowy ze mną są nudne i niemrawe, i dlatego poleciła mi wtrącać coś od czasu do czasu z głupia frant. No i teraz weszło mi to w nawyk. Przepraszam.

– Nie musisz robić wszystkiego, co ci mówi.

– Przecież wiem. Robię tylko to, na co sam bym nie wpadł, że można, jeśli oczywiście to nie jest karalne.

Zabrzmiało to z lekka arogancko, jak gdyby Franek dawał do zrozumienia, iż potrzebna mu była Maja, żeby wyskakiwać w rozmowie jak filip z konopi, Szymon wszakże w ogóle tej aroganckiej nuty nie usłyszał, zastanawiał się bowiem, czy on sam potrafiłby z taką łatwością zastosować się do jakiejkolwiek, dowolnej jej prośby lub rady. I ponuro skonstatował, że nie. Za długo się znali, ponad połowę życia spędzili razem, aby teraz miał znajdować w sobie ucho i wolę; co było do ustąpienia, zostało ustąpione, co było do poprawienia, zostało poprawione, co do dogrania – dograne, pomyślał, wpadając w język starych porządków.

– Ten pomysł spotkania we czworo to jej, prawda?

– Starałem się to wybić Mai z głowy.

Szymon uśmiechnął się mimowolnie, on sam starał się Mai wybić z głowy wiele rzeczy, teraz było mu z tego powodu wstyd.

– Czego ona oczekuje?

– Że się zaprzyjaźnimy i będziemy rodziną. No, wiesz, przesiadka z ciasnego malucha do wygodnego kombi. To chyba zresztą jej słowa. Nie wszystko zrozumiałem – pospiesznie usprawiedliwił się Franek – ponieważ się wściekłem.

– O co najbardziej?

– Chyba o to, że jestem dla niej... niewystarczający. Że chce też ciebie i Juli. Oczywiście, wtedy nie wiedziała, że to będzie Juli...

– A teraz, co myślisz o pomyśle Mai?

– Za bardzo jestem w niej zakochany. Nie umiem ci odpowiedzieć.

W Warszawie załatwił jeszcze jedną rzecz: kupił przez Internet zestaw do przeprowadzenia eutanazji. Kosztował nieco ponad 150 euro. Gdy otworzył przesyłkę, poczuł głębokie rozczarowanie. Znajdowały się tam igły, strzykawki i dwa silne środki (Norcuron i Pentothal). Liczył na to, że wystarczy coś połknąć, a tu – jakby co – trzeba będzie się pokłuć. To niedobrze. Niedobrze, że człowiek nie czyta dokładnie opisu tego, co kupuje. Niedobrze też, że człowiek najpierw traci zdolność do zrobienia sobie zastrzyku, a dopiero później do przełknięcia pastylki czy płynu. Wtedy rzeczywiście się rozpłakał, z paczką w rękach. Nie z roztkliwiania się nad sobą, lecz z wkurwienia.

Jebany kraju, Sejmie jebany, Kościele jebany po równo z jego etyką i brzuchatymi biskupami, jebani jesteście rządząca prawico z niedorozwiniętą lewicą jebaną, rzucam na was jebaną klątwę – Krzyś skorzystał z języka religijnego, starotestamentowego, albowiem język ten jak żaden inny nadaje kształt i pozór sensu bezsilnej frustracji – mam jebaną nadzieję, że kryzys euro i jebanego USA was nakryje z butami, a wasze polskie blond-białe latorośle będą jebane przez Chińczyków, a wasze wnuki będą miały skośne oczy i kutasy zakończone pagodą w miejscu żołędzi, a wnuczki wasze jebane cipy będą nosić jakości podkoszulków jednorazowych i że nikt wam nie poda jebanej zezującej szklanki zachlorowanej wody, bo zły jest jebany kraj, w którym śmierć muszę kupić w necie, a do tego, kurwa mać, w strzykawce. Jeb jeb.

Po modlitwie Krzyś poczuł się silniejszy, mądrzejszy. Było mu wstyd, że brzmiał niczym rasowy rasista. Nie powinien grozić światu Chińczykami.
Potem – nagle – się uspokoił. To przecież była modlitwa. Każda modlitwa jest rasistowska. I pozaetyczna.
Gdyby bóg istniał, mimo że nie, po pierwsze nie wysłuchiwałby modlitw.

Rozmawiali, tak jak didżej grał. Raz Juli z Mają, Szymon z Frankiem, raz Juli z Frankiem, a Szymon z Mają. Plus inne kombinacje, nie jest ich tak wiele. Ten didżej nie odznaczał się zbytnią pomysłowością.

Gdyby przedwcześnie podsumować efekty tego grania, wolno by ostrożnie wspomnieć o ostrożnej sympatii, podobnej do okonia, wszędzie kolce i zaczerwienione ostrzegawczo płetwy, która budowała się pomiędzy czworgiem.

Maja zaplanowała na dwunastą, pi razy pi (wynik zbliżał się do 10), powrót syna od Andrzeja, który udzielił mu dachu nad głową. A po powrocie syna zaplanowała, że wspólnie udadzą się na obiad do pobliskiej restauracji, takiej ani dobrej, ani złej, przyzwoitej, bez wstydu i (niestety) serwetek z materiału, w sam raz na kieszeń Szymona, bo kieszeń Mai pozostawała kieszenią Szymona.

Bruno pojawił się o czasie, Maja słyszała i bipnięcie domofonu, i otwarcie drzwi. Wszyscy usłyszeli, a jedynie Juli nie zrozumiała, póki Franek nie wcisnął jej tłumaczenia w ucho, słowa Bruna, te z korytarza, sprzed nawiązania kontaktu z ludzkim światem:

– Fuck, cicho jest.

Bruno pojawił się w drzwiach salonu. Maja uroczyście wstała. Jako matka poczuła się uprawniona do przekazania złych wieści w dowolny, a więc także zawierający w sobie element kuriozalności czy obcesowości sposób.

– To jest Franek, kochanek twojej matki, a to jest Juli, kochanka twego ojca. Jak było w piątek w szkole, bo nie miałam okazji zapytać?

– Bez obaw – odparł, po czym usiadł na podłodze.

Dużo czytał, żeby nie leżeć z sufitem tak bliskim jak opatrunek.
Spacerował, póki mógł, nawet po kilka kilometrów. Rozmawiał

z gospodynią. *Czasem się śmiał, lecz wtedy zawsze wyostrzał ucho. Ona również pilnowała się ze współczuciem.*

Siedział też w necie. Dzień rozpoczynał od wyguglowania swego imienia i nazwiska z dodatkiem „nie żyje". Gdy nacisnął ENTER po pierwszym wpisaniu tej kombinacji, zamknął oczy. Bał się straszliwie, że pojawi się jeden wynik, razem z mapą Google'a, dużo precyzyjniejszą od czegokolwiek, co wymyśliły religie, i bieżącą godziną, tykającym do zera zegarem.
Otworzył oczy, dostał prawie trzysta wyników. Ulga, trzysta ulg prawie. Potem jego książka pojawiła się w zapowiedziach wydawnictwa, potem jego książka (pierwsza!) zaczęła zbierać recenzje. Jego „nie żyje" skoczyło gwałtownie do ośmiu tysięcy. Im więcej wyników wyrzucała wyszukiwarka, tym lepiej się czuł, na chwilę i psychicznie, ponieważ jego śmierć stawała się coraz mniej prawdopodobna, coraz więcej problematyczna, rozproszona, coraz trudniej było w nią trafić.
W niewielkiej odległości od własnej śmierci, kiedy to przekroczył dziewięćdziesiąt tysięcy trafień własnej śmierci, był pewien, że z punktu widzenia cyberprzestrzeni (lub religii) osiągnął półnieśmiertelność.

– Bez obaw – odparł Bruno, po czym usiadł na podłodze.
Tak najczęściej Bruno odpowiadał na pytanie o szkołę, gdy zaliczył pałę lub upokorzenie innej kategorii. Maja wyżej punktowała odpowiedź: „dobrze" lub „w porządku", lub coś około, w po-, jakąś inną ość, albowiem „bez obaw" od razu wprowadzało ją w obawy i wypłukiwało magnez ze stawów oraz witaminę C z organizmu. Gdy słyszała „bez obaw", czuła się jak sprinterka na 100 metrów, której na torze poustawiano płotki, jakby transsubstancjonowała się cudem w kangura.

Bruno tymczasem usiadł na klepkach parkietu, ponieważ po prostu zakręciło mu się w świecie. Nigdy nie uważał swoich rodziców za normalnych, to były dwie, z jego punktu widzenia, porąbane istoty, dające się jednak kochać i kochanie zwracające na zasadzie generatora energii cieplnej, ładującego się za dnia bateriami słonecznymi i po zmroku oddającego światło i ciepło.

Ponieważ wszyscy wpatrywali się w niego, co było nie tylko niegrzeczne, lecz też psychologicznie szkodliwe, Bruno poczuł się przymuszony coś powiedzieć, nawet głupiego.

– Mamo, wolę twego kochanka, i tato, wolę twoją kochankę od Faustyny i jej pisklaków. Ci wasi nowi ludzie wyglądają, że czasem milczą.

Tak powiedział Bruno, ale nie to chciał powiedzieć. Chciał powiedzieć, że nie mają prawa robić mu czegoś takiego na oczach nieznajomych ludzi. Że on się w ogóle nie zgadza. Że co to ma być!? Jeśli rozwód, niech to nazwą. Jeśli coś innego, też niech to nazwą. Opis bohaterów, podany przez matkę, to za mało, żeby zapewnić jakiś dach nad jego ego.

– Chyba powinniśmy się zbierać – oznajmiła Maja. – Zarezerwowałam dla nas stolik w restauracji. Pójdziesz z nami?

Bruno nie od razu zorientował się, że go naprawdę pyta. Nie zorientował się, że matka godzi się i z jego zgodą, i z odmową.

– W której?

– W Malinowej.

– To pójdę, głodny jestem, ale – zagroził – nie próbujcie mieszać mnie w swoje sprawy! A w piątek – uznał, że ta informacja pozwoli mu w jakiś sposób zemścić się na matce – dostałem pałę z biologii. Chciałem zgłosić nieprzygotowanie, tylko że pożałowałem.

Któregoś weekendu wpadł syn gospodyni, też nazwany Krzyś. Krzyś pierwszy, ten nasz, bardzo był już osłabiony, Krzyś drugi, ten poznany przez pierwszego, był z kolei konkretny, praktyczny.

Siedzieli na ławce przed domem.

– Stary, czy jest coś, co mogę zrobić?

Krzyś, ten Andrzeja i nasz, wydał dyspozycje bądź prośby. Pragnął skremowania (podróż zwłok do Jasła, godzina autem albo i dalej), pragnął też rozdzielenia paczuszki z prochami na dwoje i dostarczenia tych końcówek na adres rodziców i Andrzeja.

– Pocztą? – zapytał drugi Krzyś.

– Nie. Zajmie się tym mój stary kolega, Norbert. Dam ci numer do niego. Aha, i zrobię przelew na twoje konto – powiedział Krzyś. – W końcu ten koniec nie będzie za darmo.

– A skąd ty w ogóle masz pieniądze?

– Moi rodzice mają fabrykę kapsli. Poza tym kupili w łatwiejszych czasach kilka mieszkań i je wynajmują. Ja nimi tak jakby zarządzam i biorę pieniądze. Oni nie potrzebują. Kapsle zawsze przynoszą zysk. Taki świat.

– Jutro wracam do Warszawy. Jeśli chcesz, mogę się z tobą przespać. No, wiesz. Ostatni seks w twoim życiu. Jestem naprawdę dobry, fajne ciało, czysty, jestem też delikatny.

Krzyś nie odpowiedział.

Czuł się poruszony. W końcu nic Krzysiów nie łączyło, kilkanaście przypadkowych spotkań w klubach, przy piwie, papierosach i spojrzeniach puszczonych w bok, na banery.

Nie odpowiedział i wymówił się zmęczeniem.

Ułożył się w łóżku. Myślał o seksie, najpierw zgeneralizowanym, potem osobowym.

Teoretycznie powinien powiedzieć tak. Czemu by nie?

A jednak nie powiedział nic, czyli powiedział nie.

Sen nie przychodził.
Usłyszał, jak otwierają się drzwi.
Krzyś, ten drugi, wślizgnął się pod kołdrę i przytulił do leżące-
go na boku Krzysia.
– Śpij – powiedział, i ten pierwszy Krzyś zasnął, w objęciach
obcej osoby, bliżej nieznajomego Krzysia.
Zasnął i się obudził, obudziwszy się, przypuszczał, że śnił.
Jednak nie.
Znalazł na sobie kawałki drugiego Krzysia. Palce rąk, oddech
wprost w szyję, fragment stopy przy swojej łydce.
Nie przyjąłby tej bliskości od nikogo bliskiego.

38.

Dobrodziejstwo komunikacji niezliczeni ludzie doświadczają jako wątpliwe osiągnięcie, przy pomocy którego możemy się na odległość wzajemnie unieszczęśliwiać, co niegdyś było za-strzeżone jedynie dla najbliższych sąsiadów.

Peter Sloterdijk

Ninel opowiadała Norbertowi o Franku, który nie dalej jak wczoraj opowiadał jej o Mai oraz o Szymonie i Juli, oraz o obiedzie w pięcioro, bo przecież jeszcze uwzględnić należy Bruna, ich syna, to znaczy nie z czworga, a z dwojga z nich. Oczywiście w przyszłości może się to okazać negocjowalne i warte ponownego namysłu, chyba że zwyciężą fundamentaliści lub opcja końca świata. Obiad nie skończył się katastrofą, ale rachunkiem do zapłacenia; tak zresztą najczęściej kończą się obiady w tej części świata i o tej porze roku. Po obiedzie pojechali na spacer, na Stare Miasto, Juli pragnęła zobaczyć, jak udała się odbudowa tego, co jej ojciec niszczył swego czasu. Zdążyli jeszcze do Muzeum Powstania Warszawskiego, aczkolwiek Maja jadowicie zauważyła, że pomylili kolejność, co może doprowadzić do zawrotów głowy albo cywilizacji śmierci.

Zjedli kolację na koszt Juli, którą Maja – co Franka bardzo zaniepokoiło – zdążyła polubić do tego stopnia, że w jakimś momencie zapytała swego kochanka na ucho: „Nie sądzisz, że ona jest dużo głębsza od Szymona?". Franek w tym miejscu opowieści oniemiał, ponieważ otworzyły się przed nim nieładne wykładnie sensu jej spostrzeżenia. Między innymi poczuł się absurdalnie zagrożony, wyobraził sobie, że Maja wybrała Juli, a on do końca życia będzie musiał żyć z Szymonem, który swoją drogą okazał się inteligentny i w porządku; gdyby Franek był Mają, nigdy by nie zdecydował się rozszerzyć Szymona o Franka. Tak czy tak, syci i zmęczeni, w dość dobrych humorach, ciągle uważni i lekko spięci, wrócili na Mokotów.

Faustyna wróciła przed nimi. Dziesięcioro osób nawet w wielkim mieszkaniu robiło harmider, który wzmógł się dodatkowo, gdy rozpoczęły się poszukiwania brązowego protokólarza. Juli zauważyła sarkastycznie, że czuje się jak podczas badań terenowych w Afryce, nie rozumie języka, a tylu dzieci w jednym miejscu nie widuje się przy europejskim PKB po prostu bez Photoshopa, na co Maja cierpko i niepoprawnie rzuciła: „Załóż okulary przeciwsłoneczne, a kolory będą na swoim miejscu!". Przejrzano wszystkie zakamarki, przerażony Sławoj dostał prawdziwej biegunki, Anielka zaś, co się okazało w ramach żartu (szybki zakład między Frankiem i Szymonem: czy mała mogłaby mieszkać w budce dla ptaków?), mieści się doskonale w pawlaczu, w którym umieścił ją Franek z powodu kiepskiego zakładu. Anielka podawała najgłębiej zapchnięte rzeczy. I był pośród nich brązowy protokólarz, i był też kłopot ze sprowadzeniem Anielki, rozszlochała się: żądała poduszki i misia, ewentualnie tatusia, gdyż zamierzała pozostać tam, gdzie się znalazła.

– Biedne dziecko – powiedziała Maja. – Tatuś by ci się w pawlaczu nie zmieścił.

Wreszcie nadszedł ten moment, gdy wszyscy mieli ułożyć się do snu, Franek wolałby wrócić do siebie, lecz Maja warknęła „ani się waż!" lub coś ostrzejszego. Skończyło się tym, że czwórką wylądowali w małżeńskiej sypialni. Łóżko, choć ogromne, nie gwarantowało dostatecznej intymności, stąd też postanowili spać nie wzdłuż, lecz w poprzek; stopy dyndały bez oparcia, w powietrzu, dość jednak było miejsca, żeby się nie dotykać. Układ ciał wydawał się przemyślany, idąc od drzwi sypialni do wezgłowia łóżka: Franek, Maja, Szymon, Juli – bardzo bezpiecznie.

Budzik zadzwonił o szóstej, Franek nie zmrużył oka, podobno. Rozpoczęły się kolejki do łazienki i szykowanie śniadania, Faustyna z kruszynkami również wstały. Juli szepnęła w ucho Szymona po niemiecku, Franek usłyszał: „Po tym, co widziałam, już nigdy nie zwątpię, że ci się podobam". Przyjechała taksówka, pożegnali się, Juli i Szymon wyszli. Tchórze.

Dzieci bawiły się w salonie, w kuchni pozostali dorośli oraz Sławoj, przed którym Maja postawiła skórki z mandarynek i nadgniłego pora. „Jednego nie rozumiem. Kim jesteś ty?", tak zwróciła się Faustyna do Franka. „Jestem kochankiem Mai", odpowiedział, na co Faustyna zaniosła się śmiechem, który wydusił z niej kilka łez. „Gardzę wami i wam zazdroszczę". „Ale bardziej gardzisz", powiedziała Maja. „Postaw się w mojej sytuacji! Gdybym bardziej zazdrościła, niż gardziła, już bym umarła". „Nie jesteś wcale taka głupia, jak mówił tata". „Udław się takimi komplementami, Pani Tolerancjo nie dla Wszystkich!", odpowiedziała.

– Niczego nie ustalono, ale wszyscy przeżyli. Za tydzień powtórka z rozrywki. Muszę wydać kolację. Franek prosił. Ech. Może byś wpadł?

Tymczasem niemal równocześnie zadzwoniły dwa telefony, Ninel i Norberta. Ninel odebrała i wyszła do sypialni, żeby porozmawiać. Norbert odebrał i poszedł do łazienki, żeby porozmawiać.

Poza tym jeszcze jedno: Norbert i Ninel mieli zbliżone przekonania oraz kompletnie różne odruchy.

Spotkali się w salonie, każde po swojej rozmowie.

– Moja matka zadzwoniła. Jest w szpitalu. Muszę jechać do Łodzi.

– Zadzwonił ten Krzyś. Już czas – powiedział Norbert.

Ninel zaczęła płakać. Kochała i nienawidziła jednocześnie tę cywilizację osła, w której żyła, owies i siano, tanie podróbki złota i platyny, nienawidziła tej szlachetnej cywilizacji zawieszenia, wolności wyboru, wolnej woli. Zazdrościła wszystkim debilom tej Ziemi. Zazdrościła każdemu, kto potrafi uderzyć w stół, nie myśląc o nożycach.

– Jeśli zaraz wyjedziemy, będziemy na miejscu za kilka godzin. Tylko gdzie? W Łodzi czy w Jaśle? Gdzie mam nas zawieźć?!

– A mógłbyś chociaż raz podjąć decyzję? Podobno jesteś facetem.

– A mogłabyś się ode mnie odpierdolić?! Przyjebujesz się o wszystko! Nawet, kurwa, o to, czego jeszcze nie zdecydowaliśmy! A tu już jest ostra schiza!

Wybuchł, bo uważał, że potraktowała go niesprawiedliwie. On daje jej szansę na dokonanie wyboru, ona zaś w ogóle tego nie docenia.

Przestała płakać. Nie dlatego, że płacz odbierał siły, nie rozwiązywał żadnego problemu, nie ułatwiał podjęcia decyzji. Przestała płakać – to ją zawstydziło i zirytowało – ponieważ pomyślała, że jej skóra zaraz zaczerwieni się, a powieki obrzękną. I Norbert zobaczy ją właśnie taką, jakiej ona sama nie chciałaby widzieć. Otarła łzy i podziękowała w duchu za to, że jakieś szczątki narcyzmu nadal w niej tkwiły i potrafiły się uzewnętrznić.

– Nie kłóćmy się. Jestem wykończona podejmowaniem decyzji – westchnęła. – Pojedźmy po Krzysia.

Norbert popatrzył na nią zaskoczony. O nic nie zapytał, po prostu zaczął się zbierać.

Dopiero w samochodzie, gdy wyjechali poza granice Warszawy w głuchym milczeniu, dobiegającym serwisem informacyjnym z radia, zrozumiała, że podjęła słuszną decyzję, chociaż nie potrafiłaby jej uzasadnić ani obronić. Zmysłem niemieszczącym się na palcach jednej ręki – być może była to przyzwoitość albo stosowność, albo jakaś inna możliwość definicji lub inne jakieś możliwości, jakiś grecki termin by się przydał, one tak elegancko opisują cywilizacje i dają się pogrzebać niczym Polinejkes, choć tak rzadko przychodzą do głowy na czas – czuła, że wybrnęła z całej sieci pułapek z tarczą i obronną ręką.

Odruch na poziomie społecznej tkanki kazałby jej gnać do Łodzi, do matki. Zrządzeniem losu – Ninel nie miała złudzeń w kwestii racjonalności własnej decyzji – podjęła inną.

Zerkała na Norberta. Prowadził w skupieniu, nie zagadywał i nie udawał, że po prostu prowadzi samochód. Wydawał się przejęty. Wydawał się doniosły. Szczery. Patrząc na niego, pojęła, nie od razu, lecz z oporem, że on jest z niej naprawdę dumny. Okazała mu zakurzone, choć nadal lśniące wartości – szacunek i lojalność. Może jakieś inne jeszcze – ości, ogryzione do połysku przez nierozsądek, strach i zawiść.

Nie przypuszczała, że dla niego jej wybór był aż tak istotny.

Wybrała Krzysia, którego widziała ze trzy razy, czyli wybrała Norberta, wybierając jego pierwszą miłość, w emocjonalnym streszczeniu.

Ninel jednak, wybierając Norberta, nie przekreśliła wcale matki. Prawdopodobnie ona byłaby wreszcie zadowolona. „Kuba – powiedziałaby – co prawda już za późno, córeczko, ale wreszcie przestałaś myśleć o sobie".

Ninel wiedziała, że tak matka mogłaby powiedzieć. Pasowało to do niej.

Teraz musiała się zastanowić, dlaczego matka miała lub miałaby rację.

Przecież wybór Ninel pozostawał – przy pierwszym namyśle – wyborem między Ninel córką a Ninel kochanką.

I chyba prowadził Ninel do greckiego słowa, tak ładnie opisującego powinności i stosowności, a tak trudnego do przywołania z głowy na czas.

39.

Indianinem zostawało się dość szybko, w wieku ośmiu–dziewięciu lat, gdy Koziołek Matołek przestał wyrażać całość naszego jestestwa.

Marek Bieńczyk

Andrzej mówił, że nie przyjdzie. Że zwyczajnie, po ludzku, nie da rady. Potrzebuje czasu. W końcu to spory szok dostać znienacka połowę prochów ukochanego, a do nich żadnej legendy, żadnego kocham, ani kawałka wybacz. Ani Norbert, ani Ninel, którą przy tej smutnej okazji poznał osobiście, nic nie wiedzieli.

To było nic nierówne niczemu, niby zero nierówne zeru. Andrzej dostał przecież historię. Norbert odnalazł Krzysia, Krzyś zabronił informować kogokolwiek. Chciał załatwić to po swojemu, bez świadków. Dlaczego? Tego Norbert nie wie. Dlaczego Norbert posłuchał Krzysia, a nie Andrzeja? To Norbert wie. Będzie wiele okazji w przyszłości, żeby posłuchać Andrzeja, i ani jednej do posłuchania Krzysia.

Minęło kilka dni. Andrzej nie dowiedział się niczego, czego nie wiedział. Kolejne nic nierówne niczemu, następne zero oblepione strzępkami liczb. Postanowił jednak pójść na kolację wydawaną przez Ninel. Mimo że nie lubił spotkań w większym gronie. Zdecydował się nagle. Minęła ósma wieczór. Wziął taksówkę.

Zgromadził się tam prawdziwy – z jego punktu widzenia – tłum. Niektórych znał, Maję i Szymona. Większości nie lub prawie nie (Ninel, Franek, Norbert, Maks, Juli). Przywitano go zwyczajnie. Najwyraźniej nie został potraktowany jak podręcznikowy wdowiec. Koniec końców po łzy i szloch powinien się udać do rodziców Krzysia, nie tutaj. Taka była jego pierwsza od wielu dni jasna i własna myśl.

Rozmawiano w kilku językach, Babel nie została odbudowana, ale to nawet lepiej, po polsku, angielsku i niemiecku.

Maja opowiadała, jak to mieszka się z Faustyną i jej elementem. Skończyła błyskotliwie:

– I ja, patrząc na czwórkę niewiniątek, pytam ją, siostro, dlaczego wybrałaś religię, w której seks jest nielegalny?

Śmiech. Dość powściągliwy.

Andrzej odpłynął, niedaleko, z widokiem na wybrzeże stołu i ciągle donoszone płyny i jedzenie.

Nie czuł się ani dobrze, ani źle.

Siedział i nasłuchiwał. Pomyślał, że musi ogolić włosy na zero. To była jego druga i własna myśl. Z milczenia wychylił się dopiero, gdy usłyszał słowo „glejak". Usłyszał siebie, mówiącego:

– Dramaturgicznie glejak jest nieciekawy. Guz w płatach czołowych daje bogatsze objawy. Można nawet napisać powieść.

– A skąd o tym wiesz? – pyta Maja.

– Z podręcznika do neurologii. Możesz kupić w każdej księgarni medycznej, mogę ci też pożyczyć mój stary.

– Wolałabym pożyczyć. Pod warunkiem – Maja przygryza wargi – że się nie ubogaciły objawy w nowszych wydaniach.

Znowu śmiech. Znów powściągliwy.

Wieczór płynie. Rozmowy, żarty, czasem coś poważniejszego, czasem jakiś spór, jakaś etyczna blizna, moralna krosta.

Andrzej milczy, nie czuje się odrzucony ni wyrzucony poza nawias. Nadal nie jest mu dobrze ani źle, woli być jednak z ludźmi, niż siedzieć samotnie.

Heterotropianie zupełnie inaczej rozumieją też słowo „rodzina". U nich rodzinę może tworzyć na przykład jedna starsza kobieta i jej dwanaście kotów. Albo trzy przyjaciółki plus partner jednej z nich, bo wszyscy pasjonują się makrobiotyką. Albo dwie homoseksualne pary mieszkające w secesyjnej willi, o którą trzeba dbać.

Olga Tokarczuk

Wieczór dobija końca. Wszyscy wychodzą niemal równocześnie, zatłoczony przedpokój.

Maja wyciąga z torebki jakieś klucze i podaje Ninel:

– To są twoje klucze. Te, co zabrałam kiedyś Szymonowi. Od nich wszystko się zaczęło.

– Skąd wiedziałaś? – Szymon pyta Maję już na chodniku.
– Po twojej panice rano, gdy powiedziałam, że idziemy do Ninel. I po skrzywieniu się Ninel, gdy jej opowiedziałam o tobie jakiś tydzień temu. Wiesz co? Ona cię nie wydała.

Juli, po angielsku:
– Czy moglibyście przestać knuć po polsku i przejść na zrozumiały, obcy dla każdego z nas język? Bardzo dziękuję.

EPILOG

Pogoda na dziś: średnia temperatura w ciągu dnia 7 stopni Celsjusza, opady deszczu ze śniegiem 0,4 mm, ciśnienie 1014 hPa i spada, wiatr w porywach do 20 km/h.

Andrzej długo zastanawiał się, co zrobić z prochami Krzysia.
Prawdę mówiąc, nigdy nie posiadał rzeczy tak cennej i równocześnie tak całkowicie bezwartościowej.
Męczył się bardzo, aż po pewnym bolesnym śnie, w którym śnił, że był jednoosobowym państwem świata, uświadomił sobie, że nie musi podejmować pewnych decyzji. Nie na akord.

W rekordowym 2007 roku biała czapa miała powierzchnię jedynie 4,17 mln km^2. W 2012 roku pokrywa lodowa na Oceanie Arktycznym zmalała do 4,10 mln km^2 i będzie się nadal kurczyć.

Blok dało się odratować, małżeństwa nie. Faustyna wróciła na stare, lekko odremontowane śmieci.

Nigdy nikomu tego nie zdradziła, nawet księdzu na spowiedzi, cieszyła się jednak, że zostawił ją mąż. Radość przyszła, gdy minął pierwszy szok. Nigdy go nie lubiła, starała się bardzo, modliła, ale nie polubiła. Potrzebowała go, ponieważ pragnęła dzieci.

Dał jej dzieci, teraz da rozwód i alimenty.

Skurwysyn, myślała, z gatunku tych całkiem przyzwoitych – jak by nie patrzeć, poszedł za głosem swego serca, czy co tam w nim wołało, i przy okazji ją, Faustynę, uwolnił.

Miała nadzieję nigdy więcej nie oglądać go na oczy. Żeby nie musieć mu dziękować. Albo żeby go nie polubić, nie teraz, kiedy tego lubienia w ogóle nie potrzebowała.

Srebrenica, data urodzenia: lipiec 1995; rodzice: holenderski batalion ONZ oraz oddziały serbskie; liczba potomstwa: około 8000 zamordowanych bośniackich muzułmanów; znaki szczególne: ślad po kuli; orientacja seksualna: nieaktualna; orientacja światopoglądowa: nieaktualna; narodowość: nieaktualna; stosunek do ofiar Holocaustu: nieaktualny; rzucany cień: ogromny.

Maja znalazła wreszcie pracę: dwa semestry zastępstwa za nauczycielkę biologii w przyzwoitym liceum.

Okazało się – bardzo to ją zaskoczyło – że lubi dzieci, przynajmniej te podrośnięte.

*W każdy prawie weekend widywali się we czworo lub pięcioro,
jeśli dołączał Bruno, albo i w większym gronie – raz w Berlinie,
raz w Warszawie, naprzemiennie jak bliny.*

Trzydziestosiedmioletni Czech Jakub Halik od pięciu
miesięcy nie ma serca. Organ został usunięty i zastąpiony
dwiema pompami. Jego serce nie bije, a on nie ma pulsu. Poza
tym wszystko po staremu. Usunięcie serca to rozwiązanie
tymczasowe, do czasu, aż znajdzie się serce nowe.

*Ninel odwiedzała matkę. Norbert czekał tuż obok głównego
wejścia do szpitala. Zastanawiał się, co ona by wybrała, gdyby
musiała: śmierć matki czy koniec romansu z nim.
Albo co wybrałby on sam: koniec romansu z Ninel czy śmierć
Patryka?
Poczuł ulgę, pewien rodzaj ulgi, bo pewne wybory są poza jego
zasięgiem, nie należą do niego.
Może Ninel ma rację? Gdy skończyła się religia, nie ma z kim
targować się o siebie. I tak jest dobrze.
Bardzo dobrze.
Bardzo.*

Autorzy przekładów wykorzystanych w tekście

s. 15 – Jerzy Jarniewicz; s. 48 – Maciej Świerkocki; s. 59 – Michał Lipszyc; s. 82 – Lech Jęczmyk; s. 100 – E. Wołk; s. 112 – Agnieszka Pokojska; s. 121–124 – Antoni Libera; s. 125 – Andrzej Szuba; s. 138 – Jan Kabat; s. 149 – Stanisław Barańczak; s. 157 – Maja Charkiewicz, Beata Gontar; s. 160 – Anna Gralak; s. 173, 233 – Witold Kurylak; s. 188 – Michał Rusinek; s. 190 – Michał Jakuszewski; s. 243 – Elżbieta Zychowicz; s. 262 – Sława Lisiecka; s. 281–282 – Zbigniew Zawadzki; s. 291, 383 – Teresa Chłapowska; s. 304 – Jan Kabat; s. 326, 337 – Adam Szymanowski; s. 344 – Andrzej Sosnowski; s. 350, 355, 360 – Robert Sudół; s. 372 – Krzysztof Żaboklicki; s. 380 – Aldona Biała; s. 388 – Tomasz Kunz; s. 403, 406 – Anna Kołyszko/Magda Heydel; s. 414 – Ewa Zaleska; s. 454 – Borys Cymbrowski.

Opieka redakcyjna
Anita Kasperek

Redakcja
Waldemar Popek

Korekta
Anna Milewska, Aneta Tkaczyk

Zdjęcie autora na okładce
Anna Tomaszewska-Nelson

Projekt okładki i stron tytułowych
Przemysław Dębowski

Redaktor techniczny
Bożena Korbut

Książkę wydrukowano na papierze Creamy 80 g vol. 2,0
dystrybuowanym przez PaperlinX

Printed in Poland
Wydawnictwo Literackie Sp. z o.o., 2014
ul. Długa 1, 31-147 Kraków
bezpłatna linia telefoniczna: 800 42 10 40
księgarnia internetowa: www.wydawnictwoliterackie.pl
e-mail: ksiegarnia@wydawnictwoliterackie.pl
fax: (+48-12) 430 00 96
tel.: (+48-12) 619 27 70
Skład i łamanie: Scriptorium „TEXTURA"
Druk i oprawa: Drukarnia Kolejowa Kraków Sp. z o.o.

ISBN 978-83-08-05117-7 – oprawa broszurowa
ISBN 978-83-08-05118-4 – oprawa twarda

KSIĄŻKI
IGNACEGO
KARPOWICZA
W WYDAWNICTWIE
LITERACKIM

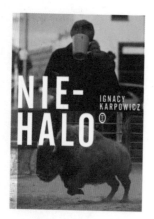

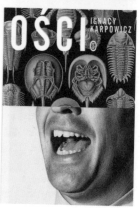